金田一耕助ファイル18

白と黒

横溝正史

角川文庫
3239

白と黒

目次

本文デザイン　天下井教子＋エーダッシュ

プロローグ

詩人のS・Y先生は、ある朝、散歩の途次《とじ》、世にもおどろくべきものを、空のかなたに発見して、しばし唖然《あぜん》としてその場に立ちすくんでしまった。

ある朝——それは一九六〇年度の日本シリーズの第一戦が、川崎球場で開始されようという日の朝、もっとひらたくいえば、昭和三十五年十月十一日の午前十一時半ごろのことである。

じつをいうとS・Y先生は、この日本シリーズの第一戦の観戦記を書くことを、あるスポーツ紙から依頼されていたのである。しかし、とかく健康にめぐまれず、しかもいたってモノグサにできているS・Y先生は、ニベもなくその依頼を断わった。わざわざ埃《ほこり》っぽいグラウンドへ出向いていって、お尻《しり》のいたくなるような堅い座席でシャッチョコ張って観戦するよりも、家にいて居心地のよいアーム・チェアにふんぞりかえって、テレビで観戦したほうがよっぽど楽である、というようなモノグサな考えかたが、ちかごろのS・Y先生のすべての行動を支配している。

とはいうもののS・Y先生、この日本シリーズの観戦を断わったということが、いささか惜しくもあったのである。ひさしぶりにグラウンドへ出向いていって、熱戦の興奮をその肌でじかに感じとってみたいというような気が、断わったあとで起こらないでもなかった。

だから、その朝、S・Y先生が目をさましたとき、まずいちばん気になったのは空模様であった。雨戸を繰《く》ってみると、パアッと差しこんできたのは、うららかな秋の陽差しであった。ところが、それから一時間もたたぬうちに、空模様がそろそろ怪しくなりはじめた。

なにしろ、その前日にはそうとうの雨が降っている。ここでちょっとでも雨を催《もよお》そうものなら、グラウンド状態不良とあって、ゲームがお流れになるおそれがある。そうなるとS・Y先生がせっかく当てにしていた、テレビ観戦の楽しみもフイになる。

そこで十一時過ぎS・Y先生は、愛犬カピをつれて散歩に出かけた。S・Y先生の宅は小田急《おだきゅう》沿線のK台地にある。台地のはずれまでいくと川崎の空が見えるのである。S・Y先生はごくろうにも、愛犬カピをつれて、川崎の空模様やいかにと観望《かんぼう》に出かけていった。

川崎の空模様もS・Y先生の頭のうえと似たりよったりだったが、そのうちに愛犬カピが東の空にむかって猛烈に吠《ほ》え出し、なにげなくそのほうをふりかえったS・Y先生も茫《ぼう》然《ぜん》としてそこに立ちすくんでしまった。

S・Y先生と愛犬カピは東の空になにを見たのであろうか。かれはそこに現代の蜃気楼《しんきろう》を発見したのである。

いや、ありようをいうと、こうなのだ。S・Y先生は、七月のはじめから九月の中旬まで、信州に暑を避けていた。しかも、信州からかえってから、きゅうにぶりかえした東京の暑気に当てられて、S・Y先生は二、三日まえまでノビていたのである。

だからS・Y先生が、そのへんを散歩するのは三か月ぶりのことであった。その三か月のあいだに現代の奇跡が、忽然《こつぜん》として東の空に出現していたのである。

いや、もったいぶるのはよそう。ナーニ、モノグサなS・Y先生のしらぬまに、いつのまにかそこに団地が、できあがっていたというだけのことなのサ。

しかし、S・Y先生は詩人である。詩人というやつはなんでもないことに、ひどく感動する場合がある。

じっさい、おりからのくもり空にそびえている、幾棟《いくむね》かの団地の建物を望見したとき、S・Y先生はひどく感動を催した。あらゆる装飾や媚態《びたい》を拒否するかのような、その建物たちの聚落《しゅうらく》は、いたって古風で前世代的な生活を送っているS・Y先生にとっては、一種厳粛で荘厳なものにさえ見えたのである。

しかも、そこにはもう生活がはじまっているらしい！

いつの間に、あんな建物めが……？

だがほんとうをいうとこうなのである。いまS・Y先生の立っているK台地と、その団地がそびえている中間に帝都《ていと》映画のスタジオがある。

そのスタジオのむこうに足場が組まれ、鉄骨が建ち、コンクリートが流しこまれているころ、S・Y先生はときおり散歩の途次に望見しているのである。それをいたってウカツなS・Y先生は、帝都映画のオープン・セットだとばかりかんちがいしていただけのことで、日《ひ》の出《で》団地とよばれるそこでは、S・Y先生が避暑にいくまえ、すなわち六月のなかごろから、すでにさまざまな人生模様が繰りひろげられていたのである。

とつぜん、カピがまたけたたましく吠えだした。

S・Y先生はそこではじめて、さきほどカピが吠えたのは、じぶんのように詩人的感動にゆすぶられたせいではなかったことに気がついた。

いまS・Y先生と愛犬カピが立っている、K台地のその一画は、以前ご料林《りょうりん》だったそうである。

それが戦後付近のひとびとに払いさげられて、ご料林は切りはらわれ、そのあといちめんに、麦畑やオカボ畑、あるいは芋畑《いもばたけ》ができあがっていた。それをまたちかごろ某財閥《ざいばつ》が買いあげて、ホテルを建てるの、学校を立てるのと、さまざまな噂《うわさ》が立っている。

しかも、その時期もちかいのか、この春までよく耕されていたそのへんいったい、農民たちが手をひいたとみえ、草ボウボウといちめんの荒廃地になっている。

その荒廃地の一面に、こんもりと盃《さかずき》をふせたようなかっこうの丘がある。直径二十メートルもあろうかと思われる台地のコブである。そのコブのむこうがわに、自動車が一台とまっていた。そして、その自動車のぬしらしい男が、丘のうえに立っているのである。

カピが吠えているのはその男にたいしてであった。では、なぜカピはその男を、怪しむべきものと認めたのか。それはその男が双眼鏡をもっているかららしい。

K台地もいまS・Y先生と愛犬カピが立っているあたりで、大きな断層をなしており、台地の裾《すそ》から西へかけてむこう一面、多摩川《たまがわ》の水を引いた水田や、水田のあいだを点綴《てんてつ》する、武蔵野《むさしの》の防風林が散在している。そして、それらの水田や防風林のはるかむこうに、多摩の流れが帯を引いたように薄白く光っている。

丘のうえの男は双眼鏡で、多摩の流れの景観をたのしんでいるのであろうか。まさか、S・Y先生みたいに、川崎の空模様を案じているのではあるまい。

しかし、それにしては少し妙だと、さすがウカツなS・Y先生も気がついた。

いま、その男はS・Y先生や愛犬カピに背をむけている。したがって双眼鏡のレンズも、カピの視野から外れているわけである。もし、カピの鋭い視線が、双眼鏡のレンズの異様なかがやきをとらえたとしたら、その男はいままでこちらをむいていたにちがいない。

いや、げんにカピの異様な声にふりかえったとき、その男があわててむきをかえ、その瞬間、双眼鏡のレンズがキラリとにぶく光ったのを、S・Y先生は視覚のはしっこでかんじていた。

S・Y先生はなにげなくじぶんの背後をふりかえった。

そして、その男とじぶんをつなぐ直線を、はるか遠くへ延長していくと、帝都映画のスタジオをこえ、あの団地の建物につきあたることに気がついた。

S・Y先生は親友に金田一耕助《きんだいちこうすけ》という、犯罪の名探求者をもっているにもかかわらず、かれじしんはいたってうかつな人物である。

もっともS・Y先生自身忽然《こつぜん》として出現した団地の出現に、ドギモを抜かれたくらいだから、他人が双眼鏡でその団地の景観を、観察していたからといって、あえて異とするに足らぬと考えたのかもしれぬ。

「カピ！　カピ！」

と、かれはまだ吠えつづけている柴犬をなだめると、解いてあったバンドを首輪につなぎとめた。

「さあ、いこう」

カピはまだその男に未練があるのか、四肢《しし》をふんばり、尻尾《しっぽ》を逆立てて、のどの奥で唸《うな》っている。

だが、S・Y先生はいっこうに無頓着《むとんちゃく》である。バンドのさきの輪を右手にまきつけて、

「さあ、いくんだ、いくんだ」

S・Y先生が丘から十メートルもはなれたころ、背後にあたって自動車のエンジンの音がきこえてきた。ふりかえってみると、丘のふもとに駐車していた自動車が、いまヨタヨタと荒廃地の雑草の道をつっきって、むこうへ立ち去っていくところであった。運転台におさまって、ハンドルを握《にぎ》っているのは、さっきの双眼鏡の男らしい。ほかにだれも乗っているものはないようだ。

帝都映画のスタジオで、正午のサイレンが鳴りだしたころ、カピをつれて荒廃地をひとまわりしてきたS・Y先生は、もういちどあの丘のふもとまでやってきた。

こんどは先客がいないので、S・Y先生も愛犬をつれてその丘をのぼっていった。いつも散歩の途次休息する丘のうえだが、周囲いったいの荒廃がそこまで侵蝕《しんしょく》していて、雑草が膝《ひざ》を没するまでおいしげっている。

S・Y先生は立ったままゆっくりホープに火をつけると、もういちど東の空に眼をやった。

少し空が明るくなってきて、このぶんならば日本シリーズの第一戦にとっては、絶好のコンディションではないかと思われる。

さっきかれの眼をうばった現代の蜃気楼《しんきろう》は巷《ちまた》の騒音をよそにひっそりと、しかし、いとも厳粛に立っている。窓を広くとって清潔そうである。窓に洗濯物らしいのが見えるのは、もう人間の生活がはじまっている証拠である。蜃気楼は五つ、六つ、七つ、八つ……いや、いや、蜃気楼のむこうにはまだ蜃気楼が重なり合って、無限のひろがりをもっているのではないか。

S・Y先生はなんとなく溜《た》め息が出た。どういうわけで溜め息が出たのかわからないけれど、いたって隠遁《いんとん》的な生活をしているS・Y先生は、その団地のたたずまいに圧迫をかんじたのかもしれないのである。

S・Y先生はそれからまもなく、首をふりふり愛犬とともに丘をくだった。まるで悪魔を払い落とそうとするかのように。

それから十五分ののちわが家へかえったS・Y先生は、昼食としてウドンを食べた。高血圧を恐れるこの詩人はなるべく米食をひかえるようにしているのだ。

ウドンを食べおわると十二時四十五分。S・Y先生はテレビのスイッチを入れ、アーム・チェアにふんぞりかえったが、ちょうどそのころ、かれの親友金田一耕助が、いまS・Y先生を大いに圧迫し、息苦しさをかんじさせたところの、日の出団地に足を踏み入れていた。……

と、いうところから、この奇妙な連続殺人の幕は切って落とされるのである。

第一章　Ladies and Gentlemen

「やあ、これは……」

日の出団地の入り口でバスから降りた金田一耕助は、そこに建ちならぶ五階建てのアパートの大聚落《だいしゅうらく》を見ると、思わずその場に足をとめ、緒方順子《おがたじゅんこ》をふりかえった。

「この団地、いつごろここに出来たの？」

「いつごろって……」

と、緒方順子は金田一耕助のあまりのおどろきように、眼もとでうつくしく笑いながら、

「わたしどもがここへ入居したのは六月でした。早いひとは五月に入ってらしたそうよ」

「ふうむ、ちっともしらなかったよ。こんなものがここにできあがっているとは……」

「先生はあまりこのへんへはいらっしゃいませんの」

「そうでもないさ。そうでもないから驚いてるんだ。このむこうのSに知り合いのかたがいらっしゃるんで、ときどきこの道を自動車で通るんだが、そういえば、ここ一年あまりSにもご無沙汰《ぶさた》している。しかし、そのあいだにこんなものが出来あがっていようとは……」

と、このアパートの大聚落を見まわしながら、金田一耕助はいかにも感にたえたというふうである。

金田一耕助のいうSの知り合いというのが、すなわちプロローグに登場したS・Y先生のことなのである。

「緒方君、いったいここはもとなんだったんだろう」

「そんなことどうでもよろしいじゃございません？　それよりはやくいきましょう。先生にお眼にかかったら安心したせいか、きゅうにお腹《なか》がすいちゃった」

「そういえばおれも……もうかれこれ一時だもんな。緒方君、いったいなにをご馳走《ちそう》してくれるんだい」

「さあ、せいぜい腕によりをかけてといいたいんだけど、どうせインスタント料理。いやあね、先生、そんなにキョロキョロなすって、……あら！」

と、小声で叫んだ緒方順子は、金田一耕助のそばへすりよると、すばやく耳もとでささやいた。

「先生、むこうからくる娘《こ》に注目しといてちょうだい。さっき申し上げたこの団地に、いま起こりつつある怪事件の、あの娘も犠牲者のひとりなんですの」

この団地の入り口は団地ぜんたいの北側についている。

したがって、メーン・ストリートをまっすぐ南へすすんでいく金田一耕助の眼には、まず建物の北側がうつるわけである。メーン・ストリートを中心として、おなじ規格の建物が、まずざっと二十くらいは並んでいるだろうか。どの建物も五階建てで、ひとつの建物に五十世帯くらいは収容できるらしい。

金田一耕助と緒方順子のふたりが、むこうからくる少女を迎えて立ちどまったのは、メーン・ストリートを、はんぶんくらいきたところで、左側には五号館がならんでいた。

「どうしたのよ、京美《きょうみ》ちゃん、なにをそんなに考えこんでいるのよう」

「うっふっふ」

京美のほうでもさっきから、順子に気がついていて、不思議そうに金田一耕助のほうへ眼を走らせていた。例によって例のごとく、おカマ帽子にセルの単衣《ひとえ》、ヒダのゆるんだよれよれのハカマという金田一耕助のいでたちは、誰の目にも異様に映ったにちがいない。

「べつになにも考えてやアしないわ」

「だって、なんだかぼんやりしてるんじゃない？」

「いやだア。あたしそんなに見えて？」

京美は眼玉をくりくりさせたが、なんとなくその表情には不自然なものが感じられた。引き緊《しま》った顔がよく整《ととの》って、すらりとした体の線が大人と子供の中間を思わせる。赤と黄のあらい横縞《よこじま》のセーターを着ていて、スラックスをはいた脚がのびのびしているのもちかごろの娘らしい。

「あんたこれからタンポポへいくとこ？」

「うん、いってみるつもりだけど、ちょっとおかしいのよ」

「おかしいって？」

「マダムがけさからいないの」

「どこかへお出掛け？」

「それがわからないの。でも、もういまごろはかえってるかもしれないわ。それより順子ちゃん」

京美は金田一耕助のもじゃもじゃ頭に眼をやって、

「そちら、どなた？」

「うん、いずれ話をするかもしれない。ときに、京美ちゃん、あのことについてその後なんの話もない？」

「あのことって……？」

「ほら、あの怪文書のことよ。レディース・エンド・ジェントルメン……」

「いやよ、あんなこと……」

京美はきゅうにいかつい眼をして、順子の顔をにらみすえると、

「あんなことをとっくの昔に忘れたわ。順子ちゃん、つまんないことにこだわらないでよ。バイバイ」

この日の出団地はまだすっかり整備されていない。メーン・ストリートこそ舗装《ほそう》されているが、それもずっと奥のほうになると、まだブルドーザーが動いている。建物と建物とのあいだの、緑地帯とよぶべきところは、まだ土が掘りくりかえされたままである。

京美が肩をふって立ち去るのを見送ったのち、金田一耕助と緒方順子はまたならんで歩き出した。

「金田一先生、いまのお話お聞きになって？」

「ああ、聞いたよ。君がぼくを引っ張ってきたことと、いまの会話との間に、なにか関係があるらしいね」

「ええ、そう、団地にはいろんなひとが住んでますわ。あたしなんかもそのひとりなんですけれど、いままでぜんぜん見もしらなかったひとたちが、わっと集まってきて、ここでひとつの生活をはじめるんですから、いろんなことが起こるのも当然かもしれませんわね」

「ときにいまの娘《こ》、京美ちゃんとかいったね。あの娘、あれでいくつくらい？」

「ことし高校を出たばかりよ」

「両親といっしょにここにいるの？」

「ところがそうじゃないんです。伯父《おじ》さまといっしょなの。それも血をわけた伯父さまじゃなく、伯母《おば》さまのほうが京美ちゃんの肉親だったのね。その伯母さまが死んじまっちゃ伯父さまとは赤の他人ね。だから……」

「だから……？」

「怪文書のつけいるすきがあるというわけね」

金田一耕助は緒方順子の横顔に眼を走らせた。

額のひいでた顔はちょっと知性的であり、タイト・スカートにクリーム色のセーターを着て、薄茶のカーディガンをはおった体は均整《きんせい》がとれている。

「君、さっき京美という娘にも怪文書のことをいってたが、いったい、レディース・エンド・ジェントルメンてなんのこと?」

「先生、いまこの団地にそういう怪文書が横行してるらしいんですの。ああ、これがあたしのいるアパート」

金田一耕助はきょう渋谷《しぶや》のデパートで、古書展があるという案内状をうけとったので、べつに見たい本があるわけではなかったが、ただなんとなく出掛けた。会場をひととおりまわってみたが、かれに食指を動かせる本もなく、一時間ほど見てまわったのちにそこを出た。ちょうど昼食の時間だったので食堂をのぞいてみたが、あいにく満員でわりこむすきもなさそうだった。どこかほかで食事をするつもりで、デパートを出たところで、バッタリ出遭《であ》ったのがこの女だ。

「あら、先生、金田一先生じゃありませんか」

と、なつかしそうに声をかけられても、とっさに思い出せず、あいての顔を見まもっていると、

「いやあね、先生、あたしそんなに変わったかしら」

「ええ……と、どなたでしたっけね」

「ほっほっほ、すっかりお忘れになったのね。ほら、先生、三年ほどまえちょくちょく、等々力《とどろき》警部さんとごいっしょに、西銀座のスリーXというバーへいらしたことございますでしょう。あたし、あのスリーXで働いてた緒方順子です。そのじぶんはハルミって気取

った名前を名乗ってましたけど……」

「ああ、あのハルミちゃんかあ！」

と、金田一耕助としては珍しく大きな声を立てたあとで、あわててあたりを見まわすと、

「いや、これは失敬《しっけい》、失敬」

「いいのよ、先生」

と、順子は眼もとで笑いながら、

「あたしひとにしられたって平気。それより先生、あたしさっきから先生に気がついていたの。先生にお眼にかかれて地獄で仏《ほとけ》に会ったような気持ちでいるんです。先生、昔馴染《むかしなじ》みにあたしを助けてちょうだい」

「これはまたえらく単刀直入《たんとうちょくにゅう》だね。なにかトラブルにでもまきこまれてるの」

「ええ、トラブルもトラブル、大トラブルよ。先生なんかきっと興味をお持ちになるわ。奇々怪々の事件なの。これ、ほんとよ、先生」

「ああ、そう、それじゃどこかで飯でも食べながら話をきこうか」

「それより、先生、うちへいらっしゃらない。問題のシロモノはわが家にあるの。それを見ていただかなきゃ話にならないわ。先生、ちょっと待ってね。おカズ買ってくるわ」

あっというまに順子はデパートの地下へかけこんで、おカズらしきものをととのえてくると、

「さあ、先生、お供しましょう」

順子の住んでいるアパートは、この団地のなかの十八号館で、げんざい完成しているアパート群のなかでは、いちばん奥まったところにあった。

しかし、その奥にまだふた棟《むね》、目下完成をいそいでいる建物があって、ブルドーザーが動いているのもそのへんだった。

順子の部屋は一八二一号室、これは十八号館の二一号室という意味で、団地全体に一八二一世帯もあるわけではないと、順子が説明した。

金庫の扉を思わせる鉄のドアに須藤という名札があって、これが順子の旦那《だんな》さんの姓《せい》らしく、須藤順子とよぶのがほんとうらしいと、金田一耕助は気がついた。

なかは六畳に四畳半、ほかにリビング・キチン。このリビング・キチンと六畳の客間とならんだ外の南側に、幅一メートルの細長いテラスがついている。

「先生、ちょっとお待ちになって。おカズに火を通してきます」

「こうなったら万事君にまかせるよ、だけど順子君、旦那さまの留守中におれみたいな男を引っ張りこんでいいのかい。これでも男のはしくれだからな」

「先生、その亭主が問題なのよ」

「問題とは……？」

「いいえ、あとでお話しします」

と、順子はかいがいしくサロン・エプロンをつけて、隣のリビング・キチンへ姿を消した。

そういえばハルミと名乗ってスリーXに出ているじぶんから、どこかまめまめしく世話女房めいたところがあって、いつか金田一耕助と等々力警部に夜おそく、茶漬《ちゃづ》けをご馳走《ちそう》してくれたことがあったっけ。

六畳の座敷を見まわしたところ、タンス、鏡台、ちゃぶ台のたぐいにいたるまで、いかにもこういう団地に住む若夫婦のものらしく、平凡ななかにも若々しい生温かさにあふれている。金田一耕助は尻《しり》こそばゆいような苦笑をおぼえて、テラスに出た。

眼のまえにいま完成をいそいでいる二十号館の北側がみえ、その屋上で数名の男たちがなにか声高に怒号しながら立ち働いている。屋上にタールでもしいているのか、それを煮るつよい匂《にお》いが漂ってくる。

「先生、お待たせ」

「やあ、いやにいい匂いを嗅《か》がせるじゃないか」

「ごめんなさい。先生、いためご飯よ。だって新しいご飯たくひまがなかったんですもの」

ちゃぶ台に拭《ぬぐ》いをかけると、そこに並べたてたのは、手ぎわよく盛ったチキン・ライスに若鶏の股《もも》のロースト、ほかに野菜サラダに福神漬《ふくじんづ》け。いかにも若夫婦らしい小ぎれいな器に盛ってあって、コップに水が一杯。

「順子君、君は昔からこういう世話女房的なところがあったね」

「ほっほっほ」

順子は、ふっと眉根《まゆね》をくもらせると、

「それだけならよかったんですけれどね」

「順子君、問題はご亭主のことだとかいまいったね。ご馳走もご馳走だけど、その話というのを聞かせてもらおうじゃないか」

「ああ、そう、それじゃ」

と、順子はそばに脱ぎすてたサロン・エプロンのポケットから、手紙を一通取り出すと、

「先生、ご飯をめしあがりながらこの手紙をお読みになって。それが怪文書なの」

金田一耕助が手にとってみると、それはどこにでも売っていそうなハトロン紙の封筒で、表に、
東京都世田ヶ谷区
日の出団地十八号館一八二一号室
須藤達雄　様
と、まるで定規で引いたような字で書いてあり、差出人の名前はなかった。封は鋏《はさみ》で切ってある。

「この須藤達雄というのが君の旦那さんなんだね」

「ええ」

「なかを読んでもいいの」

「だってあたしに読ませるためでしょ。封筒のまま鏡のうえに貼《は》りつけて、亭主は家出を

しちゃったんです」

金田一耕助はなかから便箋《びんせん》をひっぱり出して、思わず大きく眼を見張った。

手ざわりが少しおかしいと思ったのも道理であった。便箋のうえには新聞や雑誌から切り抜いたらしい活字の文字が、いちめんにベタベタ貼りつけてある。

封筒の表書きが定規でひいたような文字なのは、筆跡をくらますためらしい。

金田一耕助はこの怪文書に眼を走らせた。

Ladies and Gentlemen

町内でしらぬは亭主ばかりなりとはよくいったものでござんすね。当日の出団地第十八号館、一八二一号室にお住まいの須藤達雄君の奥さん順子さんと申さるるは、もとは銀座うらのバー、スリーXで、ハルミちゃんとて艶名《えんめい》をうたわれたもうた妖花《ようか》一輪。当時はQ製薬会社の重役さんで、K・Hさんと申さるる、金肥りをしたロマンス・グレーをパトロンにもち、パパよ、パパよ、パパさんよと、甘ったれていられたうちはよかったが、旦那さんがロマンス・グレーでは、性のもだえをなんとしょう。そこでふとしたつまみ食い、手を出されたのがボディー・ビル的男性美の達雄君。黄金よりは男性のほうがよかったか、ロマンス・グレーと手を切って、前記のアパートにスィート・ホームとしゃれこんだまではよかったが、女は水性、魔性のもの、いつのまにやらロマンス・グレーとよりがもどって、あちらのホテル、こちらの温泉マークへと、手をたずさえてのお忍びとは、しらぬが仏《ほとけ》の達雄君。さて、このおさまりはいかがあいなりましょうやら、あとは次号のお楽しみ。

むろんこれらの文字に使われた、新聞雑誌の活字の切り抜きは、号数が全部そろってい
るわけではない。大きいのもあれば小さいのもある。それがベタベタ貼りつけてあるので、
便箋は波打つようによじれている。

こういう怪文書を製作する人物というのは、よくよく暇と根気にめぐまれた人間にちが
いない。

金田一耕助はもういちど封筒をとって消印をあらためた。かすかに「日の出」という文
字が見えるところを見ると、怪文書は日の出団地から発送されたのだ。と、いうことはこ
の日の出団地のなかに、こういう怪文書の製作者がひそんでいるということになる。

「とにかくご飯を食べてしまおう。せっかくのご馳走《ちそう》だからね」

金田一耕助はきれいに、ありったけのご馳走をたいらげてしまうと、

「いや、どうもご馳走さま」

「先生、お待ちになって。お茶をいれてきますから」

金田一耕助が香ばしいお茶をすすっているうちに、順子はちゃぶ台のうえを片づけて坐《すわ》
りなおすと、

「さあ、先生、なんでもいいから遠慮なく聞いてちょうだい。あたしこうして被告席へ坐

った以上は、なにもかも正直に申し上げてしまいますから」

きらきらといたずらっぽく瞳《ひとみ》をかがやかせているが、瞼《まぶた》ぎわをポーと染めて、いくらか頰《ほお》がこわばっているのを見ると、金田一耕助のほうがかえって鼻白《はなじろ》んだ。

「これ、ほんとうのことなのかね」

「ええ……」

小さく答えてから、順子はきゅうに雄弁になり、

「だって、仕方がないじゃないの先生、達ちゃんが柄《がら》にもなく、与太《よた》もんと、喧嘩《けんか》なんかするからいけないのよ。あのひと大学時代ラグビー部に席をおいてたんだけど、レギュラーにもなれなかったくらい気の弱いひとなのよ。それが体だけゴッツイもんだから、与太もんにイチャモンつけられて、平身低頭あやまっちゃえばいいものを、柄にもなく喧嘩買って出たもんだから、よってたかって袋叩《ふくろだた》きにされたあげく、ぐさっとひと突き。いちじはこのままいっちゃうんじゃないかと思われるほど重体で、輸血をするやら大騒ぎ、そのうえひと月も入院されちゃ、こんなヤセ世帯、干あがってしまうわね。そりゃ達ちゃんの親たちから、多少の援助はあったけど、元来があたしといっしょになるとき、みんな反対したくらいだから、十分な期待はできないわ。そんな場合、女としてどんな方法があると思って？　けっきょく体を張るより手がないんじゃない」

はじめは投げやりな調子でしゃべっていたのが、じぶんの言葉に興奮してきて、順子はまるで油紙に火のついたようにしゃべっていたが、そのうちにふっとじぶんがみじめにな

ってきたのか、眼頭を指でおさえると、

「うっふっふ」

と、照れくさそうに笑って、

「いいわけをしてもはじまらないわね。先生、その怪文書のいってることはほんとうなんですの」

「それで、いまいってた達ちゃん、すなわち須藤達雄君というのが、げんざいの旦那《だんな》さんだね」

「はあ」

「失礼だがなにをしているひと?」

「保険会社の外交員なの。気はいたって弱いほうだけど、でも人間に愛敬《あいきょう》があるというのか、腕のほうはわりかしいいのよ。だけど固定給なんてしれたもんでしょ。だから、ほんとはここへ入るのなんかもむりだったのを、ちょっと細工をしてもらったのね」

「としはいくつくらい?」

「あたしよりふたつ下なの。だから親もとで反対したのよ。あたしの前身も前身だけど……」

「失敬《しっけい》だけど、君のとしいくつ?」

「失礼ねえ……と、いいたいとこだけど、こんなさいだから仕方がないわね。あたしもう二なの。昔流にいえば三十三よ。だからあせりもするわよ、先生。あたしが夜の蝶《ちょう》にむかない性《しょう》だってことはご存じでしょ。そこへいくと達ちゃんて、わりに純情なの。だから、あたしいい奥さまになろうと思って一生けんめいだったんだけど、やっぱりだめねえ」

ホゾをかむような調子なのは、この女の気質のなかに、まだ古い時代の血が活《い》きているからだろうか。

「念のために聞いとくんだけどここにあるQ製薬会社の重役さんで、K・Hさんというのは、日足恭助《ひびききょうすけ》というひとじゃなかったかね」

「あら！　先生、日足さんをご存じでしたの」

「ああ、等々力警部さんといっしょに、スリーXへちょくちょく立ち寄ってたじぶん、二、三度顔をあわせたことがあったよ。君の朋輩《ほうばい》がいっていたよ、ハルミちゃんを張ってるんだって」

スリーXというのはわりに上品なバーだった。器具も調度も上等だったし、女たちもすれっからしはいないように思われた。どことなく家庭的なふんいきがあって、客も長続きがするらしかった。

この怪文書によると金肥りのしたロマンス・グレーとあり、これから想像すると豚《ぶた》のように太った醜怪《しゅうかい》な初老の男のように思われそうだが、金田一耕助の記憶にあるところではそれほどではなかったようだ。

としは五十前後だったが、身だしなみもよく、男振りも悪くなかった。いつも女を三、四人周囲にあつめて、気前よくおごっていた。じぶんでアソんでいるというよりは、女をアソばせているというかっこうで、こういうのが女にもてるんだろうと感心したことがある。

「いつごろから世話になってたの」

「昭和三十三年の春から一年あまり……」

「お店、よしてたの」

「いいえ、お店は出たまま……」

「それが達雄君のために別れたんだね」

「ええ、それってえのが……こんな話すると、まるで三文小説の筋書きみたいだけど、ずいぶんそのとき、あたしはあたしなりに煩悶《はんもん》したのよ。パパ……いいえ、あの、日疋さんが、あたしに一軒店を出させてやろうといいだしたの。ほんとうをいうとあいうとこへ出てくるひと、みんなそれがつけめなんだけど、あたしという女、そうなると気重くなってくるのね、お店を一軒もって、女の子をおいて……なんて、考えただけでも気が重くなってくるのよ。ちょうどそんなところへ達ちゃんが現われたもんだから……あら！」

と、順子は窓のほうへ眼をやって、

「なんでしょう、外のほうが騒々しいけど……」

「どうしたんだろう。なにかあったのかな」

「いやに騒いでますわね」

「どれどれ」

と、金田一耕助は立って、テラスへ出た。順子もついてきて金田一耕助とならんで外を見た。

いい忘れたが一八二一号室は、十八号館の三階になっている。だからそこのテラスに立つと、将来緑地帯になるはずの帯状の空き地をこえて、目下完成途上にある第二十号館の北側が、すぐ眼と鼻のあいだに見える。

その二十号館のすぐまえに、ひとかたまりの人間が、こちらに背をむけて立っていて、なにやら口々に騒いでいる。屋上からも、労務者らしいのがのぞいていて、下にいる男と声高《こわだか》にわめきあっている。

「どうしたんでしょう」

「怪我人《けがにん》でもあったのかな」

「あの屋上からだれか落っこちたんでしょうか」

「まさか……」

と、金田一耕助は苦笑しながら、しばらくひとびとの動きを見ていたが、かれにもまさかこれがあの大事件の発端《ほったん》となろうとは予測できなかったので、

「とにかく、いまの話を聞こうじゃないか。さっき遭《あ》った京美って娘も、ああいう怪文書の犠牲者だって？」

と、みずからさきに立って部屋のなかへ入ってきた。

「ええ、それがとってもえげつないの」

と、ガラス戸をしめて部屋のなかへかえってくると、

「あたしよりも、もっともっとえげつないこと書かれているのよ」

「えげつないことって？」

「処女膜を調べてみろなんて……」

「処女膜を調べてみろ……？」

金田一耕助はおもわず大きく眼を見張った。

「それはいったいどういうことなのかね」

「どうもこうもないのよ。そういう怪文書がこの団地に、横行してるんじゃないかと思うのよ。あたしや京美ちゃんのは氷山の一角で、ほかにもたくさんの犠牲者が、そういう怪文書に悩まされてるんじゃないかと思うんですの。先生、コーヒーでもいれましょうか」

「ああ、そう、それじゃそう願おうか」

「ちょっと待ってね」

リビング・キチンのほうで、コーヒーを煮るかぐわしい匂《にお》いをさせていたが、やがて順子はカップをふたつ、盆にのせてもってくると、

「先生、表のほう、いやに騒いでいるんじゃございません？」

「ふむ、やっぱり怪我人かなんかあったらしいね」

と、金田一耕助は香りのたかいコーヒーをすすりながら、怪文書をあらためている。

「先生、その活字から、なにか手がかりがつかめるとお思いになって？」

「そうだねえ、ほかになにも手がかりがないとしたら、これからつかむよりほかないわけだね」

「それ、いろんな新聞や雑誌から切り抜いたんでしょうねえ」

「ま、そうだろうね。ずいぶん手数のかかる仕事だが……それで、いまの話の出た京美ちゃんて娘の受け取った怪文書も、やはりこれと同じようにレディース・エンド・ジェントルメンという書き出しになっていたのかい」

「ええ、それとそっくりおんなじよ。でも、それ、京美ちゃんじしんが受け取ったんじゃないらしいのよ。京美ちゃんが親しくしているだれかが受け取ったのね。それを京美ちゃんだれだかいわないんだけど、でも、あのひとあやうく命を棒にふるところだったの」

「命を棒に……？　それ、どういう意味……？」

「自殺しかけたのよう、あのひと。あたしがいきあわせたからよかったようなものの……」

「自殺……？」

「そうなのよう、先生。そんなときはまさかあたしにお鉢《はち》がまわってこようとは思わなかったんだけど……あら！　先生、パトロール・カーが来たんじゃない」

なるほど、けたたましいサイレンの音をひびかせて、パトロール・カーがこの団地へ入ってきた。

「なにかあったのかな」

ガラス戸をひらいてテラスへ出ると、さっきひとかたまりの人間がむらがっていた第二十号館の北側は、いっぱいのひとだかりだった。

「先生、どうしたんでしょう。いったいなにが……」

順子が声をふるわせたとき、パーロール・カーが群衆をかきわけて、第二十号館の外へきてとまった。

パトロール・カーからふたりの警官が降りたつと、すぐ群衆のかたまりのなかへ姿を消した。問題のなにものかは順子の部屋からほぼ正面にあたるところの、第二十号館のすぐふもとにあるらしい。

「先生、なにが……？」

「もう少しここからようすを見ていよう」

金田一耕助が腕時計に眼を落とすと、時刻はまさに午後二時。

警官のひとりが群衆をかきわけて出てくると、あしばやにパトロール・カーのほうへかえっていった。無電で本庁と連絡をとってるらしい。

「先生、やっぱりなにかあったのよ」

「どうもそうらしいね」

「いってみましょうか」

「まあ、もう少しここからみていよう」

「あら！」

「どうしたの」

「先生！　ほら、あそこから出てきた娘、さっきお遭《あ》いになった娘よ。あの顔色、ただごとじゃないわ」

なるほど、野次馬《やじうま》のなかから、赤と黄のあらい横縞《よこじま》のセーターを着たすがたが出て来たが、遠眼にもその顔色はただごとではない。

眼が恐ろしくつりあがって、瞳《ひとみ》が針のようにとがっている。しかも、その歩きかたはどこかバランスが欠けていた。悪酒にでも酔っているような脚どりである。

「京美ちゃん、京美ちゃん！」

順子が手摺《てす》りから身を乗りだして呼びかけると、京美はギクリと立ちどまって、一階のテラスをふりかえった。

うつろにひらかれた瞳は、暗くかげって、深刻な恐怖がそこに影を落としている。

「京美ちゃん、どうしたのよう。いったいなにがあったのよう」

順子が手摺りから身を乗りだすと、京美は憤《おこ》ったようないかつい顔で、テラスのまえまでやってきた。

「順子ちゃん、あんた、さっきからここにいたの」

「ええ、いたわ。それがどうして……？」

「それでいてあんたあの騒ぎをしらなかったの。あんたのお部屋のすぐまんまえの出来事じゃないの」

「だって、あたし、こちらのおあいてをしてたんだもの……そりゃなにかあったらしいことはしってたけど……いったい、どうしたのよう、京美ちゃん、あんたなにをそんなに憤ってるのよう」

「人殺しじゃないの」

「人殺し……？」

順子は呼吸《いき》をうちへひいて、しばらくまじまじと京美の顔を見つめていたが、きゅうにまた威丈高《いたけだか》になって、

「しかし、それがなにかあたしに関係があって？　あなたなにをそのようにプンプンしてんのよう」

「だって、あそこあんたのお部屋の真正面じゃないの。あんたがいままで気がつかなかったっておかしいわよ」

「だって、京美ちゃん、それ、いったい、なんのこと……？」

この場合、京美のほうが順子より十歳以上も年少なのである。でも、スラックスをはいた脚をコンパスみたいに開いて、烈々《れつれつ》とした口調で順子を弾劾《だんがい》している京美の気迫には、妙におとなびたものがあった。

「なんのことって？　白ばっくれるのはよしてよ。あそこに殺されてるの、タンポポのマダムじゃないの。顔がめちゃめちゃになってるのでわからないけど……」

「タンポポのマダム……？」

そのとたん、順子は手摺りにつかまったまま、テラスのうえにくずれ落ちそうになった。金田一耕助は無言のまま、この小悪魔《こあくま》のような京美という娘と、順子の顔を見くらべている。

そこに殺人があったらしいことは、金田一耕助にも想像されないことではなかった。しかし、被害者がタンポポのマダムと聞いたせつな、順子が手摺りからくずれ落ちそうなほど意気沮喪《いきそそう》したのはなぜだろう。

「あんたゆうべ血相かえてタンポポへ押しかけてったっていうじゃないの。旦那《だんな》さんのことかなんかで、えらい権幕《けんまく》でマダムにねじこんでたっていうじゃないの。河村さんがいってたわよ。あんたがかえったあと、タンポポのマダム、すっかり怯《おび》えきってたって……そのマダムの死体があんたのお部屋のすぐまえにころがってるっていうのは、いったいどういうわけなのよう」

「京……京美ちゃん、タンポポのマダムが殺されているって、それほんとのことなの」

と、順子は咽喉《のど》のおくから搾《しぼ》り出すような声である。

「うそか、ほんとかいってごらんなさいよ。顔はめちゃめちゃになってるらしいけど、マダムの服装はあんたもよくしってるはずよ」

捨《す》て台詞《ぜりふ》のようにいって、肩をゆすっていきかけるのを、

「君、君」

と、テラスのうえから金田一耕助が呼びとめて、

「顔がめちゃめちゃてのはどういうわけだね」

「いってみればわかるわよ。こんな恐ろしいこと、あたし見たことも聞いたこともないわ」

京美はちらと第二十号館のほうへ眼を走らせると、小走りに第十八号館の角をまがって姿を消した。

「順子君、タンポポのマダムってのはどういう人？」

「洋裁店のマダムなんです」

「君、ゆうべそこへいって、マダムと喧嘩《けんか》か口論でもやったの」

「ええ……」

順子のこめかみにはつめたい汗が吹き出している。

「用件は旦那さんのことだったんだね」

「はあ、あたし、思いちがいをしていたんです」

「思いちがいって？」

「はあ……」

順子の口はきゅうに重くなってきた。

「順子君、君と君の旦那さんと、タンポポのマダムとのあいだに、三角関係でもあったの？」

「と、とんでもない」

「じゃ、なぜタンポポへ押しかけていったの」

「先生」

順子はいくらか反抗するような眼で、金田一耕助の視線を弾《はじ》きかえすと、

「人間てときどきとんでもない思いちがいをするものなのよ。あたしすっかり誤解してたの。達ちゃんがマダムのことを、きれいだ、きれいだなんていったりするもんだから……」

「とにかくいってみよう」

「いくってどこへ」

「死体を見にいくんだよ」

「だって、あたし……」

「順子君、君はいまひじょうに危険な立場にあるんだぜ。京美という娘はいま君を弾劾《だんがい》していったじゃないか。マダムの死は君に責任があるかのように。それにもかかわらず君がしらん顔してたら、いよいよ疑いは濃くなるぜ。それに……」

と、金田一耕助は言葉を強めて、

「この事件とあの怪文書とのあいだに、なにか関連性があるんじゃないかって疑いが、いま君の胸中で大きく動揺してるってことが、ちゃんと顔に書いてあるよ」

「先生、ほんとになにか関係が……」

「とにかくいってみよう」

「先生、つれてってちょうだい」

順子が手ばやくカーディガンをひっかけているあいだに、金田一耕助はあの怪文書を、封筒におさめてふところへ入れたが、そのとき順子の表情に、ちらとホゾをかむような色がうかんだのを見のがさなかった。

表へ出るとまだ続々と、団地のひとたちが駆けつけている。金田一耕助はいま改めて、団地のなかにさまざまな生活がいとなまれていることに思い当たった。

金田一耕助は警官にわけを話した。この婦人が死体の身許《みもと》をしってるかもしれないと話して、死体のよこたわっているところへ案内してもらった。

金田一耕助はあとにもさきにも、このような奇妙な状態で死体がよこたわっているのを、見たこともなく、また聞いたこともなかった。

第二章　タールの底

一時間ののち、金田一耕助は警視庁から駆けつけてきた等々力警部といっしょに、もういちど、この世にも奇妙な状態でよこたわっている女の死体を観察した。

団地の事情にうとい金田一耕助は、はじめはそれがなんであるかわからなかった。順子にきいて、やっとその死体のよこたわっているそこが、どういう場所であるかをしった。

それはダスター・シュートというのだそうである。つまり一階から五階までの住人のゴミ捨て場なのだ。

この二十号館の北側には入り口が五つある。その入り口を入るとすぐなかに階段があって、その階段はジグザグと稲妻型《いなずまがた》に折り曲がりながら五階まで走っている。その階段の左右に五つずつ、すなわち十世帯が住めるように部屋がくばられている。

ダスター・シュートは入り口と入り口の中間に位しており、そのシュートを中心とする左右の一世帯がそこへゴミを捨てるのだから、地上にあるゴミ箱はそうとう大きい。高さ一メートル、幅も奥行きもだいたいそれくらいだろうか、ガッチリとしたコンクリートづくりの箱で、そこから五階まで煙突のように、これまたコンクリートでかためた縦孔《たてあな》が走っており、それをとおって各階からゴミが落ちてくる仕掛けになっている。

完成した建物ならこのゴミ箱に、鉄の扉がついているのだが、未完の第二十号館のダスター・シュートには、まだドアが取りつけられていなかった。

そのゴミ箱のなかへ女がひとり仰向けに、顔のほうから奥へつっこまれているのである。薄紫のタフタのダスター・コートの裾《すそ》がめくれて、スカートは濃紫のジャージに、薄紫のジャガード織りで木の葉模様が散っている。

ナイロンの靴下をはいた脚が二本、ニューッとダスター・シュートのなかから突き出しているが、靴は薄紫の中ヒール、ハートのまわりにフランス・ダイヤをちりばめたアクセサリーのついているのが印象的である。

だが、上半身は見えなかった。上半身はダスター・シュートのなかに盛りあがった、タールの底に埋まっているのである。

「いったい、これは……?」

と、等々力警部が、大きな眼玉をひんむいたのもむりはない。

金田一耕助と等々力警部、このふたりはいつも事件探求の場合のコンビだが、金田一耕助が一メートル六〇あるかなしかの小兵に反して、等々力警部はゆうに一メートル七〇は越えるだろうという、がっちりした体格で、男振りも悪くない。多少猪首《いくび》なのが気にかかるが、それだけにドッシリとした重量感をもっている。

「いやあ、タール漬《づ》けの死体なんて世界犯罪史上類例がないんじゃありませんか。これが犯罪とすればね」

「しかし、いったいどうしてこんなことになったんですか。いったいだれがこんなタールを死体のうえに……?」

「いや、警部さん、それはわたしから説明しましょう」

と、そばから返事をひきとったのは、所轄《しょかつ》S署の捜査主任、山川《やまかわ》警部補である。

「けさ、この二十号館の屋上で、タールをしいていたんですね」

と、山川警部補は屋上を指さしたが、

「おや!」

と、けげんそうに眉《まゆ》をひそめた。

ダスター・シュートのてっぺんに黒い点がこびりついている。

「カラスですぜ」

そばから注意したのは所轄S署の志村《しむら》刑事である。

なるほど、黒点が少しうごいたので、カラスであることがハッキリした。このいまわしい鳥ははやくも屍臭《ししゅう》をかぎつけてやってきたのか。

「ちっ、畜生め、いやな鳥だ！」

志村刑事がいまいましそうに舌打ちしたとき、黒点がパッと飛び立って、あとから白いものが落ちてきた。

「ちっ、糞《くそ》垂れやがった」

一同はあわててそれを避けるとカラスのゆくえを見送っていた。そのいまいましい黒い鳥は、啼《な》きもせず、十八号館のむこうへ消えた。飼い主でもあるのか、片脚に包帯らしいものが巻いてあった。

「それで……？」

「いや、どうも、カラスに話の腰を折られてしまって……」

と、山川警部補は苦笑しながら、

「けさ、この屋上でタールをしいてたってことはいま申し上げましたね。ところがそのタールを煮るカマのお尻《しり》が、このダスター・シュートのてっぺんの穴にむかっていたんですね。ところがカマのなかのタールのへりかたがおかしいてんで、現場のものが調べてみたら、カマのお尻に孔《あな》があいてて、そこから煮えたぎるタールがダスター・シュートのなかへこぼれ落ちている……」

「煮えたぎるタールが……？」

「ええ、そうです、そうです。そこで現場で働いていた連中のなかのひとりが、驚いて下へおりてきて調べてみると、この死体がころがってたってわけです」

「灼熱《しゃくねつ》するタールが死体のうえから降ってきた……と、いうのかね」

「そうです、そうですす警部さん」

と、そばから返事をひきとったのは志村刑事だ。まぜっ返すような調子で、

「だから、どんなにじょうずにこの死体から、タールをはぎとったところで、ご面相なんかわかりっこありませんや。顔のない死体というやつで、こいつはてっきり金田一先生の領分ですぜ」

山川警部補も志村刑事も、かつて金田一耕助といっしょに仕事をしたことがあり、たがいに旧知のあいだがらで、ときには冗談や憎まれぐちも飛び出すのだ。

「それで現場のものがこの死体を発見したのは、いったい何時ごろのことなんだ」

「一時半ごろのことだそうですがね」

「じゃ、それまでだれもここに死体のあることに、気がつかなかったのか」

「ゴミ箱のなかから突き出している脚のうえにゃ、ほら、そのゴザがかぶせてあったそうです。それにこのあたりこんなにゴタゴタしていますからね、金田一先生でさえ事件の発見される少しまえ、むこうの部屋からここをごらんになったが、少しも気がつかなかった

といっていられるくらいだから……」

「金田一先生があの部屋から……？」

　等々力警部はおどろいて金田一耕助のほうをふりかえり、それからむこうの部屋へ眼をはなった。

　こちらからみると順子の部屋は、右からかぞえて五番目の一階で、現場からほぼ正面にあたっている。しかし、その第十八号館のあいだにできるはずの緑地帯は、いま土がいちめんにこねくりかえしてあり、あちこちに砂礫《されき》の山ができているので、順子の部屋のテラスからでは、死体をおおっていたゴザのはしも見えなかった。

「金田一先生、あなたはどうしてあの部屋へ……？」

「いや、警部さん、それはあとでお話ししましょう。ここに妙な話があるんですが、これ、ちょっと、いまのところマスコミに聞かせたくない話なんです」

「ああ、そう」

　と、等々力警部もぞくぞくと、駆けつけてくる新聞社の自動車に眼をやると、すぐ了解したらしく、

「そうすると、山川君、この死体はゆうべからここによこたわっていたということになるのかね」

「まあ、そういうことでしょうねえ。まさか朝っぱらから、死体を運んでくるやつもないでしょうからねえ」

等々力警部は被害者のはいている靴を見た。靴はかなりの赤土によごれている。

二十号館のすぐまえは舗装《ほそう》されているけれど、緑地帯の予定地はさっきもいったとおりこねくりかえされて、ゆうべの雨でしめっている。水溜《みずた》まりさえできていた。

「そうすると、被害者は昨夜このへんを通りかかった。そこを、ちかごろ流行の通り魔にやられた。犯人は死体をこのゴミ箱へつっこんで逃げた……と、いうことになるのかね」

「と、すると、あのタールは犯人にとって、お誂《あつら》えむきすぎやしませんか」

そばから反バクしたのは志村刑事だ。

「志村君、そりゃどういう意味だね」

「どういう意味って、警部さん、さっきもいったとおり、かりにタールはぎ取り作業がうまくいったところで、ご面相はめちゃくちゃでさあ。どこのだれだかわかりゃしない。と、すると、衣類や持ちもの以外にゃ、この被害者がだれであるか、ハッキリ証明できるものはなにもありませんや。流しの通り魔がそんなごていねいなことをやりますか」

「志村君、それじゃ、タールがうえから降ってきたのは、計画的だったというのかね」

「そりゃね、警部さん、タールを煮るカマのおケツに孔があいてたってのは偶然かもしれません。またカマのケツが、このダスター・シュートの穴にむかってたってえことも偶然かもしれない。だけど、そのタールの流れ落ちてくるま下に死体がころんでたってえのは、あんまり偶然が過ぎやあしませんかねえ。いや」

と、志村刑事はそこでちらりと、金田一耕助のほうへ眼を走らせると、白い歯をにやり

と出して、

「ちかごろわたしゃ金田一先生と、ちょくちょく仕事をごいっしょするようになったせいか、空想力が発達しすぎたのかもしれませんがね」

小ザルというあだ名のあるこの刑事は、べつに顔がサルに似ているわけではないが、小《こ》柄《がら》で、はしっこくて、小取《こと》りまわしがきいていて、なかなか頭も鋭いのである。

「山川君、この被害者の身許《みもと》は？」

「いや、それがだいたい見当はついてるんです。あのダスター・コートやスカートの模様、それにあの靴のアクセサリーの特徴やなんかからね」

「どういうご婦人……？」

「むこうのマーケットで、タンポポという洋裁店を開いているマダムで、片桐恒子《かたぎりつねこ》という女だそうです」

「だれがそれを知ってたの？」

「さいしょそれをわれわれに注意してくれたのは、金田一先生のお知り合いの婦人なんです」

「だから、警部さん、こいつアダやオロソカな殺人事件とはわけがちがいますぜ。金田一先生がはじめから介入してるんですからな」

志村刑事は白い歯を出してケラケラ笑った。

等々力警部はそれにかまわず、あらためてダスター・シュートのなかをのぞきこんだ。

まえにもいったように高さ一メートル、幅も奥行きもそれくらいあろうかと思われる大きなゴミ箱のなかは、くろぐろとしたタールで埋まっている。

それは漏斗《じょうご》をさかさに伏せたようなかっこうで、ゴミ箱のなかに盛りあがっており、一部分はヒトデの脚のように箱からはみだしている。まだすっかり固まり切っておらず、黒い寒天《かんてん》みたいにぶよぶよしている。

そのタールの下からのぞいているのは、ナイロンの靴下をはいた女の脚が二本。見えるのは膝《ひざ》から下だけだが、すんなりとしたかっこうのよい脚である。

等々力警部は箱のなかへ首をつっこんで、そこからうえへ走っているダスター・コートをのぞいてみた。

コンクリートの内部はくろぐろとしたタールの流れだ。ゴミ箱の口から黒い氷柱《つらら》がたれさがっている。

「山川君、ときに検視のほうは……？」

警部はゴミ箱から顔を出してたずねたが、これは愚問であることに気がついた。死体は検視をうけられるような状態ではない。

「いや、さっき保科《ほしな》先生もやってきたんですが、この状態を見ると、先生、プンプン、おこってかえっていきましたよ。まず死体をとりだすのが先決問題だってね」

山川警部補はおだやかに苦笑すると、

「ああ、警部さん、紹介しましょう。こちらが現場監督の佐山《さやま》氏、そちらが屋上塗装の責任者藤野《ふじの》君です」

この団地の建設を請負っている高柳組というのは、一流の土建会社で、金田一耕助もよくあちこちの工事現場の立て札に、この名前を見ることがある。この日の出団地の建設について、現場の責任のいっさいを担当している佐山豊氏は、等々力警部に名刺を渡すと、

「いや、どうもとんだことができちまいまして……いまもむこうで若いもんと話をしていたんですが、こんなべらぼうな話ってないっていってるんですよ」

「べらぼうな話とおっしゃると……？」

「いえ、ね、きのうの夕方この二十号館の屋上へ器材をはこびあげて、いつでも操作できるように据えつけたとき、ここにいる藤野君がいちおう器材の点検をしたんだそうです。そんときにはカマの尻《しり》に穴があいてたなんて、ぜったいにないといってるんです」

「げんに……」

この点は事件発見以来たびたび問題になっているらしく、屋上塗装の責任者、藤野もわかい頰《ほお》をほてらせて、

「きのうあの器材一式を使用してあちらの十九号館の屋上塗装をやったんですが、そのときにゃなんのまちがいもなかったんですからね。監督さんはそのあと、この第二十号館の屋上へクレーンで引っ張りあげるとき、どこかへぶっつけたんじゃないかというんですが、そんなことは絶対にありません。ぶっつけりゃあんなシロモンですからね、建物のどこかに跡がつくはずです。そのことはここにいる連中もよくしってるんです」

藤野の背後にはタールだらけの作業員が四、五人いて、主任の言葉を裏書きした。みんな途方《とほう》に暮れている。

「警部さん」

と、そばから金田一耕助が言葉をはさんで、

「ひとつ屋上へあがってみようじゃありませんか。問題のカマというのを見ておく必要がおありでしょう」

「金田一先生、あなた屋上へは……？」

「いや、警部さんがいらしてからと思ってね」

「ああ、そう、それじゃ……」

「ご案内しましょう、藤野君、君もきてくれたまえ。佐山さん、あなたもなんならどうぞ」

「ああ、それじゃわしもこの機会に見ておくとしようか」

山川警部補をせんとうにたて、一同が入りこんだのは、第二十号館の左から二番目の入り口である。この二十号館ももう八、九分どおり出来あがっていて、あとは各室にタタミ建具がはいり、ドアを取りつければよいところまでいっている。

一同が屋上へ出てあたりを見わたすと、タールはまだ全体の五分の一くらいしか塗装されていなかった。すみっこから大きな起重機の首がのぞいており、まっくろなドラム缶が二十本あまりころがっている。

問題のタールを煮るカマは二番目のダスター・シュートのま上に据えつけてあり、それを取りまいて三人の男がなかをのぞきこんでいた。

「やあ、警部さんも金田一先生も……」

カマのそばからふりかえったのは、警部よりひとあしさきに、警視庁から駆けつけてきた新井刑事だ。

「こりゃやっぱりケガやあやまちでできた穴じゃなくて、故意にくりぬいた穴にちがいありませんぜ」

「どれどれ……」

問題のカマは下が円筒型の焚口《たきぐち》になっていて、薪《まき》でも石炭でもたけるようになっている。この円筒型の焚口のうえに、漏斗《じょうご》を複雑にしたようなかっこうのカマが、ななめ仰向《あおむ》けについているが、このカマの仰角《ぎょうかく》はハンドルによって自由に調節できるようになっている。カマの内部にはいちめんにまっくろなタールがこびりついているが、その底に直径三センチくらいの不規則な円型の穴があいている。それはあきらかにどこかへぶっつけて偶然にできたキレツではなく、鋭いヤスリかなんかを使ってくりぬいた穴にちがいない。

「なるほど、こりゃやっぱり藤野君のいうとおりだな」

と、佐山豊氏が額の汗をぬぐいながらうなった。

金田一耕助はそのカマの尻《しり》の下にあいているダスター・シュートの穴をのぞいてみた。その長方形の縦孔《たてあな》は一階まで垂直に落下していて、その内部をタールの滝がくろぐろと流れている。

「藤野君……とかいったね。君、このカマはきのうの夕方ここへ据えつけたといってたね」

等々力警部がふりかえると、まだわかい塗装主任はいくらかあがりぎみで、

「いや、じつをいうときのうのうちにここも片づけるつもりだったんです。ところがあいにくの雨でいちんち延びたんで、雨が小降りになった夕方、器材いっさいを十九号館の屋上からこっちへ移動したんです」

「このカマをここへ据えつけておいて、君たちは引き揚げていったんだね」

「はあ」

「それ何時ごろのこと？……」

「五時でした。五時が時間ですから……」

「君たちがカマを据えつけていったのは、正確にこの位置だったのかい」

このカマの下には小さなトロッコが取りつけてあるので、だれでも簡単に移動させることができるのである。

「そうですねえ。正確にはおぼえていないんですが、そりゃ多少きのうより、ダスター・シュートのほうへ寄ってたかもしれませんが……」

塗装主任は、いかにも自信がなさそうだった。

「なるほど。……ところでだれかがこのカマに穴をあけたとすると、それは君たちがきのの

うここを引き揚げていったあとということになるね」

「そりゃそうでしょう。さっきもいったとおりこのカマは、きのうとなりの屋上で使ってたんですからね」

「きょうここでこのカマが使用されるのをしってたのは、君たちの仲間だけかね。ほかにも……？」

「そりゃ、現場の連中なら、だれにだってわかったでしょうよ。きのうの夕方クレーンでカマを引っ張りあげるのを、みんな見てたでしょうからね。だけど現場の連中がこんなバカなことをするなんて……」

「失礼だけど……」

と、そばから口をはさんだのは金田一耕助である。

「この工事現場ではたらいている以外の人物で、きょうここがタールで塗装されるということを、しってた人物はいないかね」

「そりゃ団地の連中もカマを引っ張りあげるのを見てましたからね。ああ、そうそう、あの男……」

と、藤野塗装主任は思い出したように、指を鳴らした。

「あの男ってだれ……？」

「名前はしりません。この団地の住人らしいんですがね。スケッチ・ブックをもって、よくぼくたちをスケッチにくるんですよ。エカキだといってますがね」

「いくつぐらいの男かね」

「四十から四十五、六、いつもマドロス・パイプにベレー帽といういでたちで、チョビひげなんかはやして、キザなやつですよ。ものをいうにもいちいちネコ撫《な》で声で、みんなに鼻つまみになってるんですが……」

「ああ、ちょっと、藤野君……」

と、新井刑事が、胸壁から外を見おろしながら、

「君のいうのはあの男じゃないかね。あそこにエカキらしいのが絵をかいているぜ。ほら、むこうのアパートの三階の、右から六番目の部屋だ。ほら、あそこ……」

そこから見えるのは第十八号館の南側である。第十八号館の三階の右から六番目の部屋といえば、順子の部屋と廊下ひとつへだてたむかいの部屋の、一階おいてうえの部屋にあたっている。一同が胸壁から外をのぞくと、その部屋のテラスに三脚をもちだして、いまカンバスにむかっている男がいる。

うえから見おろす位置になるので、顔はわからないが、ルパシカのようなものを着て、ベレー帽をよこっちょにかぶり、チョビひげをはやしているかいないかわからないが、こんな場合にカンバスにむかっているというのは、キザといわれても仕方がないであろう。

その男のすぐ背後にまっ赤なセーターを着た女が立っていて、カンバスと斜め下に見える犯罪現場を見くらべているところを見ると、その男がいまカンバスのうえに描いているのは、あの無気味な死体ではないのか。

金田一耕助はその女を京美ではないかと思ったが、セーターの色もちがっているし、それにいま眼のまえにいる女のほうが、京美より肉づきがよさそうだ。

女がなにかいったらしく、男がそのほうをふりかえったが、なるほど鼻の下にくろいものをはやしている。

「ああ、あの男です」

「よし、第十八号館の三階、右から六番目の部屋だな」

S署の三浦刑事がポケットから手帳を取り出したとき、とつぜん一同の眼の下からけたたましい声が炸裂《さくれつ》した。ものに狂ったようなカラスの声である。

いまカラスがもの狂わしい声をあげているのは、第十八号館のいちばん右の一階の部屋だった。そこのテラスにおいてある、檻《おり》のような箱のなかにカラスがいるらしい。どこからかまぎれこんだ野良犬《のらいぬ》が、それを見つけて、猛烈に吠《ほ》えだしたのだ。それにたいしてカラスのほうでも負けず劣らず応酬《おうしゅう》しているらしい。

だしぬけに起こった犬とカラスの応酬に、ひとびとはいっしゅん気をのまれた。第二十号館の屋上にいるひとびとも、問題のエカキさんの部屋からそちらのほうへ視線をうばわれた。

とうとう犬は、吠えるだけではその闘争心を満足させられなくなったのか、テラスの手《て》摺《す》りをめがけて飛びつきはじめた。カラスが死にものぐるいの声をあげている。

そのとき、部屋のなかから男と女がふたり出てきて、カラスの檻をテラスから部屋のなかへかつぎこんだ。その女の姿を見て、金田一耕助はおもわず屋上の胸壁から身を乗りだした。女は順子だったようである。

「だれかカラスを飼ってる人がいるんですね」

「管理人ですよ。管理人の根津《ねづ》って男です」

現場監督の佐山がこたえた。

なるほど、管理人の部屋なら順子がいても不思議ではない。

「この団地には管理人がなんにんいるんです。一棟《ひとむね》にひとりずついるんですか」

「いや、全部で五人だそうです。ひとりで四棟ずつ受け持ってるんですね。根津氏はいまんとこ第十七、十八号館を受け持ってるんですが、この十九号館と二十号館が竣工《しゅんこう》するとこの二棟も受け持つんだそうです」

「いや、どうも有難う。それじゃ、藤野君、警部さんに、あのエカキさんのことについて答えてあげてください」

「はあ、あの、エカキ……」

一同の視線はしぜんとまた、エカキの部屋へかえっていった。

「いえね、あのひと、しょっちゅうわれわれが仕事をしているところへやってきては、ちょっとスケッチさせてくれなんてね。いい気はしませんや、こっちは汗水たらして働いてるでです。そこをノンキらしく写生なんかされちゃあね。それに好奇心が強いってんですか、いろんなことを根掘り葉掘りほじくるんです。この機械はなにに使うんだとか、やれ、このつぎはどうやるんだとか、そりゃアうるさいんです。なるほどエカキてえもんは、いろんなことをしっていなきゃいけないんだなと、はじめんちは商売熱心に感心してたんですが、それもほどというものがありまさあ。それにそのききかたというのが鼻持ちならないんです。いやにごていねいなんですが、それでいて横柄《おうへい》なんですね。それにときどき女の子なんか連れてくるんですが、そんなときのキザさったらないんですよ。現にきのうの夕方もわれわれがこのカマをすえつけているところへ、女の子を連れてあがってきましたよ」

「きのうの夕方、このカマを据えつけてるところへやってきたのかね」

「ええ、十七、八の女の子でしたね。そして、例によって例のごとく根掘り葉掘りきくんですね。このカマはなにに使うんだとか、こんなところへタールをしいてどうするんだとか……こっちはソロソロ時間です、みんないらいらしてるところを、例によって例のごとくインギン無礼なききかたできかれちゃ、いいかげんカンが立ちますよ。それでいていいぐさがいいじゃありませんか。画家というものはあらゆる現実にむかって、しっかりと眼をひらいていなきゃならないのである、なんて、女の子にお説教してんですよ。あっはっは」

「それで、君はこのカマの用途についてエカキさんに話したんだね」

「そりゃ話しましたよ。そいでなきゃうるさくつきまとって仕事にもなんにもなりませんからね」

「ちょくちょく女の子をつれてくるっていうが、いつもおんなじ女の子なのかい」

「いや、それがいつもちがってるんですよ。みんなこの団地の娘らしいんですが、そうそうきのう連れてきた娘はタマキちゃんとかタマキ君とか呼んでましたね」

すると、少なくともこの団地にふたり、カマの用途についてしっていた人物がいたわけだ。

「君、君、藤野君」

と、S署の三浦刑事はまだ手帳をひらいたまま、

「いまタマキちゃんとかタマキ君とかいったね、エカキの連れてきた女のことだが……」

「はあ」

「それ、苗字《みょうじ》なのかい、名前なのかい?」

「へっ?」

「いやさ、タマキといえば苗字にもあるし、名前にもありそうじゃないか」

「ああ、なあるほど。そういえばそうですね。だけど、ぼくは名前のほうだと思ってました。エカキ野郎のネコなで声の呼びかたからしてね」

「ああ、そう、それじゃあとでエカキ先生にきいてみよう。警部さん、どうぞ」

「ああ、そう。ときに、藤野君、そのふたりは君たちよりさきにここを降りていったの。それとも君たちが降りていったあとまで、ここに残っていたの」

「いいえ、いっしょでしたよ。われわれにさんざん、根掘り葉掘りきくだけのことをきい

てしまうと、南側の胸壁のそばへいって、こりゃいい景色だなんて感心してましたが、われわれといっしょに降りていきましたよ」

「しかし、この屋上、夜中にだれかがあがってこようと思えば、自由にあがってこられるわけだな」

「はあ、そりゃもう……なんしろドアもなんにもついてませんし、このとおり開けっぱなしですからね」

「君たちはけさ仕事をはじめるまえに、この孔《あな》に気がつかなかったのかね」

「それなんですよ、警部さん、いかにこん中がタールまみれになってるったって、これだけの孔があいてたら気がつかないはずはないと思うんです。それにはじめから孔があいてたら、タールの減りかたがおかしいってことも、もっとはやく気がついたろうと思うんです。下にいる連中もそういってるんですがね」

「と、いうと、それはどういうことなのかね」

「いえね、だからさっきみんなで話しあったんですが、おそらくこの孔には栓《せん》がしてあったにちがいない。栓をして、そいつにタールを塗っときゃ、ちょっと気がつきませんからね。なにを栓につかってたかしりませんが、そいつが加熱されて燃焼するか、溶解するか、そこでこんな孔があいたんじゃないかっていってるんです」

「なるほど、そういう手がありましたね」

と、金田一耕助は感心したように、もういちどカマの底を調べている。

「ときに、君たちがこの孔に気がついたのは、何時ごろのことなんだね」

「いや、それはこうなんで……われわれがけさカマの下を焚《た》きつけたのは十時ごろのことなんですが、午前中はだれもタールの減りかたに気がつかなかったんです。ところがそのうちに昼休みになって、さて、一時から仕事を開始したんですね。そしたらカマのなかのタールの量がうんと減ってる。遠藤という男がどうも変だ、変だといいながら、それでもカマの下を焚いてたら、ドンドン、タールが減っていく、少しおかしいってんでカマの下をのぞいたらこれでしょう。ぎょっとしてダスター・シュートのなかをのぞいたらあれでしょう。おったまげちまって川上を下へ見にやったら、そこに死体があるってわけで、……なんだかぼくキツネにつままれたような気持ちでしたね」

「そうするとだいたい一時半ごろのことだね」

「はあ」

「佐山さん」

と、等々力警部は現場監督をふりかえって、

「この現場にゃ宿直はいないんですか」

「そりゃおります。お気づきじゃなかったですか。団地の入り口に飯場《はんば》が建っておりましたろう。あそこに宿直のものも詰めてますし、またそこに泊まりこみのものもおります。しかし、警部さん、まさかうちのもんが……」

「さあね、このカマに孔をあけとくってこと……これそうとう専門的な知識を要すること

ですから、高柳組のひとたちもいちおう捜査の対象にはなると思うんです。その点、ひとつご協力ねがえれば……」

「そりゃもちろんのことです。うちの社の威信にもかかわることですからな、ひとつ徹底的にやってください」

金田一耕助は一同のそばをはなれると、胸壁にそってひとまわりした。

屋上から見る団地のながめは一種の壮観である。東側におなじ規格の建物が、いま建築中の第十九号館をふくめて十棟、びょうぶをならべたように建っていて、ちょっと累々《るいるい》層々《そうそう》といった威圧感をもって迫ってくる。

西側へまわると団地のアパート群と直角の位置に二階建ての長屋が一直線にならんでいる。威風堂々たる団地の建物に比較すると、少し建築がお粗末なようだが、それがどうやらマーケットらしい。

いまこの下に死体となってよこたわっているのは、タンポポという洋裁店のマダムだということだが、そうすると、あのマーケットの住人かもしれない。そういえば一軒の家のまえにいっぱいひとだかりがしている。

マーケットの背後には雑木林や畑が続いているが、そのなかに点々として家が建ちかけているのは、この団地を中心として、このへんいったい急速にひらけていきつつあるのだろう。

団地のまえを走っているバス通りをへだてて、帝都映画のスタジオが見えている。そのスタジオのむこうになだらかな丘が見え、丘のうえに盃《さかずき》を伏せたようなコブがある。四時間ほどまえに、S・Y先生が愛犬カピをつれて散策していたあの荒廃地である。

金田一耕助はそれからさらに南側へまわった。

団地を支えるこの台地はこの二十号館の南側で、急に大きな断層をなしており、断層の下に池がある。池の周囲は武蔵野の原始林をそのまま つたえた雑木林で、池のふちに大きく枝をひろげているのは椎《しい》の大木らしい。

池のおもてはおりからの曇り空をうつして、微妙な縞《しま》模様をなしているが、その一部分になにやらいちめんに浮かんでいる。

「金田一先生、なにを見ているんです」

いつのまにか等々力警部がそばへきていた。

「いやア、べつに……だけど、警部さん、あの池のうえにいちめんに浮いているの、あれ、なんでしょう」

「どれ……?」

「ほら、あの大木の下あたりになにかいちめんに浮いてるでしょう。水草かなんかかな」

「金田一先生、ありゃどんぐりの実ですぜ。ほら、あの大木から落ちて浮かんでるんでさあ」

「なあんだ。ドングリですか。あっはっは」

金田一耕助はノンキな声をあげてわらったが、あとから考えると、それはわらいごとではなかったのである。この池とドングリの実が、のちに起こった殺人事件に、なんともいえぬ異様な役割を果たしたのだ。

第三章　孤独な管理人

日本全国にニュー・タウンとよばれる団地が、ぞくぞくと建設されるにしたがって、そこに居住するひとたちの社会心理学というものが、ちかごろ問題になってきている。団地という従来にまったく見られなかったタイプの住居と、そこにおける生活が日本人の社会心理に、どのような影響をおよぼすだろうかということは、これからますます必要になってくる研究課題にちがいない。

人間にはいろいろさまざまなタイプがある。社交性にとみ、たやすくその環境に順応しうるタイプの人間もあれば、それに反して、容易に他をいれず、頑固に孤独を守ろうとするタイプの人物もいる。

団地のような共同社会では、後者に属するがごときソリチュード（孤独）な人間は、そこに住むことだけでも苦痛そのもののように考えられがちだが、かならずしもそうとばかりはいえない。それは団地というものは多くの家庭の集合体ではあるけれど、ひとつひとつの家庭が鍵《かぎ》のかかる鉄の扉によって、げんじゅうに防衛されているからである。これは従来の日本にはほとんどなかったタイプの住居ではないか。

しかし、共同社会といってもかれらはそこで、生活のかてをえているわけではない。大げさにいえばそこはかれらのネグラに過ぎない。朝起きると男の大部分と女の何パーセントかはそこを出て、それぞれちがった職場へ働きにいく。そして、夕方かえってくると、鉄の扉と厚いコンクリートの壁に守られて、外部から遮断された生活のなかに閉じこもることができるのだ。

ましてやこの日の出団地のように、まだ十分に完成しておらず、どの団地にもある集会所さえ出来ていない現状では、サークル活動なども目下よりより評議中という段階なのだから、もしそのひとが孤独を愛するならば、十分孤独のからに閉じこもることができるのである。

と、

《だが、それにしても……》

と、須藤順子は椅子《いす》のなかで、神経質らしく、カーディガンのまえを掻《か》きあわせながらさむざむと心のなかでつぶやくのだ。

《このカラスを飼っている風変わりな管理人、根津伍市《ねづごいち》というひとほど、やりきれない孤独感をもって迫ってくるひとも珍しい……》

「そのカラス、いつごろから飼ってらっしゃるんですの」

順子はべつにそのことについてしりたいと思ったわけではない。ただ手持ちぶさたなのをまぎらせるためにきいただけのことなのだから、あいてが返事をしなかったからといって、べつに気を悪くする理由はなかった。

管理人の根津はカラスをなだめるのにやっきとなっている。いま野良犬《のらいぬ》とたたかったばかりのカラスは、まだ異様に興奮していて、さかんにガアガアなきながら、檻《おり》のなかを気ぜわしくいききしている。

順子はぼんやりと部屋のなかを見まわしていた。彼女はきょうはじめて管理人の部屋へとおされたのである。

順子の部屋とちがってここは万事洋式で、すりきれたじゅうたんがしきつめてあり、南側のテラスにむかって粗末なデスクに回転椅子。

となりの四畳半とのさかいのふすまにくっつけて、折りたたみ式のベッドがひとつ。たたむとソファになるやつだ。ほかに小さな円卓と椅子がふたつ。壁には帝都映画の大きなカレンダーがぶらさげてあり、いま売り出しの女優さんがカラーのなかで笑っている。

根津の手から煮干しを二、三尾つっつくと、カラスはやっとしずかになった。根津は水道の栓《せん》をひねって手を洗うと、

「奥さん、いまなにかいったかね」

開けっぱなしたリビング・キチンからこちらへ出てきてふすまをしめた。ふすまのむこうでカラスがふた声三声ないたが、根津はもう取りあわず、テラスの外を眺めていた。左脚をひきずっている。かるい跛なのだ。

「ええ?」

虚をつかれたように順子がききかえすと、根津はデスクのそばへきてそのうえを片づけはじめた。デスクのうえにはトウシャ版の道具が散らかっていて、順子が訪れたとき、根津はそれを刷《す》るのに熱中していたのだ。

「いや、さっきわたしがジョーをあやしていたとき、あんたなにかいったようだが……」

「ああ、そのこと……あのカラス、いつごろから飼っていらっしゃるのかと思って……」

「ああ、あれ……ありゃ帝都映画の小道具で飼っていたんだ。いらなくなったから放すという。放されたらあのカラスいくところがない。すっかり仲間はずれになってるからね。それでじぶんが引き取ったんだ」

やっとデスクのうえを片づけると、根津は部屋のすみのソファへいって、作業服のポケットからピースの箱を取り出した。作業服もピースを抜き出す指も、トウシャ版のインキでくろぐろとよごれている。いつも放心したような無頓着《むとんちやく》さがこの男の特色なのだ。

順子はまだこの根津という男をよくしらない。だいいちなんで生計を立てている人物なのか、しりもしなかったし、またいままで意にもとめていなかった。しかし、考えてみれば四棟ごとにひとりいる管理人というポストには、それほど重要な仕事はない。この団地全体の管理事務は、べつに管理事務所というのがあって、公団から派遣された事務員が毎日出勤して執行している。

では、四棟にひとりずついる管理人とは、どんな仕事をするのであろうか。手っ取りばやくいえば、昔の隣組《となりぐみ》の組長さんだと思えばいい。配りものを配布するとか、家賃納入日に留守をする家族から家賃をあずかるとか……そうそう、もうひとつ重要な役回りがある。ここの管理人は鍵《かぎ》を四つもっている。根津伍市はまだふたつだが……それらの鍵は万能鍵になっていて、ひとつの鍵でひとつのアパートのどのドアも、開けることができるようになっている。たとえば根津のもっている第十八号のナンバーつきの鍵をつかえば、第十八号館のどの部屋も開くことができるのだ。

各部屋ごとに世帯主は三つずつドアの鍵をあたえられているが、そそっかしい旦那《だんな》さんなり奥さんなりが、外出さきで鍵を紛失してかえってきて、なかへ入ろうにも入れないようなばあい、管理人さんにお願いすると、開けてもらえることになっている。

それにしてもそれはたいした仕事ではない。したがって報酬《ほうしゅう》などもしれたものらしい。部屋代がただになるか、いくらか安くなるていどと聞いている。だから、たいていの場合、奥さんがたのアルバイトというかたちになっていて、大の男が管理人の仕事をやっているのは、根津伍市ひとりのようである。

したがって、この男にはほかになにか仕事が……それもここにいて出来る仕事があるはずなのだが、順子はいままでそんなこと考えてみもしなかった。

だが、いまこの部屋へはいってきて、取り散らかされたデスクのうえを見、また、根津からカラスの出所を聞くにおよんで、順子にもはじめてこの男の仕事の性質というものがわかったような気がした。

順子が部屋へとおされたとき、デスクのうえにはまだインクの香も新しい、トウシャ版刷りの印刷物が散らかっていた。映画のシナリオらしかった。

この男は帝都映画に関係があるらしい。帝都映画のシナリオのトウシャ版刷りの印刷物を引き受けることによって身のなりわいとしているのだ。……

と、順子がやっとそれに気がついたとき、

「奥さん、わたしになにかご用かね」

と、折りたたみ式ベッドのほうから、根津がブスッとたずねた。

「はあ、あの、あたし、……」

順子はまた虚をつかれた。うろたえて声がかすれた。

「あたし、あの、すっかり困ってしまって……」

と、順子はうろたえたあとで早口につけくわえた。

根津は無言のままでテラスの外と順子の顔を見くらべている。なにを困っているのかと、ふつうの人間ならききそうなこともこの男はきかないのである。無口でよけいな口はきかないひとという定評がある。

いきおい順子のほうから言葉をつづけなければならなかった。

「あなたも気がおつきになったでしょう。いま警察のひとたちと、あの屋上へ上がっていった和服に袴《はかま》の男のひとを……？」

返事のかわりに根津はコックリとうなずいた。

「あなた、あのひとをどういうひとかご存じ？」

いいやというかわりに、根津は首を左右にふった。

いつも放心したような無頓着《むとんちゃく》さが、この男の特色だということはまえにもいった。彫りのふかいりっぱな顔なのだが、額にきざまれたシワのふかさが気になるのだ。それでいて年齢はまだそんなにいっていない。四十二、三か四、五というところだろう。もとは職業軍人だったらしいとだれかがいっていた。

「あのひとあれで、そうとう有名なひとなんですの。職業は私立探偵というんですの、名前は金田一耕助……」

根津の顔色がはじめて動いた、ほんのちょっぴりだが、眉《まゆ》がすこしあがったようだ。ただし金田一耕助の名前をしっていたか、どうかわからない。

「あんたのお知り合いのようだが……」

「ええ、そうなんですの。あたしがここへ引っ張ってきたんです。いまになって後悔してるんですけれど……」

順子はそこで言葉を切った。それでも根津はなにもいわなかった、順子はしぜんと早口になってきた。

「管理人さんはご存じですわね。この団地に怪文書が横行しているらしいってこと……ほら、レディース・エンド・ジェントルメンではじまる怪文書……筆跡をゴマ化すために新聞や雑誌の切り抜きをはりまぜにした……」

「いつか、京美という娘を自殺させかけたあれかね」

根津が重い口をひらいてはじめて積極性を示した。順子はそれに力をえたように椅子《いす》から乗りだすと、

「ああッ、あれ、あの怪文書……管理人さんはあの怪文書をどうなさいまして？　あのときあなたは京美ちゃんと伯父《おじ》さまに迷惑がかかっちゃいけないから、この怪文書のことはだれにもいわないほうがいいって、あたしに口止めなさいましたけれど……」

「あの怪文書がどうかしたのかね」

「あたしそのことをさっき金田一先生にいってしまったんです。いいえ、まだくわしい内容まで申し上げるひまはなかったんですけれど、その一端を……つまり、京美ちゃんのところへ怪しからぬ怪文書が舞いこんできて、そのために京美ちゃんが自殺しかけたってことを」

あいてのとがめるような眼の色をみて、順子は早口につけくわえた。

「いいえ、それはわかってますの。そんなひとさまの秘密をかるがるしく、口にするのはいけないことだってくらいのことは……だけど、管理人さん、仕方がなかったのよ。だってあたしんとこへもあれとそっくりおなじ手口の怪文書がまいこんできて、そのためにうちの主人、おとついからかえって来ないんですの」

「奥さんのとこへも、怪文書が舞いこんできたのかね」

鋭くあいてをみつめながら、一句一句言葉を区切った。咽喉《のど》のおくからしぼり出すような声だった。

「ええ、そうなんです。内容ははばかりますけれど、あれとそっくりおんなじ手口の怪文書なんです。レディース・エンド・ジェントルメンからはじまって、新聞雑誌から切り抜いた活字のはりまぜ手紙なんです。うちの主人がそれを読んでおこったらしく、家出をしちまったんです。あたし、腹が立ちました。あたしども夫婦のトラブルもトラブルですけど、この調子ではこの団地に、ほかにもおなじ手口の怪文書で、悩まされてるひとが、いるんじゃないかって気がしたんです。あたしきのうからさんざん主人のゆくえをさがしました。けさも早くからあちこち心当たりをさがしてまわったんです。そしたら、渋谷でひょっこりお目にかかったのが、金田一先生です。あのかたにお願いすれば、怪文書のぬしがわかりゃしないかって気がしたもんだから、ここへお連れしたんです」

「奥さんはそのひととどういう関係なのかね。古い知り合いででも……？」

「あたしが以前銀座うらのバーで働いていた女だってこと、管理人さんは聞いていらっしゃりゃしません？」

根津は聞いているともいないとも答えなかった。

「そのじぶん等々力警部さん……いまそこへきていらっしゃるようですけれど、警視庁の捜査一課のかたですの。そのかたとおふたりで、ちょくちょくお店のほうへきてくださいましたの。ただそれだけの関係なんですけれど、いたって気さくなかたですし、それに溺《おぼ》れるものワラをもつかむというような気持ちで、金田一先生にご相談に乗っていただこうと思ったんですの。そしたら、そしたら……こんな殺人が起こってしまって……」

順子の眼は針のようにとがっていて、彼女のショックのなみなみならぬことを示しているといえよう。

「奥さんは、この殺人とあの怪文書、とのあいだになにか関係があるとでも思っているのかね」

「あたし……あたし……あの怪文書のぬしは、タンポポのマダムじゃないかと思っていたんです」

根津は驚いたように、

「どうしてまたそんなことを……」

順子がそれに答えようとしていたとき、となりのリビング・キチンでカラスがガアガアなきはじめたかと思うと、ドアがひらいてだれかが玄関へ入ってきた。

「ジョー、ジョー、あたしよ、なかなくていいのよ」

と、かわいい女の声がきこえて、となりの四畳半へだれか入ってきたが、すぐまた玄関をとおってリビング・キチンへくると、

「パパ、ただいま」

と、ふすま越しに声をかけた。なんとなくオドオドしたような声である。

「ああ、由起子《ゆきこ》か、おかえり」

「パパ、表で人殺しがあったってほんとうのこと？」

「そんなこと、子供が気にするもんじゃない。それより、由起子、お客さまだから紅茶を

いれなさい。魔法瓶《びん》に湯がわいてるだろう」

ふすまのむこうでガチャガチャと食器のふれあう音をききながら、

「かわいいお嬢さんでいらっしゃいますわね」

順子はなんとなくお世辞をいったが、根津はブスッとした顔色で取りあおうともしなかった。

「中学……？　何年でいらっしゃいますの」

「ことし入ったばかりですよ」

そうすると戦後っ児ということになるのか、それにしては奥さんはどうしたのだろう。こういう団地では独身者は受け付けないことになっている。独身者でも婚約者がきまっていて、その証明さえ成り立てば入居の資格があるのだけれど、そうでないとむずかしい。根津には中学一年の娘はあっても、奥さんらしい女の姿をついぞ見かけたことがない。

「お待たせいたしました」

ふすまがひらいて、両手にお盆をもった由起子がそこに立っていた。

「あら！」

思いがけなく美しいひとをそこに見かけて、一瞬、由起子はとまどいしたように立ちすくんでいた。上気したように顔がみるみるまっかになった。紺のスカートに水色のセーターを着て、三つ編みにした髪を両の肩に垂らしているのが、すがすがしくてかわいいのである。

「お邪魔してます。どうぞお構いにならないで」

「おばさまでしたの。由起子、ちっともしらなくて……」

口のなかでつぶやきながら、しぜんと甘えるようなポーズになったが、にがり切っている父の顔色に気がつくと、すぐいつものオドオドした態度にもどった。

「パパ……」

「うん」

「ジョーはどうしたんですの。凄《すご》く興奮してるようよ」

「なあに、さっき野良犬《のらいぬ》にほえつかれたのさ」

「まあ」

由起子はテラスへ眼をやって、とがめるように父を見たが、それきりなんにもいわずに、手持ちぶさたそうに立っている。

「由起子さん、あのカラス、ジョーというんですの」

「ええ、オールド・ブラック・ジョーなんですって」

「あら、それでジョーなんですの」

「由起子」

と、根津がふたりの会話にわってはいった。この男はじぶんの娘が他人とあまりなれなれしく、口をきくのを好まないようである。

「きょうは火曜日じゃなかったかい」

「火曜なら水島《みずしま》先生のところへ、お稽古《けいこ》にいく日なんだろう」

「はい、そうです」

「あら、じゃ、こちらのお嬢さんも水島先生に絵を習っていらっしゃるんですの」

「はい」

水島浩三《こうぞう》というのは順子とおなじ階段の三階に住んでいる、あのチョビひげのエカキさんなのである。

「へたの横好きよ、おばさま」

「バカなことといわないでさっさといっといで、こんやはまたガリ版を手伝ってもらわにゃならんぞ」

「はい」

由起子はかなしそうに長いまつ毛をふせると、

「おばさま、どうぞごゆっくり……」

「ええ、いってらっしゃいよ。あたしもう少しお父さまのところでお邪魔してますから」

中学一年といえばもうそろそろ、男と女の関係に好奇心をもつ年ごろである。しぜん順子は警戒して、由起子がとなりの四畳半でゴソゴソやっているあいだ、言葉もなく紅茶をすすっていた。

「それじゃ、パパ、いってまいります」

「ああ」

襖越《ふすまご》しに父と娘が声をかけあって、由起子が玄関を出ようとするとき、外からだれか入ってきた。

「おや、由起ちゃん、どこへいくの?」

幅のひろい青年の声である。呼吸をはずませている。

「お客様のようですわね」

順子は当惑したように紅茶のカップを下へおいたが、根津はこともなげに、

「なあに、榎本《えのもと》君だろう」

「榎本さんとおっしゃいますと……」

「十七号館に住んでる青年ですよ。そうそう、さっき話の出た京美という娘《こ》と、おなじ階段に住んでいる……」

「ああ、それじゃお母さまがお茶とお花の先生をしていらっしゃる」

「ああ、そう」

「ずいぶん背の高いかたでいらっしゃいますわねえ、あのかた……まだ学生なんでしょう」

「そう、だけど、学校のほうへはほとんどいってないんじゃないかな」

「じゃ、なにをしていらっしゃいますの」

「帝映の演技研究所へいっているんだ」

「あら、まあ、じゃスターさんなんですの」

「まだスターとまではいかんさ。スターのタマゴというところかな」

順子はいぶかしそうに根津の顔を見直した。なにをきいても気のない応答しかしないこの男だのに、榎本という青年の話になるとガゼン眼尻《めじり》にシワをたたえて、ホノボノとした表情になっている。

順子はいままでこの男を取っつきの悪い人だと思っていた。じっさい、テラスに椅子《いす》を持ち出して、放心したようにぼんやり考えこんでいるこの男を見ると、色濃くしみついた孤独の影を感じないではいられなかった。なにか過去に暗い影をしょいこんでいるのではないかと、疑われるばかりであった。しかし、それはじぶんの思い過ごしで、このひとにも案外ひとなつっこい一面があるのだろうか。

そのとき、玄関でバイバイという声がきこえ、となりのリビング・キチンへ入ってくる足音がきこえた。

「おじさん、お客さま……？」

「ああ、謙ちゃんかい、お入り」

「構いませんか」

「いいでしょう、奥さん？」

「さあさあ、どうぞ、お入りになって」

順子はあきらかに迷惑だった。金田一耕助たちが二十号館の屋上から降りてこないうちに、彼女は根津と打ち合わせておきたいことがあるのだった。しかし、いっぽうスターのタマゴという青年に好奇心を持っていた。

なんとなく椅子のなかで身づくろいをしていると、ふすまがひらいて見覚えのある青年の顔がわらっていた。なるほど背が高い。鴨居《かもい》につかえそうな身長は、一メートル八〇はあるのではないか。

榎本謙作《けんさく》は順子のほうへ目礼して、

「おじさん、人殺しがあったってえじゃありませんか」

「なんだ、謙ちゃん、そのことでわざわざ駆けつけてきたのかい」

「やだなあ、おじさん、人殺しはこっちへきてからしったんじゃありませんか」

「ああ、そうか。しかし、それにしちゃいやに興奮してるじゃないか」

「おじさん、ぼく、役がついたんです。それも三島さんの弟の役で、町田容子さんとラブ・シーンがあるという役なんです。さいごは殺されちゃうんですけれど」

「それじゃ、『波濤《はとう》の決闘』というやつじゃないか」

「そうです、そうです、おじさん、ご存じですか」

「あのシナリオ、こないだおれがプリントしたんだ。そうか、そいつは大役だな」

「ええ、ですから、ぼく、すっかり興奮しちゃって、なにをおいてもおじさんとおふくろに報告しなきゃと、自転車ですっ飛んできたんです」

「あの、失礼ですが……。榎本さんは管理人さんと、どういう関係でいらっしゃいますの」

「ぼく、おじさんのスイセンで帝映へ入れてもらったんです」

「まあ。……あたしたったいままでちっとも存じあげなかったんですけれど、管理人さん、帝映と関係がおありなんですのね」

「ええ、おじさん、帝映の重役の渡辺さんとご懇意なんです」

「まあ」

順子が驚いてなにかいおうとするのをさえぎるように、

「謙ちゃん、君はこの奥さんをしってたかね」

「ええ、しってます。須藤さんでしょう。ゆうべご主人にお目にかかりましたよ」

「まあ！　榎本さん、あなたどこでうちの主人にお会いになりまして？」

「どこって団地の入り口ですよ。バスから降りていらしたんじゃないですか。少し酔ってたようですね。そうそう、ゆうべおじさんとこへお客さんがあったでしょう。女のお客さんが……」

根津の眉《まゆ》がピクリと動いて、

「謙ちゃんはどうしてそれをしってるんだい」

と、急に声がひややかになったようである。

「いや、じつは……」

「あの、失礼ですけれど、榎本さん、あなたゆうべうちの主人と、団地の入り口でお会いになったっておっしゃいましたけれど、それ、何時ごろのこと？」

「十時ごろじゃなかったかな。ぼくがうちへかえったのは、十時ちょっと過ぎてましたから」


謙作はふしぎそうに、順子の顔を見守りながら、

「だけど、奥さん、ご主人、どうかなすったんですか」

「いいえ、あの、それより話をお聞かせください。うちの主人、それからどちらのほうへまいりました？　団地の入り口から……？」

「あっ！　それじゃ、ご主人、ゆうべおかえりにならなかったんですか」

「奥さん、それでここへいらしたんだ、おりもおり」

根津はきゅうに立ちあがると、ノロノロとテラスのほうへいって、カーテンを引いてしまった。その暗示的な動作が謙作を驚かせたらしく、ぎょっとしたようにふたりの顔を見くらべていた。きゅうに声を落とすと、

「おじさん、あそこに殺されてるの、タンポポのマダムなんですって？」

「そんなことはどうでもいいが、謙ちゃんはこちらの奥さんの旦那《だんな》さんをしってるのかい」

「しってます。いつか京美ちゃんに教えてもらったことがあるんです。あのひとが十八号館にいらっしゃる、きれいな奥さんの旦那さまだって……」


飾りっけのない、いかにも育ちのよさそうな青年なのだが、いまの順子にはそれどころではなかった。

「それで、榎本さん、しつっこいようですけれど、うちの主人、それからどうしたんでしょうか。団地の入り口であなたにお眼にかかってから……」

「ああ、そうそう、ご主人、女の連れがひとりあったんです。バスのなかでいっしょになられたらしい。ぼくがあいさつするとそばへよって来て、君はこの団地の住人かと聞くんです。そのときです、酔ってらっしゃるなと気がついたのは……？」

「はあ、はあ、それで……」

「それでぼくが第十七号館に住んでると申し上げたら、じゃ、根津伍市というひとがこの団地にいるかとおたずねなんです。聞いたような名前だが、ハッキリ思い出せないとおっしゃるんですね。ぼくがそのひとなら第五区域の管理人さんで、第十八号館の一号室にいらっしゃると申し上げたら、それじゃ、このご婦人を案内してあげてくれたまえ、と、そうおっしゃって……あれはたしか第八号館と第九号館のあいだでしたが、そこの道をよろよろと西のほうへいってしまわれたんです」

「西のほうというと、タンポポのある商店街のほうだね」

「そうです、そうです。だから、ぼく、そのときうしろから声をかけたくらいです。須藤さん、須藤さん、あなたのいらっしゃる第十八号館は、まだずうっとさきですよって……。ぼく、酔っ払ってアパートを間違われたんじゃないかと思ったもんですからね」

「それで、主人、なんと答えましたか」

「こんなことおっしゃいましたよ。いいんだ、いいんだ、オレ、ちょっと用があるんだ。

……と、そうおっしゃったあとで、妙なことをおっしゃいましたね」

「妙なこととおっしゃいますと……？」

「きれいな顔をしやがってあの古狸《ふるだぬき》めが……こんやというこんやは面《つら》の皮をひんむいて、二度とイタズラ出来ねえようにしてやるんだ……とかなんとか、そんな意味のことおっしゃって、とてもえげつない声で笑いながら、ひょろひょろと西のほうへいってしまわれたんです」

「それが、ゆうべ十時ごろのことなんだね」

「はあ」

「奥さん、しかもおたくのご主人はゆうべかえって来なかったんですね」

順子はもう唇《くちびる》まで土気色《つちけいろ》になっている。

重っ苦しい沈黙が三人のうえにのしかかってきた。根津はカーテンの隙《すき》から戸外のほうへ眼をやりながら、

「榎本君、君が須藤さんのご主人についてしってることというのはそれだけか」

「はあ……それから、こちらのお客さんといっしょにそこまできたんです。とてもきれいなひとですね」

根津はそれに返事をせずあいかわらずカーテンの割れ目から外をのぞいている。外が気になるというよりは、謙作に顔を見られたくないためではないか。

「あのひと、ちょっと由起ちゃんに似てるでしょう。だけど、由起ちゃんのママは亡くな

ったという話でしたから、ぼく、叔母《おば》さんかなんかじゃないかと思ってたずねてみたんですけれどね」

「そしたら、なんと答えたかね」

「いえ、べつに……」

「榎本君、いや、謙ちゃん」

根津はきゅうにこちらを振り返ると、

「じつは須藤さんの奥さん、オレになにか話があるとおっしゃるんだ。その話がはじまりかけてるところへ、君がとびこんできたわけだ。追い立てるようですまんが、ちょっと座を外してくれないか」

根津のことばもおわらぬうちに、謙作はもうふすまのそばへとんでいた。

「はあ、いや、どうも……」

「ああ、いや、謙ちゃん、ちょっと待ちたまえ」

「はあ」

「いま君のいったことね、須藤さんのご主人のこと……それ、もうしばらくだれにもいわんほうがいいんじゃないかと思うんだが……」

「はあ、でも……ぼくは黙っててもいいんですが、そのときそばにいたのはぼくひとりじゃないんです。おじさんとこのお客さんもいっしょだったし、おなじバスから降りた団地のひとが四、五人そばを通りましたよ」

「ああ、そう、それじゃそこを適当に……」

「承知しました」

謙作の足音が玄関から出ていくのを聞きすまして、根津はもとのソファへかえってきた。

「奥さん、タンポポのマダムが怪文書のぬしじゃないかとさっきいったようだが、それには、なにか根拠でもあることなんですかね」

順子はいまつくづく後悔している。思いがけない怪文書のお見舞いをうけて、かれらの夫婦仲はいま大きなピンチに遭遇している。順子はことここに至らしめた怪文書の製作者にたいして、憎悪と復讐心《ふくしゅうしん》にもえている。

彼女はきのうから達雄のゆくえを捜し求めて、心当たりを駆けずりまわっていたのだが、その途中で出会ったのが金田一耕助である。

金田一耕助に頼んだところで、達雄の怒りがしずまろうとは思えなかった。しかしひょっとすると怪文書のぬしの正体くらいは、ハッキリするのではないかと考えた。そこでわざわざ団地まで引っ張ってきたのだが、するとこの殺人事件である。

金田一耕助を引っ張ってきたということが、果たしてじぶんの良人《おっと》にたいして、よいことだったか、悪いことだったのか、順子には判断がつかなくなってきた。少なくとも殺されているのがタンポポのマダムだと聞いた瞬間、順子はこの男をここへ引っ張ってきたことを後悔した。

しかし、時すでに遅し、順子はもう怪文書を金田一耕助に見せてしまっていたし、またほんの一端だけだけれど、京美の秘事まで打ちあけてしまったあとだった。

順子はなんとかそれを取りつくろわなければならなかった。その相談のためにやってきたのがこの管理人である。順子はここでもまた、あとさきの考えもなく、怪文書のぬしにたいするおのれの疑惑をしゃべってしまった。そのあとになって彼女は良人の達雄がゆうべこの団地へかえっていたことを知ったのだ。しかも、そうとう酩酊《めいてい》していて、変なことを口走っていたというが、それをこの管理人はなんと聞いたであろうか。

「奥さん、タンポポのマダムが怪文書のぬしとは聞きずてならん言葉だが、奥さんのそういう疑いには、なにか根拠でもあるのかな」

かさねて根津に質問されると、順子はそれに答えないわけにはいかなかった。

「はあ、あの、それは……」

順子はハンカチをねじきらんばかりに揉《も》みながら、

「たとえば、あのレディース・エンド・ジェントルメンではじまる怪文書の書き出しでございますけれど、あれ、一字一字アルファベットを切り抜いて、綴《つづ》りあわせたんじゃなくて、はじめからレディース・エンド・ジェントルメンと印刷してあったのを、そっくりそのまま切り抜いたのでございましたわね」

「そういえばそうだったようだな」

「ところが、こんどあたしンところへ舞いこんだ怪文書もそうなんですの。レディース・エンド・ジェントルメンではじまってるところが、京美ちゃんとそっくりなんですけれど、しかも、それが一字一字切り抜いたんじゃなく、やっぱりはじめからそう印刷してあったのを、そのまま切り抜いて貼《は》りつけてございますの」

「ああ、なるほど」

「しかも……」

と、そこで順子は思い出したように、

「ああ、そうそう、管理人さんはあの怪文書をどうなさいまして？　破いておしまいなさいまして？」

「いや、それよりあんたの話を聞かせてもらおう」

「はあ……ところが、こんどあたしンとこへ舞いこんだ怪文書のレディース・エンド・ジェントルメンと、京美ちゃんのときのレディース・エンド・ジェントルメンとがおんなじ書体のような気がするんですのよ。あれ、イタリックというんでしょう」

「そういえばそうだったようだ」

「だから、あたしあの怪文書のぬしは、英語の雑誌やなんかをとってるひとにちがいないと思ったんですの。そこで頭にうかんだのがタンポポのマダム。あそこには外国のモード雑誌が毎月来ておりますから……」

「ああ、それであんたはゆうべタンポポへ押しかけていったんだね」

「管理人さんもさっきの京美ちゃんの言葉を聞いていらしたんですのね」

順子は絶望と恐怖に眉《まゆ》をつりあげて、

「あのとき京美ちゃんの言葉を聞いたひと、ほかにも大勢いるかもしれませんわね」

「いや、だいいち金田一耕助という人物が聞いてたんじゃないのかね」

「そうなんですの」

順子は両手で顔をおおうと、

「あたしあのかたをお連れするんじゃなかったのね」

「それで、奥さん、このあたしに用というのは……？」

と、あいかわらず、気のない機械的な声である。

「管理人さん、あたし京美ちゃんのことを金田一先生にいってしまったんです。あたしいまになって後悔しています。でも、金田一先生、そのことについてたずねていらっしゃると思うんです。そんなときどうしたらいいかと思って……」

「そうとうえげつないことが書いてあったからな、それで……？」

「はあ、あの……」

あくまでひややかな根津の態度に、順子は思わずムッとなりそうなのを、やっとじぶんでじぶんを制すると、

「管理人さんにはご迷惑なことですけれど、金田一先生や警察のかたから、その点について質問があったさい、あなたに証人になっていただけたらと思って……あたしがデタラメをいったのではないということの……」

おそらくこの冷淡な管理人は、さぞ迷惑そうな顔をするだろうと思いのほか、根津はこ

ともなげに、

「ああ、そりゃいいですよ、奥さん」

「あら、まあ、管理人さん、それじゃあたしに味方してくださいます」

「あっはっは、味方は大げさだが、なんならあの怪文書を提出してもいい」

「あら、管理人さんはあの怪文書を保存していらっしゃるんですの」

「わたしは管理人だからな、第十七号館とこの第十八号館の……」

「まあ……」

順子は改めてこの取っつきの悪い管理人を見直した。


いまから三週間ほどまえのことだった。順子はメーン・ストリートをへだててむこうに並んでいる、第十七号館へ京美を訪ねた。

京美は義理の伯父《おじ》の岡部泰蔵《おかべたいぞう》とふたりで、五月のはじめにこの団地へ入居した。京美の伯父の岡部泰蔵は高校の教師で、内職に虎の巻のようなものをやっている。順子はタンポポで京美と知り合った。

良人《おっと》を送り出すと団地のマダムにはほとんどすることがない。この機会に洋裁をおぼえておくのも悪いことではないと、順子はタンポポのマダム片桐恒子に頼みこんで、一週に二日、水曜日と土曜日の午後を二時間ずつ、タンポポへ通って洋裁の稽古をはじめた。

京美はタンポポにおける先輩で、としは順子よりずっと下だが、亡くなった伯母《おば》が中学時代から仕込んだとかで、簡単なワン・ピースぐらいならじぶんで裁《た》って仕立てた。京美の伯母は戦災で両親をうしなった京美に手職をつけておこうと考えたらしい。

京美はここへ引っ越してくるとまもなく、恒子に弟子《でし》入りして毎日タンポポへ通っていた。彼女の場合は順子のように道楽半分ではなくて、いくらかの収入になるのであった。マダムもよい弟子ができたとよろこんで、親身になって彼女の世話をやいていたようだ。

伯父の泰蔵もまだ老い朽ちたという年ごろではなく、しかも子供もなかった。そのうちに再婚の話もでるだろう。そうなったらうちへ住み込みでいらっしゃいと、マダムの片桐恒子からそういう話まで出ていた。

九月二十一日は水曜日だった。順子は午後タンポポへけいこにいったが、京美は朝から顔を見せぬ。どこか悪いのではないか、かえりにようすを見てほしいと、タンポポのマダムから頼まれた。順子は三時半ごろ第十七号館の一七二三号室のブザーを押した。いくら押しても返事がないので留守かと思い、かえろうとしかけたときドアのなかからうめき声が聞こえた。

順子はギョッと呼吸をのみ、耳をすまし、またはげしくブザーを押した。依然として返事はなくて、聞こえてくるのは苦しそうなうめき声ばかり。

順子の頭を不吉な思いがかすめてとおった。

この団地ではないがどこかのアパートへ朝っぱらから強盗が押し入って、若い奥さんを縛りあげ、金品を強奪していったという記事が出ていたのはつい最近のことである。体はドングリみたいにコロコロしているくせに、いたって気の小さい達雄が気にして、留守中の用心について、しつっこいほど順子に注意をあたえていた。

順子はもういちど鉄のドアのむこうに耳をすましたのち、いそいでそこを離れると管理人を呼びに走った。

順子はわりに思慮のたけた女である。

こんな場合むやみに騒ぎ立てて、あとでなんでもないことだとわかったら、京美ちゃんも迷惑だろうし、じぶんももの笑いのタネになるという考えが、とっさのあいだに頭にひらめく女なのである。

だから一八〇一号室のブザーを押したとき、順子は表面落ち着いていた。由起子はまだ学校からかえっておらず、根津が鉄の扉のあいだから顔を出した。

順子の話をきいても根津は半信半疑だった。それにしては順子が落ち着いていたからだろう。

順子が強くいい張るので根津はやっと承知して、第十七号館の万能鍵《かぎ》をもってきた。そのあいだひとことも口をきかず、跛とはいえノロノロとあとからついてくるこの管理人を、順子はおかしなひとだと思った。

京美は四畳半に蒲団《ふとん》をしいてよこたわっていた。顔がまっかに充血して、うめき声と息《いき》遣《づか》いは嵐《あらし》のようだった。

順子はその枕《まくら》もとにころがっている、カラになったブロバリン三十錠入りの箱をふた箱見つけたとき、全身の力が空気のように抜けていくのを感じた。

「奥さん、しっかり！　ここであんたが気絶したりしたら、助かるこの娘も助からんことになる！」

おかしなひとだと思ったこの男には案外シンがあった。順子を叱《しか》りつけておいて、京美の脈搏《みゃくはく》や瞳孔《どうこう》を調べているあいだに、順子は枕もとに落ちている妙な紙片に眼をとめた。書き置きかと思って手にとった順子は、その文面を読みくだすに及んで、
切り抜かれた活字の文字が便箋《びんせん》のうえいちめんに、ベタベタ貼《は》りつけてあった。

「まあ！」

と、ひとこともらしたきりで二の句がつげなかった。

Ladies and Gentlemen
「管理人さん、これ……」

根津もそれを読むと、大きく眉《まゆ》をつりあげた。

「奥さん、この手紙、封筒は……？」

封筒は見つからなかった。

「じゃ、そいつはあとまわしだ。奥さん、大至急医者を……この怪文書のことは当分内緒《ないしょ》だ、わかったかね」

そういってその怪文書をポケットにねじこんだ根津なのだが……。

「奥さんゆうべそのことでタンポポへねじこんでいったんだね」

「はあ」

「何時ごろのこと、それ……？」

「八時まえでした。河村《かわむら》さんがまだいましたから」

河村松江《まつえ》というのは通いのお手伝いで、朝九時にタンポポへやってきて、夜の八時ごろかえっていくのである。

「そこであんたマダムと喧嘩《けんか》したのかね」

「口ぎたなくわめいたりはしなかったつもりです。ただうちの主人のことについて、ちょっとお話ししたいことがあると申し込んだんです。そりゃア血相はいくらか変わっていたかもしれません。怪文書のぬしをマダムだとばかり思っていたものですから」

「ふむ、ふむ、それから……？」

「マダムは河村さんをかえすと、あたしを仕事場へつれていきました。河村さん、かえったようなふうをしていましたが、どこかで立ちぎきしてたかもしれません」

「ふむ、ふむ、それで……？」

「あたしいきなり怪文書をつきつけたんですけれど、そのときのマダムの顔色ったらなかったんです。だから、あたしいよいよ怪しんで、マダムをはげしく責めたんです。あたしとあたしの主人との仲を裂くために、あなたがやったことだろうって……」

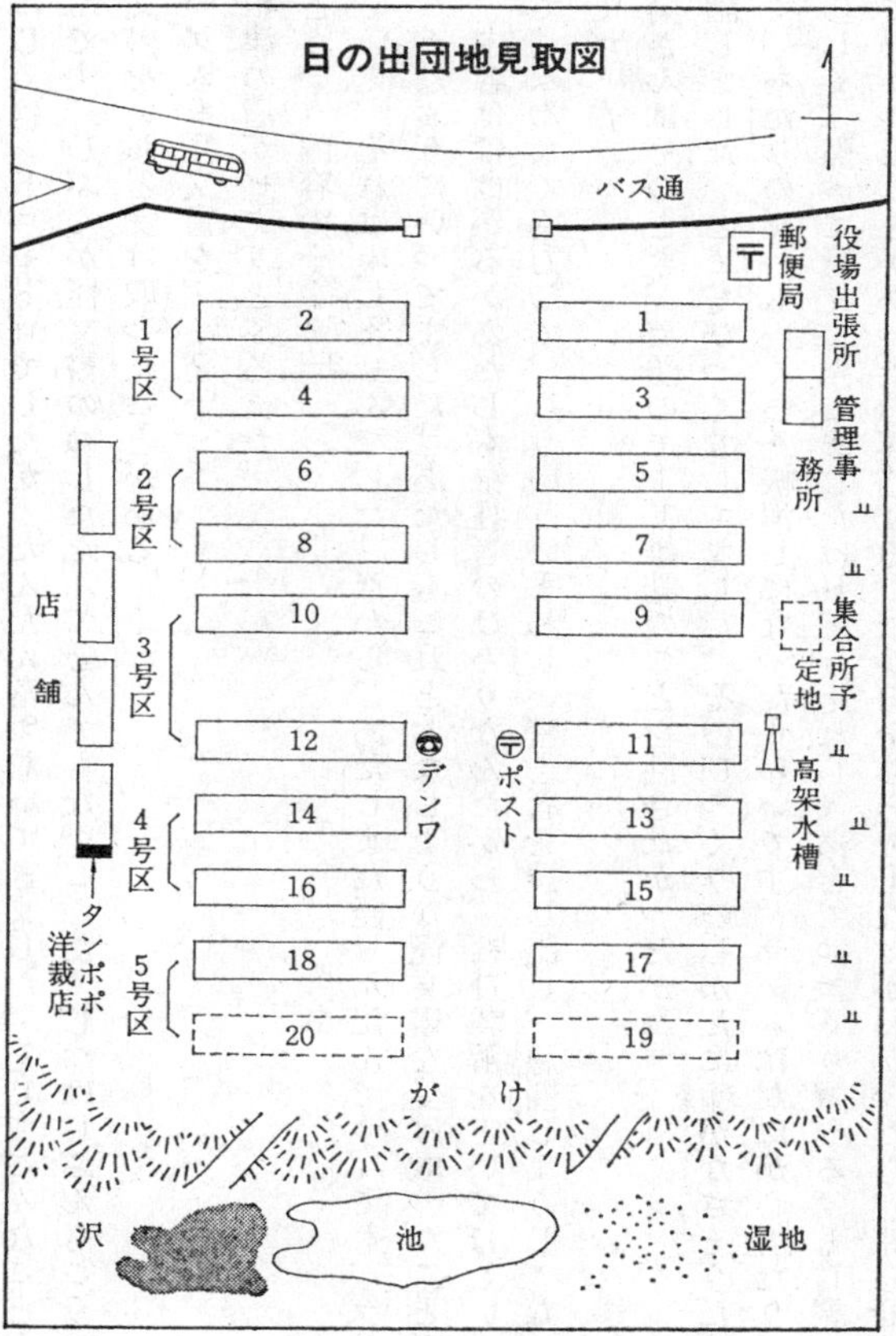
日の出団地見取図
バス通
郵便局
役場出張所
管理事務所
集合所予定地
高架水槽
1号区
2号区
3号区
4号区
5号区
店舗
タンポポ洋裁店
デンワ
ポスト
1
2
3
4
5
6
7
8
9
10
11
12
13
14
15
16
17
18
19
20
がけ
沢
池
湿地

「それにたいして、マダムの態度や返事は……？」

「はじめはシドロモドロでしたが、だんだん落ち着いてきました。そしてこんなことをいうんです。じぶんが怪文書のぬしだなんてとんでもないことだ。じつはじぶんもこういう怪文書をいちど受け取ったことがある……」

「マダムも怪文書を……？」

根津の眉がピクリとふるえた。

「どういう内容の……？」

「いいえ、それは申しませんでした。だから、あたしまた怪しんだんです。でも、マダムはこんなふうにいってました。あたしもこれとおなじような怪文書を受け取ったことがある。内容ははばかるがあたしも犠牲者のひとりなんだから、ぜひ誤解をといてほしい。そして、みんなで協力して、こういういまわしい密告者を捜し出し、懲罰《ちょうばつ》しようじゃないかって」

「奥さんはそのとき、英語のモード雑誌のことを話さなかったかね」

「話しました。とてもびっくりしてました。そのびっくりのしかたに嘘《うそ》がなさそうだったので、あたしの疑いもいくらか帳消しになったくらいです。マダムはなにか心当たりがあるらしく、黙って考えこんでましたけれど、それじゃあとでゆっくり調べる。もし調べてみてわかったことがあったら連絡する。だからそちらでもなにかわかったら、報《し》らせてほしいって」

「あのマダムは京美という娘の自殺未遂の原因をしってたのかな」

「さあ……しらなかったんじゃないでしょうか。伯父さまの岡部さんでさえご存じないらしいんですものね」

根津の注意で順子はだれにも怪文書については語らなかった。発見がはやかったので危く生命をとりとめた京美も、その点については一言もふれなかったらしい。だから、京美の自殺未遂の一件は、激動しやすい思春期の気まぐれ行為ということになっているのだが、それが岡部泰蔵のいまだに悩みのタネになっているらしい。

「ところで、こういう事件が起こっても、あんたはまだタンポポのマダムを怪文書のぬしだと思うかね」

「わかりません。マダムにおぼえがないのだったら、なぜあんなにまっさおになったのか、なぜあんなにシドロモドロになったのか……でも、落ち着きを取り戻してからのマダムの話は条理にかなっていたんです。だから、わからないと申し上げるよりほかはありませんわ」

「おたくの旦那《だんな》さんもマダムを疑っていたのだろうか」

「わかりません。あたしが怪文書を見つけたのは主人がうちを出てからなんです。それから主人はうちへかえらないんですから、怪文書について主人と語りあったことはいちどもありません。主人はそれほどこまかなところに気がまわるタチではありません。だから主人がゆうべタンポポへいったとはどうしても思えないんです」

根津は立ってノロノロとテラスへいった。カーテンのすきまから外をのぞいていたが、

「どうやらやっこさんたち、屋上から降りてきたようだ。奥さん、なにもそんなにビクつくことはありゃせん。たずねられたら万事正直に話すだけのことさ。わたしゃまた仕事をせんならんからな」

根津はもう取りつくシマもない態度で、デスクのうえにトウシャ版の道具をひろげはじめた。

第四章　タンポポ洋裁店

タンポポ洋裁店をふくむ商店街は、団地の西側にならんでいる。

金田一耕助がのちに知ったところによると、この商店街は、公団が経営しているのではなく、ここに団地ができると知って、抜け目のない付近の地主が、団地の敷地の境界線すれすれに、ウナギの寝床みたいな二階建てを四棟建てた。四棟の二階建ては団地にむかってズラリと一列にならんでいて一棟は七軒長屋《ながや》になっているから、都合二十八軒の店舗《てんぽ》が軒をつらねているわけである。

九三ページに日の出団地略図を挿入しておいたが、それでみてもわかるとおり、タンポポは商店街のいちばん奥まったところにあり、しかも二十八軒の店舗はぜんぶふさがっているわけではなく、タンポポの右隣は目下造作中だった。一軒おいて隣は理髪店である。

第二十号館の屋上からおりてきた連中が、商店街へまわってくると、タンポポの前はいっぱいの人だかりだ。

間口二間の角店《かどみせ》になっているこのうちは、鉤《かぎ》の手にショウ・ウインドーがすえつけてあり、ショウ・ウインドーのなかにはこの秋の流行色の服地やアクセサリー。店は土間《どま》になっていて、扇型の接客台、壁の服地もまだ品数が少なく、ガラス張《ば》りのケースのなかの真珠のネックレスやイヤリング、ブローチの類もチラリホラリというかんじで、開店後まだ日の浅いことを思わせる。

店の一隅にデザイン室があり、三方をカーテンで張りめぐらしてあるが、カーテンのすきまから大きな姿見が見えている。すべてが整然として、この家の女主人が惨殺《ざんさつ》されたとは思えない。警官がひとり店のなかでシャチコ張っているのが、異様といえばいえるのだが……。

「おや、君、みんなはどうした？」

「二階にいます、二階になにか……」

「ああ、そう」

店のおくに仕事場があり、階段はその仕事場のまえにあった。階段をのぼるときちらっと仕事場のなかをのぞくと、女がふたり石のように体をかたくして坐《すわ》っていた。

戸田京美と通いの河村松江である。

その仕事場のまえで履き物をぬいで、山川警部補と等々力警部、金田一耕助の順番で、せまい階段をのぼっていった。階段をのぼっていくとき金田一耕助は、京美という娘の視線をいたいほど背中にかんじていた。その視線は驚きと猜疑《さいぎ》にみちている。

「江馬《えま》君、なにか見つかったって……？」

山川警部補が二階の襖《ふすま》をひらくと、

「あっ、主任さん、足下に気をつけてください。そこ、踏まないで……」

江馬刑事の鋭い声に、

「えっ？」

と、山川警部補はあわててうしろへ飛びのいた。

二階の六畳ひとまが片桐恒子の居間兼寝室になっていたらしい。タタミのうえにジュウタンをしいて、ベッドや洋服ダンス、小さな三面鏡などがところせましとならんでいる。ジュウタンのうえ、ふすまをひらいたすぐ内側に、チャコでまるく印がつけてある。

「江馬君、このジュウタンのうえになにか……？」

「そこに血痕《けっこん》らしきものが一滴だけたれているんです。ですから、ひょっとするとここが殺人の現場かもしれんと思って……ああ、警部さん、いらっしゃい」

三人は足下に気をつけながら部屋へ入ると、まるく印のついたジュウタンのうえに身をかがめた。

なるほど、そこに一滴の血痕らしきものがたれており、しかもその血がまだ乾かぬうちに、だれかそれを踏んづけたものがあるらしい。

「血痕はこれだけかね」

「ええ、いまンとこそれだけですがね」

「警部さん、ここが殺人の現場とすると、だいぶ事件が複雑になってきますね。なんのために死体をあそこまで運んでいったのか……？」

「そうです、そうです、ですからこの部屋、入念に検証しとく必要があると思うんですよ」

江馬刑事は部下を督励して指紋の検出に余念がない。

「いったいこのうちに住んでいたのは……？　マダムのほかにだれか……？」

「いいえ、このうちに住んでいたのはマダムの片桐恒子ひとりなんです。ほかに通いのばあやがいるんですが、そいつは朝きて夜の八時にはかえっていったそうです。ほら、いまこの下の仕事場に五十かっこうのばあさんがいたでしょう。あの女がそうです」

「そいつはまた物騒な……」

金田一耕助は捜査のじゃまにならぬよう、つつましく襖のそばに立ったまま、部屋のなかを見まわした。

ジュウタンからベッド、洋服ダンスから三面鏡、すべてが女主人の趣味をあらわしているが、それと同時にどの調度もみな新しいのが金田一耕助の眼をひいた。

ここには古いものはなにひとつない。買ってから、あるいは作ってから数か月というようなま新しいものばかり。しかも、そのことがこの事件のなかで重大な意味をもっていることが、のちになってわかったのである。

部屋のなかをなでまわしていた金田一耕助の視線は、ベッドの枕元《まくらもと》にある小卓のうえにおちるに及んで、ハタとそこで釘づけになってしまった。小卓のうえには電気スタンド、小さな花瓶《かびん》にバラが一輪、しゃれた形の置き時計がひとつ。ほかに外国雑誌が五、六冊。

「この部屋が現場かもしれないとすると、写真は……？」

「はあ、写真はさっき撮りました。見取り図も出来ております」

「じゃ、なかへ入ってもいいですね」

「さあ、さあ、どうぞ」

金田一耕助は注意ぶかくベッドのうえに眼をそそいだ。派手な繻子《しゅす》の掛け蒲団《ぶとん》はきちんとしていて乱れもない。しかし、それかといってゆうべこのベッドが、使用されなかったとはいえないだろう。もし、ここが殺人の現場だとしたら、死体をかつぎだすとき、ベッドを整備していったとも考えられる。

「江馬さん、この雑誌、指紋は……？」

「はあ、もうすみました」

「じゃ、手をふれてもいいですね」

「はあ、どうぞ」

小卓のうえにある雑誌は全部で五冊、いずれもおなじ英語の雑誌で、

FANCY BALL

これはあとでわかったのだが、ファンシー・ボール、すなわち仮面舞踏会と命名されたこのアメリカ雑誌は、婦人のモード雑誌というよりは、男女共通のおしゃれ雑誌なのであった。

金田一耕助は最近号をとりあげて、パラパラと目次のページを捜し出したが、とつぜん眉がつりあがった。

Ladies and Gentlemen

「金田一先生、なにか？」

「ああ、いや、ちょっと……あとで説明しましょう」

Ladies and Gentlemen

の筆者は、

EDITOR

と、なっている。

その欄は編集後記ともいうべきページで、ページにおさまるように組まれているが、文

章の冒頭に、

Ladies and Gentlemen

と、呼びかけており、その言葉だけがイタリックの活字で組まれていた。いや、いや、

Ladies and Gentlemen

は文章の冒頭だけでなく、文章の行がかわるたびに、繰り返されていて、金田一耕助が手にしている号だけでも、三度使用されている。しかも、あきらかにいま金田一耕助がふところにしている、あの怪文書の活字とおなじである。

「警部さん、山川さんも……ここにレディース・エンド・ジェントルメンというコラム(評論)があるでしょう。これ、ほかの号にも掲載されているんじゃないかと思うんです。ひとつ調べてみてくださいませんか」

「金田一先生、これがなにか……?」

「いや、わけはあとで。これ重要なことですから……」

一同が手分けしてほかの四冊を調べてみると、はたしてどの号にもおなじ形式のページがあり、

Ladies and Gentlemen

は、どの号でも三度ずつ使用されている。しかし、切り抜かれているのは一冊もなかった。

「江馬さん、ほかにもこれとおなじ雑誌がないか家の中を捜してください。もしこれとおなじ雑誌があったら、レディース・エンド・ジェントルメンが切り抜かれているかどうか調べておいてください」

「金田一先生、これがなにか……？」

「警部さん、山川さん、ちょっとバルコニーへ出ようじゃありませんか」

この二階の西側には物干しがわりのバルコニーがついている、三人がそこへ出ると、下の路面に蟻《あり》のようなひとだかり。

「警部さんは銀座裏のスリーXというバーを覚えていらっしゃいませんか。二、三年まえちょくちょく連れてっていただきましたね」

「はあ、しかし、それがなにか……？」

「あすこにハルミって娘がいたでしょう。本名は緒方順子、いつか夜おそく警部さんとふたりで茶漬けをご馳走《ちそう》になったことがありましたねえ」

「ああ、そうそう、スラリと姿のよい娘……」

「そうそう、その娘がいま結婚して須藤と姓を改め、この団地にいるんです。わたしをここへひっぱってきたのもその女だし、あの被害者をここのマダムじゃないかって報告したのも、その須藤順子なんです」

等々力警部は金田一耕助の表情を見守りながら、

「あの娘があなたをここへひっぱってきたというと、なにか事件でもあって依頼にいったんですか」

「いや、それが偶然渋谷でバッタリ逢《あ》ったんですね。そしたらいまこの団地に奇々怪々な事件が進行しつつある。きっとあなたにも興味があるだろうてんで、なかば強制的にわたしをここへ引っ張ってきたんですね」

「奇々怪々な事件が……？　この団地に……？」

「はあ」

「それを申し上げるまえに、秘密を守っていただきたいんですが……あなたがたにも秘密を守っていただく……と、いう約束のもとに順子君から、打ち明けてもいいという了解をえているんですが……」

「承知しました。それで、その秘密というのは……？」

「これを……」

金田一耕助はふところから紙ばさみを取り出し、その紙ばさみのなかから抜きとったのはあの怪文書。

等々力警部はそれを手にとって、

「この須藤達雄というのが順子、すなわち昔のハルミの亭主なんですね」

「そうです、そうです、なかを読んでみてください」

等々力警部が便箋《びんせん》を取りだしてひらいたとたん、

「ほほう！」

と、いう鋭いおどろきの声が期せずして、ふたりの唇《くちびる》からつっ走った。

警部は二、三度読みくだすと、無言のまま山川警部補へまわした。警部補が読みおわるのを待って、

「金田一先生、この怪文書の冒頭にあるレディース・エンド・ジェントルメンという活字の切り抜きは、いま見たファンシー・ボールという雑誌の……？」

「そのように思えますね。その怪文書は、そちらへお預けしておきますから、綿密に比較してください」

「と、すると、金田一先生、この怪文書のぬしはここのマダム……？」

と、山川警部補は意気込んだ。

「そう断定するの、まだはやいんじゃないですか。あの雑誌、丸善《まるぜん》やなんかにきてるようです。ぼくも丸善の洋書部で見かけたことがあります。と、いってどこの家庭にもあるという雑誌じゃありませんね」

「よし、バックナンバーを捜してみましょう。ひょっとすると、レディース・エンド・ジェントルメンの切り抜かれた雑誌が見つかるかもしれない」

「金田一先生、この怪文書とこんどの殺人事件とのあいだになにか関係が……？」

「いや、それはぼくにもまだわかりませんが、これはこういうことなんです。おとついご

亭主が出勤したあとで、順子君がその手紙を発見した。これ見よがしに鏡のうえに貼《は》りつけてあったそうです。それっきりご亭主はかえってこない。だけど、ああいう女性って、こういう過ちにたいして案外罪の意識が浅いんですね」

「と、いうと、ここに書かれてること、事実なんですか」

「事実だそうです」

と、金田一耕助は苦笑して、

「もちろん後悔してることは後悔してるんですが、達ちゃんに謝《あやま》って許してもらえるという自信はもってるんですね。だから、順子君がいま問題にしてるのは、夫婦間の問題じゃなく、こういう怪文書をもって夫婦のあいだを引き裂こうとする卑劣な人物を捜してほしい。と、いうのは、いまからひと月まえか半月まえかにも、やはりそれとおなじような手紙、レディース・エンド・ジェントルメンではじまる怪文書におとしいれられて、自殺しかけた娘がこの団地にいるんだそうです」

「金田一先生、それじゃいまこの団地に、こういう怪文書が横行していると……?」

「と、順子君はいってるんですがね、こういう怪文書、受け取ってみんな秘密にしますからね」

「それで、自殺しかけた娘というのは……」

「京美といって、いま階下へきていますよ。仕事場にわかい娘がいたでしょう。あの娘がそうです」

「その娘が怪文書におとしいれられたとは……？」

「いや、詳しいことはぼくもまだ知らんのですが、ずいぶんえげつないことが書いてあったそうです」

「えげつないことというと……？」

「処女膜を調べてみろ、なんてね」

「処女膜を調べてみろ……？　金田一先生、それはいったいどういうんです」

「いや、じつは、それはこういうことなんです」

と、金田一耕助は苦笑しながら、渋谷で順子に遭《あ》ったところから説《と》き起こし、殺人事件が発見されるまでのいきさつを話した。等々力警部も山川警部補もおどろいて、

「金田一先生、するとこれ、たんなる通り魔だなんてタカをくってると、話がちがってくるわけですね」

「か、どうかまだハッキリしませんが、いまこの団地にこういうことが潜行してるってこと、お耳にいれといたほうがと思って……ああ、順子君がやってきました」

第十六号館と十八号館のあいだから、順子がこっちへやってくる。順子にはひとりつれがあった。さっきエカキの部屋にいた、まっかなセーターの娘らしかった。

「金田一先生、ちょっと……」

それからまもなく三人がバルコニーからもとの六畳へはいってくると、江馬刑事が呼びとめて、

「先生はいまここにあるこの雑誌の、レディース・エンド・ジェントルメンのどれかが、切り抜かれていないかということを問題にしていらっしゃいましたね」

「はあ、それがなにか……?」

「それ……つまり、活字の切り抜きということが、なにかこの事件に関係があるというお見込みなんですか」

「いや、江馬君、そのことならあとでぼくからゆっくり話そう。それについてなにか……?」

「いや、じつはさっき本間《ほんま》君がこんなものを発見したんです。ベッドのシーツの下から出てきたんだそうですがね。べつに大したことはないと思ってたんですが、いま金田一先生が活字の切り抜きのことを問題にしていらっしゃったもんだから……」

江馬刑事はポケットからハトロン紙の封筒を取り出した。それをさかさにふると、なかから出てきたのは、破り捨てた便箋の一片。その便箋《びんせん》のうえいちめん、活字の切り抜きがベタベタ貼《は》りつけられているのを見て、三人は大きく眉をつりあげた。

「どれどれ」

等々力警部は手のひらに受け取って眼をおとすと、

「金田一先生、これ」

金田一耕助と山川警部補は額をよせて同時に読んだ。金田一耕助はもじゃもじゃ頭をかきまわし、いまにも口笛を吹きそうに口をつぼめた。これが興奮したときのこの男のくせなのだ。

白と黒と
荘ホテルで
も当団地に
白か

むろん、これだけでは文章の全貌《ぜんぼう》は知るよしもない。しかし、ここからまた活字の切り抜きの貼りまぜ手紙が出てきたということは、須藤順子も指摘していたとおり、こういう怪文書が意外にひろく、この団地にバラまかれているのではないか。

「江馬君、このベッドのシーツの下から……？」

「そうです、そうです。ところがベッドはあのとおり、キチンと整備されてるでしょう。だけど、あの血痕《けっこん》のこともあり、いちおうこの部屋、入念に調べることにしたんです。そしたらシーツの下から……ちょうど枕《まくら》の下あたりからこれが出てきたんです」

「これだけなんだね」

「いまのところこの一片だけです」

「じゃ、なお入念に捜すこと。これからこれは重大な証拠物件になりそうだから大切に保存しておくこと。理由はあとで山川君から話す。それにしても、金田一先生」

「はあ」

「これだけじゃなんのことかサッパリわからんが、白と黒というのはなんでしょうな」

「さあ」

「黒白をつけろということじゃないんですか」

と、山川警部補が言葉をはさんだ。

「ホテルのことが出ていますが、何何荘ホテルだけじゃ見当もつかんでしょうな」

「ちかごろやたらにホテルがふえたし、何何荘ホテルというのは、大げさにいえば無限ですな。せめてもう一字出てりゃいいのに……」

等々力警部がいまいましそうに舌打ちした。

「それにしても、警部さん、その断片がシーツの下にまぎれこんだのがゆうべだとしたら、だれかゆうべこのベッドを整備していったやつがあるということですね」

「金田一先生、その気配はほかにもあります」

と、江馬刑事がそばから引き取って、

「と、いうのは指紋ですね。そのふすまの引き手には、マダムの指紋がついてなきゃならんはずでしょう。ところが出てきた指紋というのが、いま下にいる通いのばあさんの河村松江と、お針子《はりこ》の戸田京美、このふたりの指紋なんです。しかも、このふたりは朝からマダムを捜していて、なんどもここへ出入りしている……」

「マダムの指紋は消えちまったというわけか」

「だれかが、ゆうべここを最後に立ち去った何者かが、指紋を拭《ふ》きとっていったんですね。マダムがそんなことをするはずはありませんから、当然マダムがここを出たとき、死体となっていたんじゃないかと考えられる……」

片桐恒子はこの部屋で殺害されたらしいことが、しだいに明瞭《めいりょう》になってくるようだ。

第五章　マダムX

「君、君」

順子はタンポポの店へ入ろうとして、わかい警官にとがめられた。

「むやみに店へ入ってきちゃ困るね。きょうここのマダムにどんなことがあったか聞いちゃいないのかね」

「あら、ごめんなさい。あたしここのマダムの弟子《でし》なんですの。こちら宮本《みやもと》タマキさんといってお針子さん」

と、かたわらにひかえているまっかなセーターの少女を紹介すると、

「いまこちらに金田一先生が、等々力警部さんといっしょにきていらっしゃいますでしょう。きっとおふたかたから、あたしにおたずねになりたいことがおありだろうと思ったものですから」

「君、警部さんを知っているのかね」

「せんに可愛《かわい》がっていただいたことがございますの」

「ああ、そう、じゃ入りたまえ」

「順子さん、あんた警察のひとに知り合いがあるの？」

「ええ、ちょっと……」

タマキが眼をまるくしているのを見て、順子はかるく微笑《ほほえ》んだ。

タマキと京美はほとんどおなじ年頃だろう。京美のほうがスタイルもよく、どこか精悍《せいかん》なところがあるのに反して、この娘は顔も体もゴム風船みたいにふくらんでいる。色の白いのはよいとして、目が少しとびだし、口許《くちもと》がいつもゆるんで笑いをふくんでいるようなのが、この娘の性質の善良さを物語っているようだ。

「順子ちゃん、ごめんなさい、さっきは変なこといっちまって……」

順子が仕事場へ入っていくと、いきなり京美が抱きついてきて、順子の胸のなかでシクシク泣き出した。

「あら、いいのよ、いいのよ、お互いに興奮してたんですものね」

京美の背中をなでてやりながら仕事場のなかを見まわすと、ゴマ塩の頭をみじかく刈った男がひとり、傲然《ごうぜん》としてタバコを吸っている。

順子は革のジャンパーを着たその男をみて、あわてて目礼を送りながら、なんとなく胸がドキッとした。伊丹大輔《いたみだいすけ》というこの男は、このへんの大地主であると同時に、この商店街の家主でもある。

「須藤さんの奥さん」

順子のすがたを見て、伊丹は左指にタバコをはさんだまま、断ち台のまえの椅子《いす》から身を乗り出した。タバコをはさんだ節《ふし》くれ立った指に、太い金の指輪が光っている。

「はあ……？」

「いま二階へきている変な男……和服にハカマをはいて、髪の毛をもじゃもじゃにした男……ありゃどういう人間かな。京美の話じゃ、おまえさんの知り合いらしいということじゃが……」

態度も横柄《おうへい》だが口のききかたも尊大だった。京美などは呼びすてである。

「はあ、あのかたは金田一耕助先生とおっしゃって、あれでそのみちではそうとう有名な私立探偵でいらっしゃいますの。いま二階へきていらっしゃる警視庁の等々力警部さんとも親友でいらっしゃいます」

「なんじゃと……？　私立探偵……？」

と、驚いたのは伊丹大輔だけではなかった。

「あら、いやだ、須藤さんはそんなお知り合いをもっていらっしゃるの？」

と、うやうやしく伊丹に茶をささげていた河村松江も、順子をとがめるような眼つきである。

「あの男をここへ引っ張ってきたのは、おまえさんだということだが……」

「はあ、渋谷でお眼にかかったものですから……」

「なにか私立探偵を引っぱってこなきゃならんようなことでもあったのかな。この娘の話ではおまえさんがあの男を引っ張ってきたなあ、事件が発見されるまえだということだが……」

「はあ、ちょっとご相談したいことがございまして……ただしこんどの事件とは関係ございません」

「まあ、なんじゃな。あまり変なものをつれてこんことじゃな。そうでなくともこういう団地にゃ、えたいのしれん人間がウジャウジャいるんだかんな」

「あら、失礼ねえ、伊丹さんは……」

タマキがくやしそうに下唇をつきだした。

「な、なにが失礼じゃ」

「だってそうじゃない？　ここにいるひとたち……河村さんはべつとして、三人とも団地の住人よ。あたしたちみんなえたいのしれぬ人間……？」

「わしらの眼からみれば、ま、そうじゃな。もっとも、そのおかげでこちらのふところヌクヌクというわけじゃが……わっはっは！」

伊丹大輔という男——。

おそらく二代三代まえまでは……いやいや、この男のわかいころまでは、収益のうすい畑や山林を、ただダダっぴろく持っている田舎《いなか》地主に過ぎなかったのであろう。それが、はてしない都会の膨張と発展につれて、天はこのような口のききかたさえ満足にしらぬ男に、思いがけない大きな富を授けると同時に、ひとをひと臭いとも思わぬ傲慢さを付与したのである。

コール天のズボンに長靴、革のジャンパーに太い金の指輪という、まるでテキ屋の親方《おやかた》みたいな服装をしたこの男は、じじつ三多摩《さんたま》地方でときおり開かれる賭場《とば》の常連だと、いつか順子は河村松江から聞いたことがある。

暇さえあればこのタンポポに入り浸《びた》っていて、マダムの片桐恒子にとってはいちばん手ごわい狼《おおかみ》だという評判だった。そういえばマダムはちかごろ、この男をなぜかひどくおそれていたようだが……。

「まあ、いよいよもって失礼ねえ、伊丹さんは……」

と、好人物のタマキは満面に朱《しゅ》を走らせてくってかかった。

「あたしたちそんなにいわれる義理ってないわよ。いかに伊丹さんがここの大家《おおや》さんだからって……そいじゃ、ここのマダムもえたいのしれぬ人間なの」

「そうとも、そうじゃとも。ここのマダムこそえたいのしれん人間の親玉だあな。ありゃ、まあ、金毛九尾《きんもうきゅうび》のキツネみたいな女じゃったな」

「そんな……そんな……伊丹さんはマダムに惚《ほ》れてたんでしょ。それをマダムに振られたもんだから……」

とつぜんなにかが頭にひらめいたらしい、タマキはおびえの色をふかくして、順子のうしろへ身をひいた。ハアハア呼吸をはずませていたが、とつぜん京美を振り返ると、

「京美ちゃん、あんたなぜ黙っているの？　伊丹さんにあんなひどいことといわれながら、……あんたあんなにマダムにかわいがってもらっていたのに……」

京美は弱々しい微笑をうかべて、

「あたしなんにもいわないことに決めたの。さっきのことですっかり後悔してるんですもの」

「さっきのことって……？」

「いいの、タマキちゃん、あなた黙ってらっしゃい」

順子はしぜんふたりの少女をうしろ手にかばうような位置に身をおいて、

「伊丹さんにお伺いしたいんですけど……」

「ううん？」

「あなたいまこちらのマダムのことを、金毛九尾のキツネとおっしゃいましたが、マダムのことについて、なにかいけないことでもご存じですの」

それは順子が切実にしりたいと思うところであった。彼女はだれにも……良人《おっと》達雄にさえいわなかったことだけれど、心ひそかにここのマダムのことを、マダムXと名づけていた。謎《なぞ》の女性というほどの意味である。

ずいぶんきれいなひとだった。年齢はじぶんより五つ六つ年上の三十六、七とふんでいたが、じっさいはもっといっていたのかもしれない。優雅とか典雅とか、そういう形容詞がぴったりしそうな人柄だった。一見弱々しそうにみえるタイプだったが、なかなかどうしてシンの強さは順子などの比ではなかった。

順子が恒子に弟子《でし》入りして一週間に二回ずつここへ通うようになったのは、七月のはじめごろからのことだった。順子は当然、この美しくて、しかも独身のマダムにつよい興味と好奇心をもっていた。彼女はおりにふれて遠回しに、その前身に探りをいれるのだけれど、マダムは絶対にその手に乗らなかった。

九月のなかばごろだった。弟子入りしてからもうふた月、そろそろ打ち解けてきた心易だてに、順子はまたぞろマダムの前身に探りをいれていた。じぶんでは気がつかぬうちに、それが度を越して、しつっこくなっていたのだろう。それまで微笑とともに聞き流していたマダムが、とつぜん鋭い皮肉を一矢むくいてきた。

順子は鼻っ柱に平手打ちを食らったようにたじろいだ。脇腹に匕首《あいくち》でもつきつけられたようにヒヤリとした。この美しくろうたけたひとにして、よくこのような辛辣《しんらつ》な皮肉が吐けたものだと唖然《あぜん》とした。マダムはしかし平然として、微笑をふくんだままミシンを踏んでいた。

それ以来順子はここのマダムを見かけによらぬこわいひとだと思いはじめ、心ひそかにマダムXと命名したのもそのときである。どこかに陰のある女……。

「伊丹さん、あなたここのマダムについて、くわしいことをご存じでいらっしゃいますの」

順子がかさねてたずねると、

「そりゃまあな。しかし、そりゃおねえさんたちみたいな女子供にゃいえんこっちゃ。いまに二階から警察の連中がおりてきたら、化けの皮をひんむいてやるつもりじゃ。おや、噂《うわさ》をすれば影とやらじゃよ」

　建てつけの悪い階段をガタガタ鳴らせて、等々力警部と金田一耕助、山川警部補の三人がおりてきた。

「ああ、緒方君……じゃなかった。須藤君だったね。妙なところで会ったものじゃないか」

　仕事場のまえに立った等々力警部は、順子の顔を見ると眼尻《めじり》にシワをたたえて、いかにも懐かしそうである。

　ふだんは頼もしいひとなのだけれど、いまの順子にはそうとばかりはいっておれない。まぶしそうに眼をふせて、

「警部さん、しばらく。こんどはまたたいへんなことになってしまって……」

「ああ、いや、妙なまわりあわせというもんだ。しかし、須藤君、君がこの団地に住んでいるということは、われわれにとっては好都合だと、いまも金田一先生と話し合ったところだ。こんごなにかと手助けを頼むことになるかもしれんが、よろしく頼むぜ」

「はあ、あのお役に立ちますかどうですか……」

「それじゃひとつ、ここにいるひとたちを紹介してくれんか。名前とここのマダムとの関係を」

「はあ、承知しました」

　順子はいくらか晴れがましい顔色で、

「そちらにいらっしゃるのがこのへんの大地主で、この商店街の家主さんの伊丹さん、そちらが通いのお手伝いさんの河村松江さん、このおふたりが戸田京美さんと宮本タマキさん、こちらのお針子《はりこ》さんでございます」

タマキの名前をきいたとき、三人は、思わずそちらへ視線を集めた。それをタマキはなぜとはしらず、ちょっと誇らしげに胸を張った。

「ときに、須藤君、これからいろいろ聞きたいのだが、まずいちばんにどなたにおききしたらいいのかね」

「それはいうまでもなく、伊丹さんでしょう。なんといっても家主《やぬし》さんと店子《たなこ》の関係でございますから」

「それにマダムに惚《ほ》れて入り浸《びた》ってたんですものね」

タマキの声はこんどはいやに冷ややかだったが、それだけに伊丹のショックは大きかった。

「そ、そんなバカな!」

伊丹はおかしいほどどうろたえて、

「おまえたちはなんにもしっちゃいないんだ。おまえみたいな子供になにがわかるもんか」

いかにも百姓上がりのお大尽然《だいじんぜん》とした伊丹の顔を、等々力警部は凝視しながら、

「いや、その話はこれから聞きましょう。君たちにもあとできききたいんだが、それまで席

を外してくれんか」

　等々力警部が一同に中座を要請したのもむりはない。仕事場はせまいうえに道具の類でいっぱいである。

　部屋の大部分を占領している大きな裁断机とミシンが二台。裁断机のうえにはアイロンや腕の形をしたアイロン台、メジャーがとぐろをまいて、チャコや針山が散乱している。天井からシツケ糸の束がぶらさがり、足の踏み場もないかんじだ。

「それじゃあたしたちお店のほうで待ってましょう」

　順子がさきに立って出ていこうとするのを、

「ああ、ちょっと、須藤君」

　と、等々力警部が呼びとめて、

「ここのマダムの写真がほしいんだが……」

「京美ちゃん、あなた、マダムの写真見たことあって？」

「いいえ、マダムは写真嫌いだったわ」

「そうよ、そうよ、いつかみんなで相模湖《さがみこ》へピクニックにいったときも、姫野《ひめの》さんが写真撮ろうとしたら、マダムいやがって逃げだしたじゃない？」

　そばから口を出したのはタマキである。

「あら、そんなことがあったの？」

　順子の顔色がまた青ざめた。

「マダムは姫野さんがカメラ持ってることに気がつかなかったのよ。それをだしぬけにレンズむけたりするもんだからマダムおこったのよ」

「姫野さんというのはどういうひとだね」

「やっぱりこの団地にいるひと、姫野三太《さんた》さんて未来の帝映の大スター、そうでしょう、京美ちゃん」

「そんなことしるもんですか」

京美はなぜかプリプリしている。

「須藤君はそのときいっしょじゃなかったのかい」

「はあ、あたしはたんにここの素人《しろうと》弟子ですから……」

「ああ、そう、それじゃそのことはあとで聞かせてもらうとして、……するとマダムの写真は一枚もないのかね」

「河村さん、あなた、どう？　見たことあって？」

「そういえばマダムの写真ばかりでなく、このおうちではどなたの写真も見たことございませんわねえ」

一同が店のほうへ引きとったあと、等々力警部は金田一耕助と顔を見合わせた。

いまどき写真が一枚もない人物など考えられないことである。この家にマダムの写真が一枚もないとしたら、それにはそれだけの理由がなければならぬ。

「山川君、とにかく家捜《やさが》しをしてでも写真を見つけてくれたまえ。被害者がどういう人物なのかわからんようじゃ話にならん」

「だけど、それ、むずかしいんじゃないかな」

そばから口をはさんだのは伊丹である。あいかわらず裁断台のまえの椅子《いす》に傲然《ごうぜん》とかまえている。

「ああ、あなたここの家主さんですね」

「ああ、わしゃこういうもんじゃが……」

ポケットから大きな紙入れを取り出すと、伊丹はバカバカしいほど大きな名刺を出してわたした。日の出町町会議員だの協同組合の相談役だの農協金融金庫の理事だのと、やたらに肩書きがならんでいる。

等々力警部は自己紹介をし、他のふたりを紹介しておいて、

「ときに、伊丹さん、あなたいまマダムの写真を見つけるのはむずかしいといわれたが、それどういう意味？」

「写真はおろか氏素性《うじすじよう》もわからんのじゃないかな。いまも女どもに話したんだが、ここのマダムは金毛九尾《きんもうきゆうび》のキツネみたいな女で、片桐恒子という名前も本名かどうかわかったもんじゃないないな」

「伊丹さん」

と、等々力警部はなじるように、

「そうすると、片桐恒子というのは変名だと？」

「じゃないかと思われるふしがたくさんある」

「あなたはそんなウロンな人間に、家を貸していなすったのかね」

「いや、な、警部さん、家を貸すのにいちいち興信所で調べたり、また戸籍謄本を要求したりするものもありますまい。家主をだまそうと思えばいくらでもだます手はある。ましてや、あいては金毛九尾のキツネみたいな女じゃかんな」

「しかし、家を貸すとき保証人はいれたんでしょう」

「その保証人がデタラメじゃった。ユーレイ保証人じゃったな。あっはっは」

「伊丹さん、そこの事情をもう少しくわしく話して下さい。どういうわけでそういうウロンな人物に家を貸すようなことになったか……」

「ああ、いくらでも話すよ。こっちもとんだものを背負いこんだと、さっきから頭をいためてたとこじゃかんな」

伊丹はピースを一本吸いつけると、ふかぶかと煙を肺いっぱいに吸いこんで、

「あの女がはじめてうちへやってきたなあ、四月の終わりごろのこと、新聞広告を見てきたんじゃな。洋裁店を出したいから、一軒貸してほしいという。こっちも小ぎれいな洋裁店の一軒あるのが望ましいと思ったたし、それにいかにも洋裁店でもやりそうな人柄じゃ。年齢は三十五、六かな、うちの家内はもっといってるというんじゃが、とにかくべっぴんで、お上品で、口数はきかんほうじゃが、いうことはしっかりしておる。そこでふたつ返事でオーケーしたというわけじゃ。少し牝《め》ギツネにいかれたのかもしれんがな、わっはっ

は」

伊丹は腹をゆすってわらったが、そのわらい声にはなにかむなしいものがあった。

「それで、身元もよくたしかめないで、……？」

「いや、そりゃいちおうは聞いたよ。だが、はかばかしくは答えなんだな。戦争で親兄弟もうしのうてしまって、いまじゃひとりぼっち。いままで上方《かみがた》のほうで洋裁店をやってたが、故郷忘《こきようぼう》じがたくて東京へきたくなった。金銭的には絶対に迷惑はかけんから、ぜひ貸してほしいといいおって、金はそうとう持ってたらしいな」

「上方のほうで洋裁店をやっていたといったんですね」

山川警部補が緊張の面持ちで手帳を出した。

「ああ、そういえばいくらか上方なまりがまじるようじゃった。だけど、うまれは東京らしいな。故郷忘じがたくといったくらいだから」

「それで、ここへ越してくるまではどこに……？」

「本郷《ほんごう》の蓬萊館《ほうらいかん》という旅館にいたよ。わしもいちどいったことがあるが本郷の蓬萊町じゃった。そこに二週間ほどいて、そのあいだにわしの出した三行広告を見て、ここへやってきおったんじゃ」

「蓬萊館へくるまえはどこにいたのかわかりませんか」

「それはしらん。蓬萊館へいけばわかるかもしれんが……そのときわしはこう考えた。上方で商売していたがなにせべっぴんじゃから、男のことで問題起こして、その男から逃げるために、いっさいがっさい売り払ってきたんじゃないかと……女もそう匂《にお》わせるようなことをいってたな。過去のことはいっさい水に流して、東京で新規まきなおしでやっていきたいと……こっちゃ敷き金と前家賃さえもらやあいいようなもんの、家内がそれじゃいけない、契約書を入れて保証人を立ててもらいなさいというもんだから、女にそういったら案外あっさり、じゃ、頼んできましょうって、契約書を二枚もってって、ここへ名前と判をもらってきおった」

伊丹は大きな紙入れから契約書を出してみせた。保証人のところに、江東区《こうとうく》亀戸町《かめいどちょう》五丁目、尾崎竜太郎という男名前が書いてあり、尾崎という判まで押してある。

「この尾崎というのがユーレイだったというんですね」

「そうそう、東京といっても江東区といやずいぶん遠い。わしゃ女を信用しとるもんじゃから、こんな契約書問題にもせず、尾崎ちゅう人間がいるかいないか調べもしなかった。ところがその後どうもおかしい」

「おかしいというと……？」

「いまここにいた河村松江ちゅう女は、わしが世話したんじゃが、松江に聞いても身寄りはおろか、旧《ふる》い知り合いというようなもんが訪ねてきたことがいちどもない。そりゃ男から身をかくしてるのかもしらんが、手紙一本、ハガキ一枚くらいきそうなもんじゃがそれもない。それに話をしていてもどうも腑《ふ》に落ちんことがある。そこで半月ほどまえ本所《ほんじょ》のほうへいくついでがあったもんじゃから、亀戸五丁目というのを捜してみたが……」

「なかったんですね。こういううちが……」

等々力警部は金田一耕助と顔を見合わせた。

この事件の背後によこたわっている、複雑にして怪奇なものが、しだいに面前に浮きあがってくるようだ。

「この亀戸五丁目だけで番地のないのが曲者《くせもの》。五丁目といってもそうとう広い。わしゃ脚を擂粉木《すりこぎ》にして捜してみたが、とうとうわからずじまいじゃったよ」

「マダムにそのことをたずねてみましたか」

「もちろんきいたよ」

「マダムはなんといってました」

「青うなっておったが、それでもヌケヌケ抜かしたよ。契約書を入れてからまもなく、九州へ転宅しました。それを申し上げておかなかったのは無調法《ぶちようほう》でしたが、決してご迷惑をおかけするようなことはございませんから、このままお見のがしくださいまし……と、それがな、警部さん、そんなときのその女ときたら、海棠《かいどう》の雨になやめるふぜいというのか、しおらしいような哀れなような……そこが金毛九尾のキツネというやつじゃな。あっはっは」

伊丹は古風な修辞をつらねると、腹をゆすって笑ったが、その笑い声はむなしく乾いてそらぞらしかった。

「あんたはそのまま見のがすつもりだったんですか」

「いや、なんとかするつもりではいたんじゃが、そのやさきにこんなことが持ちあがりやがって、わしらもとんだ迷惑じゃ」

「いつごろからここで営業をはじめたんですか」

「五月のはじめにはもう引っ越してきておった。それからわしが大工やなんかいっさいがっさい頼んでやって……いきおいいろいろ相談に乗るようになったんじゃが、それを世間のやつらが誤解して、いろいろなことをいうんじゃ。そりゃまあ、わしも多少鼻の下をながくしとったことはしとったがな、わっはっは！」

と、伊丹はふたたび豪傑笑《ごうけつわら》いをしてみせたが、その表情の裏にはなぜか不安が戦《おのの》いている。

金田一耕助はさっきから気がついていたのだけれど、二階にある家具調度類同様、ここにある道具類みな一式がまだま新しかった。裁断台が新しいのは当然として、ボデーも新調なら、二台あるミシンも金具をピカピカ光らせている。メジャーや鋏《はさみ》、電気アイロンにいたるまでみんなまだ新しいのである。

等々力警部もそれに気がついて、

「ときに、伊丹さん、ここにあるミシンやなんか、みなこっちにきてから買ったんですか」

「ええ、そう、本人はまるで着のみ着のままでしたよ。だから二階にあるベッドからなにから一切こっちへきてからととのえたもんじゃ。ミシンなんかも月賦じゃったが、わしゃ月賦販売店の外交員に聞かれたことがあったよ、大丈夫かって」

「大丈夫かというのは……？」

「いや、ちかごろは月賦で仕込んでおいて、一回くらい払ったきりドロンをきめこむのがあるそうじゃ」

「そういう女を怪しいとは思わなかったんですか」

「そりゃおかしいとは思ったよ。思ったからこそ保証人やなんか調べる気になったんじゃ。なんせここへくるまえに持ってたもんはひとつもないんじゃかんな」

「それをあなたはどうしてご存じなんです」

「いや、それは、河村のばあさんに聞いたんじゃが」

と、伊丹がちょっと狼狽《ろうばい》したのは、松江をスパイに使っていたのだろう。

これを要するに伊丹大輔はタンポポのマダム片桐恒子なる女性について、なにひとつしるところはないらしい。いや、少なくともそうとれるように発言していた。

「警部さん、例のことについて伊丹さんに、きいてごらんになったら……？」

金田一耕助がそばから注意すると、

「いや、金田一先生、それはあなたにまかせます。わたしには質問の方向がよくのみこめないんでね」

「ああ、そう、それでは……」

と、金田一耕助がむきなおると、伊丹は警戒するようにギョロリと目玉を光らせた。

「それじゃ、伊丹さんにおたずねしますが、あなた、ちかごろ匿名《とくめい》の手紙を受け取られたことはありませんか」

「匿名の手紙というと……？」

「つまり差出人不明の手紙ですね。しかも、団地のなかのだれかを中傷するような手紙……」

「さあ、しらんね。団地のなかのだれかとは？」

「あなたならさしずめ、ここのマダムのことですね。あのマダムには、これこれしかじかの秘密があるというような手紙を受け取ったことはありませんか」

「ないな。第一、あのマダムの秘密をしってるもんが、このちかまわりにあろうたあ思えんもんな。わしらでさえなにひとつしらんのじゃかんな」

問うに落ちず語るに落ちるとはこのことであろう。

「ああ、そう、それじゃ、もうひとつおたずねしますが、あなた〝白と黒〟という言葉になにか思い当たるふしはありませんか。もちろんこちらのマダムに関連してですが……」

「白と黒……？　さあ、しらんな。よく警察じゃあいつはクロだとかシロだとかいうがそれじゃないか」

その真剣な顔つきからして、しらばっくれているとは思えない。怪文書に関するかぎり伊丹はシロなのか。

「いや、どうも。わたしの質問はそれだけです」

金田一耕助がもじゃもじゃ頭をさげたところへ、表から志村刑事が入ってきた。

「いやあ。やっと死体をタールの底から掘り出しましたよ。金田一先生、これ見てください。いや、もうめちゃくちゃでござりますわ」

両手をひろげてみせる志村刑事の洋服は、タールにまみれてサンタンたる状態を示している。

「あっはっは、これはだいぶ奥さん泣かせですね」

「どうだ、検視ができる状態になった？」

そばから山川警部補が結論をいそいだ。

「とんでもない。これから日の出病院へ運んでタールを落として、それからってところですから、検視はそうとう遅くなりますよ」

それをなんと聞いているのか、伊丹は放心のていで唇をかんでいる。野獣が舌なめずりをするように。

第六章　処女膜を調べろ

ダスター・シュートのなかから、タール漬《づ》けの死体が掘りだされたのは五時半ごろのことだった。

上半身をまっくろなタールによって包装された死体が、救急車によって日の出団地から出ていくと、報道関係の自動車がそのあとを追っていった。

こうして死体が団地から出ていっても、現場を取りまく野次馬《やじうま》はいっこうに減りそうになかった。

第十八号館と第二十号館のあいだの空き地には、三々五々、ひとがあつまって世にも奇妙なこの殺人事件について、好奇にみちた意見をたたかわしていた。

エカキの水島浩三は第十八号館の三階、一八二五号室のテラスに立って、さっきから眼の下に展開されるこの騒ぎを、ただまじまじと見守っていた。

細面《ほそおもて》のちょっといい男っぷりなのだが、鼻下に細くひげを剃《そ》りこんでいるのがキザといえばいえよう。じぶんのデザインによるという、ルパシカ・スタイルのジャンパーを着てマドロス・パイプを口からはなしたことがない。

いまも水島浩三はそういうスタイルで、三階のテラスから眼下の野次馬を見守っている。その顔色には妙にしかつめらしい表情と、なにかをわらっているようなひとの悪い表情とが交錯している。もっとも、これはこの男のくせなのだが……。

やがて、水島浩三はテラスからなかへ引っ込むと、ガラス戸をしめカーテンをひいた。

それからまもなく第十八号館の北側入り口から出てきたかれを見ると、ルパシカのうえにツィードの上衣《うわぎ》をひっかけ、左の脇の下に大きなスケッチ・ブックをかかえていた。一八〇一号室のまえまでくると、なかからとび出してきた少女にバッタリ出会った。

「あら、先生！」

「なんだ、由起子ちゃんじゃないの、どこへいくの？」

「タンポポまで……」

「タンポポ……？　よしなさい、由起子ちゃん、子供がこんなことに好奇心をもつんじゃないの」

「あら、そうじゃないのよ、先生、パパのお使いよ」

「パパのお使い……？　パパがタンポポになんの用事？」

なるほど、藤野塗装主任も指摘したとおり、キザといえばキザといえる口ぶりである。

「須藤さんのおばさまがタンポポにいるはずなのよ。パパがこれをわたしてきなさいって」

と、由起子がひらひらさせてみせたのは一通の封筒である。封筒には帝都映画撮影所の名前が印刷してあり、宛《あ》て名はなかったがげんじゅうに封がしてあった。

「パパが須藤さんの奥さんに……？」

と、もういちど水島が眼をまるくしたとき、第十八号館の第一号入り口から根津伍市が顔を出して、

「由起子、おまえまだそこにいるのか」

「ごめんなさい。先生に出会ったもんですから……」

「ああ、先生、失礼しました」

と、根津はとってつけたようにあいさつをすると、すぐ由起子のほうへきびしい顔をむ

けて、

「由起子、ぐずぐずしないでさっさといってくるんだ。だれにも見せるんじゃないぞ、それ。須藤さんの奥さんにじかに手渡しする。わかったな」

「はい、パパ……先生、ごめんなさい」

由起子は水島に頭を下げると、そのまま商店街のほうへ走っていった。父のまえへ出ると借りてきた猫みたいにオドオドしているが、根が快活な性分なのだ。

そのうしろ姿を見送って水島がなにかお愛想《あいそう》をいおうとして振り返ると、根津はもう鉄のドアのなかに姿を消していた。水島はかるく肩をゆするようなゼスチュアを見せたのち、第十八号館の角を曲がって、メーン・ストリートをまっすぐに南へ進んだ。

いまのちょっとした出来事がこの気取り屋さんになにか影響をあたえたのか、妙に深刻な顔をして考えこんでいる。そこらへんいったい、捜査係官や野次馬《やじうま》がまだウジャウジャするほど群がっているのだが、いまの水島の眼にはそれもはいらないらしかった。

だから、通りすがりにひとりの男がかれの顔を見て、

「おや！」

と、つぶやいて立ちどまったのも、水島は気がつかなかった。立ちどまったのは三浦刑事だ。

水島浩三は歩くとき、出来るだけ胸を張っていようと心掛けている。落ち目になった画家の世間にたいする虚勢もあったが、ともすればガックリきそうな心の弱まりを、それに

よって支えようとしているのである。

水島浩三。——オールド・ファンなら記憶があろう。かつて竹久夢二《たけひさゆめじ》ばりの叙情《じよじよう》画家として、令名天下にあまねいていたこの画家を。

かれが叙情画家として売り出したのは昭和六年のことである。当時かれは十九歳だった。昔のことだからかぞえ年である。かれの売り出しかたには目ざましいものがあった。どの少女雑誌でも表紙に口絵にまた挿《さ》し絵に、かれの絵のない号はないという状態が十年つづいた。かれの描く絵ハガキは絵ハガキ屋にとってドル箱だった。

こうして年若くして雑誌社や絵ハガキ屋からおだてられ、多くの収入にめぐまれたかれは、いつか尊大な人間になっていた。と、同時にいつも少女ファンに取りかこまれていたかれは、どこか女性的猫撫《ねこな》で声が身についていた。かれの尊大で、キザな態度や口のききかたは、そういうところからきている。戦争がかれに打撃をあたえた。いや、戦争がなくともあいつの絵は早晩飽《あ》かれていたのさ。なにしろ基礎ができてないうえに、人気にかまけて勉強を怠り、マンネリが鼻についていたのだから、戦争がなくとも落ち目は時日の問題だったのさ。……と、解く批評家もいる。

しかし、かれに決定的打撃をあたえたのはやはり戦争だったろう。軍や情報局のおえらがたは、かれの絵をさして軍国少女を毒するものとみた。

戦後にかれは希望を託していた。じじつ、戦後のある時期には水島浩三、返り咲くかに見られたこともあった。しかし、それは所詮《しよせん》、ローソクの火のまさに消えなんとするときは……のたとえのとおりであった。しかし、かれはそう思いたくない。だから胸を張って歩くのだ。

水島浩三は落ち目なのだ。

「先生、ちょっと、水島先生」

かれのそばへ自転車がきてとまった。問題の第二十号館を尻目《しりめ》にかけて、断層のだらだら坂を下りようとしていたときだった。

「ああ、だれかと思ったら姫野君だったの」

水島浩三は夢からさめたような調子である。

姫野三太はジー・パンツをはいた片脚を、自転車のペダルにかけたまま、

「先生、エノをしりませんか、エノを」

「エノ……？　ああ、榎本君のことですね。いいえ、しりません、榎本君がどうかしたんですか」

「ヤツ、こんど役がついたんです。それも凄《すご》い役がね。それですっかり嬉《うれ》しがったたなあいいが、どっか姿が見えなくなっちゃったんです。渡辺さん……プロデューサーの渡辺さんが捜してこいってんで、こっちへやってきたんですが、どこへいったのかなあ。おばさんに聞いても根津さんに聞いても、ちょっと顔出ししたきりで、すぐかえってったっていうんですがねえ」

「そうですか、榎本君、役がついたんですか」

水島はなぜか感慨無量《かんがいむりょう》の体《てい》である。

「ええ、それも凄くいい役だそうですよ。ヤツ、いまに売り出しますぜ」

「こんどは君の番ですね」

「ダメだよ。おれなんかあ……いつまでたっても大部屋《おおべや》」

「そんなことありません。君、なかなかいいマスクしてます。ぼくが監督なら榎本君より君に眼をつけますね」

「おだてちゃいけませんや。こっちはどうせ三枚目」

三太は柄《がら》にもなく着ているセーターより真っ赤になった。みずから三枚目をもって任じているだけあって、盛りあがった肩の筋肉のなかに猪首《いくび》がめりこみそうだ。G・I刈りをした顔が満月みたいで愛敬《あいきょう》がある。

「それはそうと、先生、タンポポのマダムが殺されたんですって？」

「ええ……」

「マダムが殺されたてえのに、先生はスケッチですか」

水島はとがめるような眼で三太を見て、

「マダムが殺されたってことと、ぼくのスケッチになにか関係がありますか」

「そういうわけじゃねえけどさ、先生、あのマダムに関心もってるって、もっぱら評判でしたから……」

「姫野君！」

水島はムッとしたように声をカン走らせて、

「つまらないことといわないでください。だれがそんなつまらないことといってるんです？」

「だれって、あれ、京っぺだったかな。それともタマキだったか……。そんなこと冗談ですよ」

「冗談にしろ、軽はずみなことというのはつつしんでいただきたいね。なにしろ、こんな際なんだから……」

水島浩三は用心ぶかくあたりを見まわした。

すぐ二、三間むこうに背広の男がこちらに背をむけて、作業員と立ち話をしている。それが三浦刑事であることを、水島はまだしらなかった。

「とにかく、姫野君」

「はあ」

「いまぼくにとっては、タンポポのマダムが殺害されたということよりも、榎本君にいい役がついたということのほうが、はるかにビッグ・ニュースなのです」

「どうしてですか、先生、先生はエノになにか……？」

「そういう意味ではありません。君たちはすぐそういうふうに唯物的《ゆいぶつ》にとるからいけない」

「と、いうと……？」

「いいえ、わかいひとには可能性があります。姫野君、このつぎは君の番ですよ。ぼくは楽しみにしているんです。ぼくじしんが希望と可能性のなかに活《い》きているんですからね。しかし、死人にはなんの可能性もない」

なんだか小説に出てくるせりふのようだが、三太にはもうひとつピンとこなかった。

それに三太はもっと現実的である。

「でも先生はいつかタンポポのマダムにラブ・レターをつけたというじゃありませんか」

怒りがさっと水島の顔をドスぐろく染めた。

「だれが……だれが、そんなことをいうのですか」

「いつかタマキがいってましたよ。水島先生からマダムに、いつかラブ・レターをことづかったことがある。うっふっふなあんてね」

「そうじゃない、あれはそうじゃないんです」

水島はムキになった。すぐムキになるので、若いひとたちに乗じられるのだと、水島先生ご存じなかった。

「ぼく、挿《さ》し絵を描く参考上モード雑誌が必要だったんです。われわれはつねに勉強しなければならない。ことに流行にたいして眼をひらいていなければなりません。丸善までいけばよかったんだが、それもおっくうだったので、タマキ君にたのんで、マダムから外国のモード雑誌を借りたんです。ただそれだけです」

三太はべつに悪気があって、ラブ・レターのことを切り出したのではない。だから、あいてがやっきとなって釈明しようとすればするほど、面倒くさくなってきた。お尻《しり》をもじもじさせていると、むこうのほうに自転車を押していく長身のうしろ姿が見えた。

「やっ、エノのやつあんなところにいやがった。おうい、エノ、待てよ、謙ちゃん」

自転車に跳《と》びのったかと思うと、三太はさよならもいわずに、メーン・ストリートを走っていった。ペダルを踏むたびに大きなお尻がピクピク躍っている。

あっけにとられたような顔色で、うしろ姿を見送っていた水島は、やがて姿勢をたてなおした。スケッチ・ブックをかかえなおすと、だらだら坂を降りはじめる。

あいかわらず胸を張って顔は正面を切っている。周囲の雑事などわれ関せずえんといった顔色だ。しかし、よく見るとその顔色には、苦いものでも嚙《か》みくだしたような苦渋がある。

かつては美貌《びぼう》で鳴らした男なのだ。その美貌と若くしてえた富と名声がこの男をあやまらせた。何度も妻をかえた。はじめはかえればかえるほどよい妻にありついた。のちにはかえればかえるほど女の質は下落した。

この六月、団地に入居したときいっしょだった女は、五度目か六度目の細君《さいくん》だったという。その細君も入居後一週間ほどで別れた。噂《うわさ》によると独身者では入居資格がえられないので、入居して落ち着くまでという約束で別れ話をのばしていたのだという。長年にわたるこの無軌道な生活と、落莫《らくばく》たるげんざいの境遇が、あたら美貌を毀損《きそん》して、颯爽《さっそう》たる昔日の面影《おもかげ》はさらにない。

だからこそ、水島浩三はいっそう胸を張って歩かねばならないのだ。

だらだら坂を下へおりると、武蔵野《むさしの》の雑木林に取りかこまれた池がある。広さは二百坪ほどもあろうか。そうとう深いらしく、青黒い水がよどんでいる。きのうの夕方、金田一耕助が水草かと見まごうた水面の縞《しま》はドングリである。

水島は、池のほとりを散策していた。なにか考えこんでいる。

この池の一部分に岬みたいに突出したところがあり、そこに目通りふたかかえはあろうかと思われる椎《しい》の大木が、からかさのように枝をひろげている。

物思わしげな眼をして、しばらく池のほとりを散策していた水島は、けっきょくその椎の大木の根元に腰をおろした。スケッチ・ブックを膝《ひざ》のうえにひろげた。あたりはもう雀《すずめ》色《いろ》にたそがれているので、スケッチにはあんまり適当な時刻とはいえないのだが……。

それでも、水島がしかつめらしく池の周囲を眺めまわし、木炭を取りあげたとき、男がそばへよってきた。

「スケッチですか」

それが刑事だとはしらなかったが、水島はその男が団地からあとをつけてきたのだと知っていた。

ちょうどそのころタンポポの仕事場では、関係者のひとりひとりについてきき取りがつづけられていた。

伊丹大輔につづいて仕事場へ呼びよせられたのは、通《かよ》いのお手伝いの河村松江である。

松江は戦争未亡人で娘が三人ある。三人の娘も中学を出てそれぞれ働きに出ているのだが、それだけではやっていけないので、伊丹の旦那《だんな》のお世話で、タンポポの店へ通いのお手伝いとして働いているのである。

「娘たちを送り出したあと、後かたづけをしてこちらへまいりますと、どうしても九時になります。けさも九時ごろまいりますと、お勝手口《かってぐち》が開いておりました」

「開いていたというのは、勝手口の戸が開けっぱなしになっていたということかね」

と、突っ込んだのは等々力警部だ。

「いえ、そうではございません。戸はちゃんとしまっていたんですけれど、掛け金がかけてなかったんです」

「なるほど、それで……？」

「はあ、お勝手が開いていたものですから、もう起きていらっしゃることだとばかり思って、階段の下からお二階へ声をかけました。お二階でお化粧中だとばかり思っていたものですから……お返事はございませんでしたけれど、べつに気にもとめずに、ここのお掃除をしておりました。そしたら十時ごろ京美ちゃんがやってきて、どうしてお店開けないのかというでしょう。それで京美ちゃんのお手伝いして、お店を開いて、ふたりでお掃除やなんかしているところへタマキちゃんがやってきました」

「ふむ、ふむ、それで……？」

「それでもマダムの姿がみえないでしょう。どこかご気分でもお悪いんじゃないかと、京美ちゃんが二階へあがっていきましたが、しばらくすると降りてきて、マダムがいない、ベッドもちゃんと片づいていると申すんでしょう。それで下駄箱を調べてみたら、靴が一足見えないんですの」

松江は、あらかじめ用意をしていたと見えて、その申し立てには渋滞するところがなかった。

マダムは朝早く外出したのだ。と、松江は思い、ほかのふたりも同じ意見だった。

正午になったので京美とタマキは食事にかえった。松江は漬け物をおかずにしてひとりで茶漬けをかきこんだ。

一時過ぎに京美がやってきたが、マダムの姿は見えなかった。どこかに置き手紙でもしてあるのではないかと調べてみたが、なにも見つからなかった。二階を調べてみようと、ふたりであがっていった。松江の指紋が襖《ふすま》の引き手についたのはそのときだろう。

京美からすこしおくれてタマキがきた。

マダムがいなくとも京美には仕事ができる。しかし、この春弟子《でし》入《い》りしたばかりのタマキは、ちかごろやっとミシンが踏めるようになったていどだから、マダムがいなければ仕事にならない。飽き性で、たぶんに金棒《かなぼう》引《ひ》き的性格のもちぬしであるところのタマキは、退屈に体を持てあまし、一時半過ぎタンポポをとびだした、あとで、彼女の語ったところによると、エカキの水島先生がいたら遊んでこようと思ったのだそうだ。だから第十八号館の南側へまわって、テラスの外から水島を呼ぶつもりだった。

そしたら、背後でなにか騒ぎが持ちあがったのでいってみたら、妙なところに女の体がよこたわっているのが見え、まわりのひとが人殺しだと騒ぎはじめた。タマキはスカートの色や模様や、靴のアクセサリーからマダムではないかと思い、タンポポへ報告にとんでかえったというわけである。

「それで、京美ちゃんが改めて死体を見にいったというわけですね」

あのときの京美のものにつかれたような顔を思い出し、金田一耕助がそばからたずねた。

「話をきいてあたしもびっくりしてしまって、膝頭《ひざがしら》がガクガクふるえるしまつ。とても見にいく勇気はございません。そこへいくと京美ちゃんはしっかりしてます。タマキちゃんといっしょに出ていったのですが、しばらくしてユーレイみたいな顔をしてかえってきて、やっぱりマダムらしいと申しますんでしょう。だから、警察にお知らせしなければって申しますと、順子ちゃんにいっといたからいい、だいたい順子ちゃんのお部屋のまんまえの出来事だのに、気がつかないのがおかしいというでしょう。そういえば、ゆうべのこともございますし……」

と、松江はさすがに店にいる順子をはばかって、おわりのほうは声をひそめるようになっていた。

「そうそう、ゆうべ順子君が血相かえてねじこんできたんだってね。旦那《だんな》さんのことかなんかで……？」

と、金田一耕助が質問した。

「いえ、あの、それ、ちょっと違いますの」

松江はその質問を予期していたかのように、

「いま京美ちゃんがお店のほうで、順子さんにあやまってましたけれど、あのひとさっき先生のまえで、順子さんをやっつけたんですってね。興奮してたからむりもないでしょうけれど、あのひとがいったとおりに受け取られてはあたしが迷惑です。あたしそんなふうにいわなかったつもりだし、だいいち、あたしのほうが順子さんよりさきに、ここを出たんですから……」

「ああ、そう、しかし順子君がきたことはきたんだね。何時ごろのこと……？」

「あたしがそろそろかえり支度をしていたころですから、八時ちょっとまえでした」

「そのとき、順子の血相がかわっていたというんだね」

等々力警部は金田一耕助の顔色をうかがっている。

「血相がかわっていたといえば大げさですけれど、ふだんの顔色ではございませんでした。でも、そのことは直接順子さんにおききになってくださいませんか……」

「いや、順子は順子として、あんたからも聞いておこう。八時ちょっとまえにきたというが、そのとき、京美やタマキという娘たちは……？」

「いいえ、あのふたりは夕方までです。よくよくいそぎの仕事があると、京美ちゃんのほうは晩ご飯を食べて出直してくることもございますけれど、タマキちゃんはまだほんの見習いですから……あのひとダメですね」

「ダメとは……？」

「よく気の散る性で、ミシンを踏むような根のいる仕事はダメらしいと、マダムも匙《さじ》を投げてた位ですから」

「そうするとゆうべ順子がやってきたとき、ここにいたのはマダムと君のふたりきりだったわけだね」

「はあ、あたしそのときお台所にいました。マダムはお店にいたんですの。お店はもうしまっておりました。だれか入ってきたけはいで、あら、いらっしゃいとかなんとかマダムが声をかけてました。そしたらいきなり女の声で、あなたは悪魔のような女だ、うちの主人をどうするつもりかと、食ってかかるような声がきこえてきたので、びっくりしてお台所をとび出してみると、順子さんが威丈高《いたけだか》になって、マダムをにらんでいたんです」

「そのときのマダムのようすは……？」

「面食らったような顔色でしたが、あたしに気がつくと、すぐかえるようにって……」

「それで、君はすぐかえったのかい」

「そうはまいりませんわ。かえり支度もしなきゃなりませんもの」

松江は上眼づかいに等々力警部の顔を見ている。なんとなく狡猾《こうかつ》そうな眼つきである。

「でも、すぐ台所へ引っ込みました。マダムはこの仕事場へ順子さんをつれこんで、そのドアをしめてしまいました。あたしはべつに立ち聞きするつもりはなかったですけれど、こんなヤワな建物ですから、ふたことみこと、順子さんの声が聞こえましたわね」

「どんなことをいったかね、順子君は？」

「なんだか手紙のことといってましたわね。こんな手紙でうちの主人をそそのかして……とか、主人をどこへかくしたんだとか……なんだかそんなふうでした」

「それに対してマダムはなんと答えたのかね」

「マダムの声は聞こえませんでした。しばらくシーンとしていました。それがかえって心配で、どうしようかと迷っておりますと、マダムが台所をのぞきまして、まだいるのか、こちらは心配することはないから、すぐかえりなさいとてもキツイ顔をしていうんです。それでほうほうの体《てい》でここを出たんですが、マダムが勝手口まで送ってきて、なかから掛け金をかける音がきこえました。それであたし、うちへかえったんです」

「それ何時ごろのこと……？」

「八時五分か十分ごろじゃないでしょうか」

「河村さんはその足でまっすぐ家へかえりましたか」

そばからすかさず質問したのは金田一耕助である。

この質問は松江の痛いところを突いたらしく、

「はあ、あの、それが……ちょっと寄り道したことはしましたけれど……」

「寄り道ってどこへ……」

松江はトゲのある眼で、金田一耕助のもじゃもじゃ頭をにらんでいたが、すぐその視線をほかへむけると、

「伊丹さんのところへ……」

と、消え入りそうな声である。

「ああ、そうか」

と、等々力警部も気がついたように、

「つまり、君は順子が血相かえてねじこんできたことを、伊丹の旦那《だんな》にご注進に及んだわけだね」

松江は答えなかった。上眼づかいに警部と金田一耕助を見くらべている松江の顔には、この年ごろの女によく見られる、底意地の悪い頑固さがうかがわれた。

警部はその沈黙を肯定とみて、

「それで、あんたは伊丹の旦那にどういうふうに報告したんだね」

「いいえ、旦那はお留守でした」

「じゃ、おかみさんに話したのかね。あの細君《さいくん》が血相かえてねじこんできたってことを」

「とんでもない。うっかり奥さんにそんなことを話そうもんなら……」

そこまで口をすべらせて、松江はハタと口をつぐんだ。金田一耕助の唇《くちびる》が意味ありげにほころんでいるのを見ると、怒りを露骨にあらわした眼でにらんでいる。問うに落ちず語るに落ちるとはこのことだ。彼女はおもわず言外に、伊丹のスパイをつとめていたことを告白したも同様だった。

「うっかり奥さんに話そうもんなら……どうしたというのかね」

等々力警部はたたみかけるようにたずねたが、松江は唇を真一文字にむすんだきりである。

「もし、そんなことを奥さんにいうと、奥さんがやきもちをやくというのかね」

松江は沈黙をもってそれに答えた。

「そうすると、河村さんは」

と、そばから口をはさんだのは金田一耕助である。

「ゆうべのうちには伊丹さんに会わなかったんですか」

「いえ、あの、それが……旦那のほうからわたしのところへ、訪ねてきてくださいました」

と、松江のおもてにまた狼狽《ろうばい》の色が走り、瞳《ひとみ》の底に怒りがもえていた。

「何時ごろ？」

「九時半ごろのことでしたろうか」

「どういう用件で……？」

「はあ、あたしがお寄りしたってことを、奥さんからお聞きになって、なにか用かと……？」

「ああ、そう、それでそのときあの細君が、血相かえてねじこんできたってことを、旦那に話したんだね」

「はい」

「伊丹の旦那はどうするといってたね。ここへくるようなことはいってなかったかね」

それにたいして松江はまた沈黙で報《むく》いた。

「伊丹さんはだいぶんここのマダムにご執心《しゅうしん》だったらしいじゃないか」

松江はしばらくの思慮ぶかい沈黙ののち、一句一句ことばをえらぶような調子で、

「男のかたというものはいくつになってもきれいなひとに、心をひかれるものじゃないでしょうか。ここのマダムはほんとうにきれいでしたし、ですから、伊丹の旦那さんだけではなく、まあ、いろいろとねえ」

「と、いうのは、ほかにもここのマダムを張っていた男があるということかね」

「張るというのですかどうですか、おためごかしにいろいろいってくるひとが多かったようです。狼《おおかみ》ですね。まあ、水島先生なんかもご熱心だったんじゃございませんか」

「水島先生というのは……？」

「絵をお描きになるかたです」

「エカキさん」

と、等々力警部はおもわず金田一耕助や山川警部補のほうへ視線を走らせた。

「はあ、雑誌の挿し絵やなんかをお描きになるかただとか……水島浩三先生といえば戦前とても娘たちのあいだに、人気のあったかただそうでございます」

「ああ、あの水島浩三さん」

と、金田一耕助もおぼえていて、

「あのひとがいまこの団地にいるんですか」

「はあ」

「それで水島先生、よくここへきたんだね」

「はあ、もっとも、水島先生は少女雑誌専門に挿し絵やなんかお描きになるかただそうで。それですから流行の服装やなんかについて、マダムに相談にいらっしゃるんでしょうけれど、あいにく奥さんがいらっしゃらないもんだから、まあいろいろとねえ」

と、松江は意味ありげにわらってから、

「でも、そのかたのことなら順子さんにきいて下さい。第十八号館のおなじ階にお住まいのようですから」

あの男なのだ。

しかも、あの男ならきょう第二十号館の屋上が、タールで塗装されることを知っているはずなのだと、山川警部補はその名前を心の中にきざみこんでいる。

けっきょく河村松江からそれ以上のことをきき出すことは不可能だった。

ここのマダムが死んだ以上、彼女は失職しなければならないだろう。伊丹の旦那にお願いして、また働き口を見つけてもらわねばならぬ。その口は商店街の一軒になるかもしれない。それにはあまり口の軽い女だと思われたくないだろう。

片桐恒子についてはぜんぜんなにもしらぬといい張ったが、それが真実でないと指摘できるデーターはなにひとつなかった。

「とてもおツムのよいかたで、わたしどもにスキを見せるようなかたではございませんでした。お身寄りはともかく、お知り合いがひとりもいないというのがふしぎで、おたずねしたことがございましたけれど……」

いつもじょうずにあしらわれていたというのである。

「それじゃ、さいごに河村さん」

警部たちがもてあましてサジを投げたあとで、きり出したのは金田一耕助である。

「ぼくはこういう世界のことをよくしらないんだが、洋裁やなんかのほうでなにか特別に、白とか黒というようなことばを使う場合がありますか」

「白と黒でございますか」

松江は眼を見張って、

「さあ、いっこうに。それは色のことはやかましいようですけれど、白と黒が特別に……

……」

「ああ、そう、それじゃいいです」

「河村さん、店へいったら順子君にこちらへ」

その順子が京美といっしょにやってきたのをみると、等々力警部は眉《まゆ》をひそめた。

「須藤君、そちらのお嬢さんはあとにして、とりあえず君だけにしたいんだが……」

「はあ、それはよくわかっております」

順子は尻込《しりご》みする京美の手をとるようにして、

「でも、そのまえに警部さんのお眼にかけておきたいものが、いま手に入ったもんですから」

「なに、それ？」

「金田一先生、怪文書のことはお話しくださいましたでしょうねえ」

「ああ、話したよ。おふたかたとも秘密は厳守するといっていられる」

「はあ、じつはここにあるのが、京美ちゃんのところへきた怪文書なんですの」

「これ、どうしたの」

帝都映画撮影所と印刷してある封筒を手にとって、等々力警部はふたりの顔を見くらべた。

「はあ、それ、いま管理人の根津さんがここへとどけてくだすったんです」

順子はその怪文書を発見したときのいきさつを要領よく説明すると、

「あたしその怪文書がその後どうなったか知らなかったんですが、根津さんは管理人の責任上保管しておいてくだすったんですのね。それをいまとどけてくだすったんですけれど、京美ちゃんとも相談のうえ、いちおうお目にかけておいたほうがよいのじゃないかと思って……」

順子は少し功をいそぎ過ぎたようだ。この殺人事件の底に、怪文書の一件がよこたわっているのではないかという見込みは悪くなかったが、それを強調しようとするために、あまり性急だったようである。そういういまわしい怪文書を呈出《ていしゅつ》されるということは、京美にとってさぞ心を傷つけられることだったにちがいない。

「ああ、そう、京美君、見せてもらってもいいんだね」

等々力警部が念を押した。

「はあ」

京美の頰《ほお》は凍りついたように堅かった。

その怪文書はつぎのとおりである。

Ladies and Gentlemen

恋に上下のへだてはなしとは、年齢についてもいえそうです。昔のお半長右衛門《はんちょうえもん》を例にとるまでもなく、ロマンス・グレー大流行、おじさま族大もての当今、年のちがう恋人同士があったところで珍しからずとはいうもの、さて、これはチトどんなものでしょうか。当日の出団地第十七号館、一七二三号室にお住《すま》いの岡部泰蔵先生と姪の君の京美ちゃんとは伯父姪とはいうもののこれ血をわけた肉親ならず、即ち先年みまかり給いし岡部先生の御令室《ごれいしつ》様が、京美の君の伯母上様に当たらるる。されば岡部先生にお子様もなき現在では、ふたりはまったく赤の他人。そのおふたりに恋が芽生え給いしとて、これをとやかく申すのは、ひとの疝気《せんき》を頭痛にやむのタグイといえばそれまでだが、夜毎ひそかに抱き合い給いて艶情《えんじょう》の限りをつくされながら、さて人前ではおじさまよ、姪よと白ばくれ給うが憎らしいではないかいな。もしこれを偽りと思われるなら、医師に乞《こ》うて京美の君の処女膜を調べさせ給え、あなかしこ、あなかしこ。

例によって新聞雑誌の印刷物から切り抜かれた活字の羅列が、怪文書の内容の毒々しさをそのまま表現して、黒いバイキンみたいに躍っている。

「いったい」

と、温厚な山川警部補も激昂《げっこう》の血を走らせて、

「こんな怪文書をバラ撒《ま》いてどうしようというんです。金でもゆすってる気配があったというのかね」

「京美ちゃん、どう？　そんなことあって？」

「いいえ、そんなことちっとも」

京美は立ったままでいた。全身の皮膚の下に白い蠟《ろう》がつめたく凍りついているようである。

「それについてあたし考えたんですの」

順子は椅子《いす》のはしに軽く腰を落して身を乗り出すと、

「みなさんはさっき金田一先生にお渡ししておいた、あたしの怪文書をごらんになって？」

「ああ、見たよ」

「ああいう怪文書ですわね。金をゆするのが目的なら、あたしのところへ寄越《よこ》すのがほん

とうですわね。じぶんはこれこれこういう秘密を握《にぎ》っているぞ。それを亭主にしられたくないなら、これこれこれだけのものを寄越せ……それがふつうの順序だと思うんですの」

「そりゃそうだろうね」

と、等々力警部が相槌《あいづち》を打った。

「ところが、それをいきなり主人にぶっつけているでしょう。これじゃ金にはなりませんわね。だから、この怪文書のぬしが目的とするところは、物質的なゆすりでなく、ひとを傷つけ、他人の幸福を破壊してやろうという、ふつうの脅迫よりもっともっと悪質なものじゃないかと……さっき京美ちゃんに聞いたんですけれど、その怪文書も、直接京美ちゃんが受け取ったんじゃないんだそうです。京美ちゃん、あなたその怪文書を受け取ったときのことをお話ししたら……」

「ええ……」

白蠟《はくろう》のように色あせた京美の頰《ほお》に血の気がさしてきた。彼女が重い口をひらきかけたとき、警官がドアの外から顔を出して、

「ああ、ちょっと。いま出前がきておりますが……」

第七章　AとB

「出前……？」

「あら、ごめんなさい。あたしが……あなた、すみません、こちらへっていってくださいませんか？」

やがて、出前持ちが山のようにざるそばをかつぎこんでくるのをみて、等々力警部が愉快そうに眼を見張った。

「須藤君、いやに気が利《き》くじゃないか」

「だって、もうじぶんどきですもの。それに金田一先生はあたしンちのお客様でしょう」

「するとわれわれは金田一先生のお相伴《しょうばん》か」

「どうぞ、ご遠慮なく召し上がって。お二階にもいらっしゃるんでしょう。京美ちゃん、河村さんにいってお茶をいれてあげて」

「いやね、山川君」

と、等々力警部はわらいながら、

「このひとは昔っからこういうところがあってね。どっか世話女房的なところがあって、われわれよく世話になったものなんだ。せっかくだからご馳走《ちそう》になろうじゃないか。二階へもいってやりたまえ」

「順子君、ご馳走様、ずいぶん奮発したもんじゃないか」

金田一耕助もにこにこしている。

時間はもう六時半を過ぎていて、みんな空腹をおぼえはじめているところであった。そばは順子の気前をみせてあまるほどある。二階から刑事たちを呼びおろして、ひとしきりそばをたぐる音がかまびすしかった。

「須藤君、君は食べないのか」

「あたしはたくさん、あとでお茶漬けでもいただくわ」

「順子君、旦那《だんな》さんはまだかえらないの？」

「さっき寄ってみたんですけれど……置き手紙をしてきましたから、かえってきたらここへくるでしょう」

順子はそこでちょっとためらったのち、

「金田一先生」

「ええ？」

順子の調子が改まったので、金田一耕助はそばをたぐる手をやすめて、

「なにか……？」

「あの……マダムが殺されたの、ゆうべの何時ごろのことかわかりません？」

「もうおっつけわかるだろう。それがなにか……？」

順子はまたためらったのち沈んだ調子で、

「こんなこと隠してたってどうせ知れることですから、ここで申し上げときますけれど、うちの主人、ゆうべこの団地へかえってたらしいんですの」

「旦那さんが？」

等々力警部も割箸《わりばし》の手をやすめた。

「ええ、バスから降りるところを見たひとがあるんです。そうとう酔っ払ってて、しかも、こっちのほうへきたんですって」

「順子君、旦那さんに会ったというのはどういう人？」

「榎本さんて帝映の演技研究所にいるわかい人です」

「その男なのかね。相模湖でマダムにむだんでカメラをむけたというのは？」

山川警部補がそばから口をはさんだ。

「いいえ、さっきタマキちゃんのいったのは姫野三太さんて、おなじ帝映にいることはいるんですけど……」

「榎本……なんというのかね」

山川警部補はザルをおいて手帳を取り上げた。

「京美ちゃん、榎本……なんというの」

「謙作というんです」

「そうそう、謙ちゃんと呼んでたわね。このひととおなじ十七号館の、しかもおなじ階段に住んでるんです」

「で、それ、何時ごろのこと……？」

「十時ごろだったそうです。そのとき榎本さん、うちの主人とふたことみこと口をきいたので、酔ってることに気がついたんですのね。しかも、メーン・ストリートから横へそれてこっちのほうへくるので、アパートをまちがえたんじゃないかと思って注意してくだすったそうです。そしたら主人が妙なことをいったというんです」

「妙なことって？」

「なんでもあの古狸《ふるだぬき》の面《つら》の皮をひんむいてやるんだとかいってたそうです」

金田一耕助は等々力警部や山川警部補に眼くばせしながら、

「旦那さんのいったその古狸というのが、ここのマダムじゃないかというんだね」

「はあ」

「そうすると、旦那さんはここのマダムのことをよくしっていたわけかな」

「いいえ、おそらく主人はなんにもしらなかったでしょう。ただきれいなひとだなとはいってましたけれど」

「じゃ、どうして古狸などと……？」

「ええ、それを申し上げるまえに、あたしがゆうべここへそうとう興奮してとびこんできたってこと、河村さんからお聞きになっちゃいらっしゃいません？」

「ああ、それはさっき聞いたが……」

「はあ、それじゃまず、そのことから聞いていただかなきゃならないんですけれど……」

「ああ、そう、それじゃ須藤君、ちょっと待ってくれたまえ」

と、そばから等々力警部が口をはさんで、

「山川君、大至急でそばをたいらげてしまおうじゃないか。それからゆっくり話を聞かせてもらおう」

健啖家《けんたんか》の等々力警部は二杯目のザルに箸をつけているところだった。

ここで良人《おっと》のことを打ち明けるということは、順子にとってはそうとう勇気を要する仕事であった。

彼女はまだこの事件で良人がどのような役割を果たしているのかぜんぜん知っていない。しかし、ここで隠しておいて、あとになってほかから耳に入るよりはと、みずから切り出したことなのだが、さすがに血の気をうしなっていた。

「やあ、やっとこれで満腹したぞ」

等々力警部は箸をおくと満足そうに深呼吸をして、

「さあ、それじゃ、話というのを聞かせてもらおうか」

山川警部補も箸をおいた。ほかの刑事や警官たちも礼をいってそれぞれ引きとった。

「はあ」

順子は体を堅くし、頬《ほお》をきびしくひきしめて、

「ゆうべあたしがここへきたのは、あの怪文書のぬしはここのマダムじゃないかと思ったからですの」

「ほほう、それはまたどういうところから……」

「それにはふたつの理由があるんですけれど、そのひとつというのは……」

順子がそこで申し立てたのは、さっき管理人の根津のところでいったとおなじだから、ここでは繰りかえすのはひかえよう。しかも、そのことは『ファンシー・ボール』の発見

によって実証されたところである。

「なるほど、それで、もうひとつの理由というのは？」

「はあ」

さすがに順子もおもてに朱《しゅ》を散らした。もじもじとハンケチを揉《も》みながら、

「さっき金田一先生にお渡しした怪文書のなかに、K・Hさんて名が出てくるでしょう」

「そうそう、あのK・Hさんというのはどういう人物？」

「いえ、あの、それは……そのひとのことは金田一先生がご存じですから……」

「ああ、そう、それで？」

「ところがそのK・Hさんがあたしをあるところへ連れてったんです。十日ほどまえですけれど……そこであたしマダムと思われるひとに会ったんです」

金田一耕助と等々力警部、山川警部補の三人は、思わず顔を見合わせた。三人の頭に同時にひらめいたのは、さっき二階で発見された、あの怪文書の断片である。

「順子君、K・Hさんが君をつれていったあるところはどういうとこ？　ホテルみたいな家？」

そう口に出してから、順子の顔色に気がついて、

「ああ、京美君、ちょっと座を外してくれないか。順子君に聞きたいことがあるんだ」

「はあ」

京美は白い眼で順子を見て、

「それじゃ、あたしお台所で洗いものをしてますから」

京美が湯呑《ゆの》み茶碗《ぢゃわん》やなんかをお盆にのっけて出ていくと、山川警部補が用心ぶかくあとをしめた。

「やあ、順子君、失敬《しっけい》した。そこでここのマダムに会ったというのどこ？」

「横浜のホテルなんです。たしか臨海荘《りんかいそう》といったと思います。いちどいったきりなんですけれど……」

「横浜のどのへん？」

「それがあたし横浜はよくしらないんです。それに東京から自動車をとばしたもんですから……」

「それ、K・Hさんに聞けばわかるかね」

「はあ、それはもちろん。あのひとが連れてってくれたんですから……窓から港の見える立派なホテルでした」

「それで、そのとき会ったのはたしかにここのマダムだったんだね」

「はあ。それはもうまちがいはございません。たしかにここのマダムでした。大きなサン・グラスをかけていらっしったので、かえってあたしの注意をひいたんです」

「マダムのほうでも君に気がついてた？」

「あたしはすばやく隠れたつもりだったんです。でも、あの怪文書を読みかえしてるうちに、レディース・エンド・ジェントルメンのことに気がついたでしょう。ここなら外国雑誌がいろいろございますわね。そこへもってきて臨海荘のことがございますから、マダムのほうでもあのとき気がついて、それであんな怪文書であたしども夫婦の仲を裂こうとしてるんだと思いこんで、ゆうべここへ乗りこんできたんです」

「それについてマダムはどういってた？」

「マダムはとてもびっくりしました。そのびっくりのしかたに嘘《うそ》があろうとは思えなかったので、あたしもちょっと出鼻《でばな》を挫《くじ》かれたくらいなんです。それでも臨海荘のことを持ち出したんですけれど、そのときのマダムの驚きようったらなかったんです。気絶でもするんじゃないかと思われるくらい……」

「そのとき……臨海荘のときだが、マダムにも連れがあったんだろうね」

「はあ、男のひとが……」

「どういう男？」

「それが……そのひとも人目を避けてたんですね。黒めがねに、スプリングの襟《えり》を立て、ソフトをまぶかにかぶっていたので、顔はみえなかったんです。それに……」

「それに……」

「それに、廊下がT字型になってるところがございまして、あたしどもはT字型の縦の棒にあたる廊下を、横の棒にあたる廊下にむかって歩いてたんです。そしたらむこうの廊下をそのふたりづれが横切ったので、ほんの瞬間のことですし、……あたしども、そのホテルへ着いたばかりだったんですが、むこうさまはお引き取りになるところのようでした」

「それ、正確にいっていつのこと？」

「今月の三日、月曜日の午後一時ごろのことです」

きょうは十一日だから八日まえのことである。順子が怪文書のぬしをマダムと見たのもむりはない。

「その男にこんど会ったらわかるかね」

「さあ……むりでしょうね。ハッキリ顔を見たわけではございませんから」

「でも、年格好くらいは？」

「はあ、もしマダムに旦那《だんな》さまがあるとすれば、その年格好じゃないでしょうか。少し肥りじしの、背の高さはハイヒールをはいたマダムよりちょっと高いくらい」

「マダムの身長は？」

「あたしよりちょっと高くて五尺三寸五分（一六二センチ）くらい」

「するとその男、五尺四寸（一六四センチ）ちょっとということになるな」

「たぶんそんなところでしょう」

「順子君、それ、まさか伊丹大輔じゃなかったろうね」

「いいえ、先生、伊丹さんではございません。あんな野卑な成りあがりものじゃなく、紳士のようでしたわね。もっとも、伊丹さんもちかごろマダムとなにかあったようですけれど……」

「伊丹のことはあとで聞くとして、ゆうべマダムはどんな調子だった。臨海荘へいったことを認めたかね」

「はじめは強く否定しました。それであたしが事実を事実でないとまげるところをみると、やっぱりこの怪文書のぬしはあなただとみるがいいかと詰めよったら、やっと認めたような認めぬような……でも、絶対にそれをひとにもらさぬようにと、強く要請したところをみると、けっきょく認めたも同様でしたわね」

「それで、あいての男のことは聞かなかったかね」

「はあ、あたしにとってはあいての男のことなど問題ではなかったんです。あたしにとって問題だったのは、マダムがそんな怪文書を書いて、いったいどういう量見だろうということだったんです」

「マダムはそれについてどういってたかね」

「それだけは絶対にじぶんではないと、強く否定しました。いえ、否定したばかりではなく、じぶんもこれとおなじ形式の怪文書を受け取ったことがあると……」

「どういう内容の……？」

「それは申しませんでした。しかし、じぶんもこれとおなじように怪文書の犠牲者なんだから、それだけは信じてほしい。そして、このレディース・エンド・ジェントルメンについては、ちょっと心当たりがあるから、今晩ひと晩考えさせてほしいというので、それであたしはかえったんです」

「それ、何時ごろのこと？」

「八時半ごろでした。マダムの言葉や態度に、だんだん真実性をかんじはじめたんですわね」

「それで、君の旦那《だんな》さんが古狸《ふるだぬき》とののしったのが、ここのマダムではないかというのは……？」

「はあ、それは……うちの主人も怪文書のぬしをマダムではないかと気がついたのではないかと……」

「どうして？　旦那さんは一昨日君のところを飛び出したきり、いちどもかえってこないというんじゃない？」

「はあ」

「それじゃどうして？　まさか君は臨海荘のことをご亭主にいったわけじゃあるまい」

「はあ、それはもちろん、そのかわり臨海荘でＫ・Ｈさんにここのマダムのことを話しましたから」

「ああ、なるほど」

と、等々力警部はうなずいて、

「君は臨海荘でＫ・Ｈさんに、いますれちがったのが、おなじ団地の洋裁店のマダムだといったんだね」

「はあ、なにしろマダムの姿を見て、あたしすっかり……二重の意味でびっくりしたものですから」

「二重の意味とは……？」

「はあ、こちらも見られたのではないかという不安と、マダムがこんなところへ、男のひとといっしょに出入りをしているということと……ここのマダムはあたしにとっては謎《なぞ》の人物でした。あたしひそかにここのマダムを、マダムXと呼んでたんですの」

「マダムのことはあとで聞くが、K・Hさんに、マダムのことを話したので……？」

「それを達ちゃん……うちの主人がK・Hさんから聞いたんじゃないかと……」

「順子君はK・Hさんに会ったの？」

金田一耕助がたずねた。

「いえ、それがいくら電話をかけてもつかまらないんですの。けさも会社へ訪ねていったんですけれど留守でした。でも、受付のひとに聞くと、きのうの夕方、たしかにうちの主人と思われる男が訪ねてきて、応接室でなにか口論してたというんです。だから、そのときマダムの話が出たんじゃないかと……」

順子は急に良人《おっと》のことが心配になったのか、ふっと涙ぐむような眼つきになって、

「でもあたしにはうちの主人があんなことをしたとは絶対に思えません。主人はとても気の小さいひとです。マダムのところへ怒鳴りこんでいくにしても、酒の力を借りなければならないようなひとなんです」

だが、その小心が大事をひき起こすのである。酒を飲んでいたというのも危いものだ。

「だが、須藤君、その旦那さんがゆうべ団地までかえっていながら、君のところへかえっ

てこなかったということについて、君はどう考えてるんだね」

「それがあたしにもわからない。どう考えてもわからないんです」

「君には悪いがこう解釈はできないかね。あやまってマダムを殺したので、姿をかくしたと……」

「警部さん、あたしゆうべ一時過ぎまで起きてましたのよ。あそこで主人がマダムと出会っていさかいを起こしたとしたら、気がつかないはずがないと思いますの」

「しかし、ほかで殺してあそこへ運んでいったとしたら……？」

「まあ！」

大きく見開かれた順子の瞳《ひとみ》に、一瞬青白い炎がもえあがった。順子はその眼をそのまま金田一耕助にむけて、

「金田一先生、そんな疑いがございますの。マダムはここで殺されて……？」

語尾がかすかに消えて、唇《くちびる》がわなわなふるえた。瞳には怯《おび》えの色が深かった。

「いや、まあ、その可能性もなきにしもあらずなんだが、まだ決定的なことじゃないんだ」

「しかし、それじゃ主人はなぜマダムの死体をあんなところへ運んでいったんでしょう」

「それをわれわれもしりたいと思ってるんだ」

等々力警部の声はいくらかきびしく冷酷にひびいた。順子はそのほうに怨《うら》めしそうな視線をむけて、

「警部さん、それじゃやっぱりうちの主人じゃありませんわね。ここでマダムを殺したのなら、逃げだすだけでいいじゃありませんか。なにを好きこのんで死体を運び出すんです。しかもじぶんの部屋の鼻先へ……」

順子のことばにも一理はある。しかし、それは犯人が須藤達雄でなくともおなじことがいえるのである。殺人がここでおこなわれたとしたら、犯人はなぜ危険を冒してまで、死体をあそこへ運んでいったのか。

「ときに、順子君、君はマダムのことをいま謎の人物といったね。マダムのことをよくしらないのかね」

「てんで！　なにしろあのとおりきれいなひとでしょう。グレーシャスということばがピッタリするようなひとだったんですの。あたしだって好奇心というものがありますわ。おりにふれて探りを入れるんですけれど、それにひっかかるようなひとじゃございませんの。とにかく頭のよいひとでしたわね」

「なにか暗い過去でももってたようかね」

「それはやっぱりねえ。日ごろはいたって愛想《あいそう》のよいかたなんですけれど、あれほど過去のじぶんを見せたがらないというのは、やっぱりねえ」

「その暗い過去というのは、犯罪に関係したこと？」

山川警部補がメモをとりながらくちばしをはさんだ。

「さあ、べつに戦々兢々《せんせんきょうきょう》ってふうでもなかったんです。いつか伊丹さんがいってましたが、上方《かみがた》のほうで男のことでトラブルを起こして、その男から、身をかくしてるんじゃないかっていってましたが、あたしもだいたい、そんなところじゃないかって思ってたんです」

「その伊丹で思い出したが、伊丹とマダムとのあいだに、ちかごろなにかあったらしいというのは……？」

「いえ、それはあたしのカンだけで、べつにこれって証拠があるわけじゃございませんの」

「いや、カンだけでもいい。女のカンって鋭いもんだ。どういうところからそんなふうに感じたんだね」

「はあ、それは……」

順子はハンカチを揉《も》みながら、

「ちかごろ伊丹さんが急にこのうちでノサばり出したんです。以前からこのお店へ入りびたっていたんですけれど、多少遠慮気味でもあり、なにかとマダムのご機嫌を取り結んでたんですわね。そういうふたりの態度に微妙なちがいが感じられはじめたんですの。なんとなく伊丹さんが横柄《おうへい》になってきた。それに対して、マダムが屈辱《くつじょく》を感じながらもなんにもいえない。そういうところが、関係ができてしまったあとの男と女、というふうにしか感じられなかったんですの」

「なるほど。ところで、君はいま、マダムに屈辱をかんじながらもなんにもいえないといったが、それじゃふたりのあいだに関係ができていたとしても、それは合意のうえじゃなかったろうというのかね」

「警部さん、あなたはマダムというひとをご存じないから、そういう質問もごむりじゃございませんけれど、マダムが男をえらぶとすれば、伊丹さんはおそらく最後のひとりでしょうよ」

順子のその表現があまり辛辣《しんらつ》だったので、一同は思わずあいての顔を見直した。

「それじゃ、君は伊丹がマダムの秘密を嗅《か》ぎつけて、弱身につけこみ、むりやりに関係つけたというのかね」

「そうとしか思えませんわねえ」

「いつごろからそんなふうに変わったの？」

「そうですわね。ごく最近……ここ半月ほどのことですけれど」

半月ほどまえといえば、伊丹が亀戸《かめいど》へいって、保証人について調査してきた時と一致している。そのころ伊丹はそれがユーレイ保証人であることをしったのだ。

それを種に……と、いうことも、伊丹大輔という男の人柄をみれば、考えられないことでもなかった。

「ときに、順子君、水島浩三という画家がいるね。君とおなじ階じゃない？」

「はあ」

「ここのばあさんの話じゃ、あの男もここのマダムにおぼしめしがあったらしいというんだが……」

順子は妙な笑いかたをすると、

「あのひと、だれにでもそうなんじゃありません？　ちょっときれいな女のひとを見ると」

「君にもそうなのかい？」

「うっふっふ、ずいぶん失敬《しっけい》な男よ。達ちゃんなんかしょっちゅう憤慨してたわね」

「ドン・ファンなんだね」

「ドン・ファンといえばドン・ファンなのかもしれませんけれど、欲求不満型といらんじゃありません？　独身ですから。いずれにしてもこの団地の亭主族にとってはあのひと脅威の的《まと》らしいわ」

「それ、どういう意味？」

「あのひとわが家即職場でしょう。いちんちこちらにいるわけです。ほかの亭主たちはお勤めをもってて出掛けますわね。だから、旅の留守うちにもゴマノハエがつき、なあんてことになっちゃ大変ってわけね」

「そんなに手をひろげてるのかね」

「とにかくイケシャーシャーとして図々しいったらないんです。あたしあんなキザなやつ大嫌い！」

「ここのマダムととくべつなにかあったというようなことは……？」

「そのことならタマキちゃんに聞いてごらんなさい。以前はよくここへきてたんですの。とにかくそういう点とても心臓なの。ですけれど、いつきても伊丹さんて狼《おおかみ》が目を光らせてるでしょう。ですから、さすがの心臓男もだんだんきにくくなってきたわけ。それでタマキちゃんを文使《ふみづか》いに利用してたらしいんですの。金田一先生、ここへくるみちみち申し上げたでしょう。団地にはいろんな人生があるって」

さいごに彼女は「白と黒」ということばについて聞かれたが、これという意見も持ち合わせていなかった。

「ああ、そう。それじゃ京美という娘と交替してくれたまえ」

だが、その京美はひとりじゃいやだと駄々をこねてきかなかった。さっき順子を弾劾《だんがい》したときの、あの小悪魔《こあくま》のようなたくましさは失われて、少なからず神経質になっていた。順子がいてくれなきゃいやだとダダをこねるのだ。

「それじゃいい。君もここにいてくれたまえ」

それで京美も落ち着いて、警部の質問に答えられる心構えができたようだ。

「京美君、君はいつこれを受け取ったの？」

「あれは薬をのむまえの週の土曜日でしたから、九月十七日のことで、ここからお昼ご飯を食べにかえったら、玄関のドアの下から差し込んであったんです」

「この手紙はむきだしだが、封筒はなかったの？」

「はい」

「だれがドアの下に差し込んだのかわからない？」

京美は白い目をしてしばらく無言でいたのちに、

「あたし、はじめは、ひょっとすると榎本さんじゃないかと思ったんです」

「榎本というと……？」

いってから、等々力警部は思いだして、

「ああ、そうそう。京美君とおなじ階に住んでいるとかいってたね」

「はい」

「だが、どうして榎本君のしわざだと思ったのかね」

「それは……それは……榎本さんがあたしに、とっても変な忠告したことがあるからです」

「とってもへんな忠告とは？」

「あたしにアパートを出たらどうかというんです」

「なるほど。君はそのとき、それはどういう意味かとたずねたんだろうねえ」

「はい」

「そしたら榎本君はどういったの？」

「とっても困ったように、伯父さんは今ひとりだし、君ももう年ごろだから、というようなことをいうんです」

「なるほど、それで？」

「あたしちょっと、わけがわからなかったので、もういちど、それはどういう意味かとたずねたんです」

「ふむ、ふむ、そしたら？」

「榎本さんいよいよ困った顔色でしたが、それでもこんなことをいうんです。伯父と姪とはいっても、君たちは血のつづいた肉親ではない。伯母さんが死んでしまえば赤の他人だ。それがあんな狭いアパートの、しかも鍵《かぎ》のかかる部屋にふたりきりで住んでいると、いろいろ世間の誤解を招くんじゃないかというんです」

「なるほど、それで……？」

「あたし腹が立ったわ。腹が立って腹が立ってしかたがなくなりました。それで、いってやったんです。そんな卑しい想像するひと大嫌い！　男と女がいっしょにいると、すぐそんな卑しい想像をするなんて、あんたを見損なってたわ。今後いっさい交際しない。絶交するっていってやったんです」

「それいつごろのこと？　この手紙が、ドアの下から差し込まれるまえのこと？」

「ずうっとまえ。八月のなかごろ……八月のお盆の盆踊りの晩のことです」

「それじゃ、この手紙がドアの下から差し込まれるひと月以上もまえのことなんだね」

「はい。でも、それを読んで……なんどもなんども読んでるうちに、いつかの榎本さんの忠告の意味がわかったんです。だからてっきり榎本さんのしわざだと思ったんです。でもじきそうじゃないことがわかったんです」

「なぜ榎本君じゃないことがわかったの」

「榎本さんはそのじぶん北海道へロケーションにいってたことが、あとになってわかったんです」

なるほど、このアリバイは完全である。

「ほかに心当たりは？」

「ありません」

「この伯父さんというひとはなにをするひと？」

「高校の先生です。数学を教えてるんです」

「京美君はこの怪文書のことを伯父さんに話した？」

「いいえ、話しません」

「どうして？」

「伯父さまは学校の先生ですもの。それにとってもまじめなひとです。気の毒でそんないやらしいこと……」

「順子君、君はまえにこの怪文書を読んだんだね」

「はい」

順子はもういちど京美が薬をのんだ直後に行きあわせた事情を、こんどは詳しく語って聞かせた。

「それで、君は怪文書のことを岡部さんに話した」

「いいえ、だれにも。管理人の根津さんも内容が内容だから、だれにもいわないほうがいいだろうといいますし、あたしもそう思ったものですから……」

「それじゃ、伯父さんはいまもって君の自殺の原因をしらないのかね」

「はい」

「そのことが岡部さんの悩みの種のようですけれど、いまさらあたしもいえなくなって……京美ちゃんもいわないでほしいといいますし」

「京美ちゃん」

と、金田一耕助が口を出して、

「ここのマダムは君の自殺の原因をしってたかしら」

「しらなかったでしょう、たぶん」

順子がそばからことばを添えて、

「マダムはあたしにいろいろ聞いてましたけど、動揺しやすい思春期の発作でしょうといってきました」

等々力警部がやさしい声で、

「京美君、君はなぜ自殺する気になったの」

京美はしばらくもじもじしていたが、それでも、わりにハッキリした口調で、当時の心境を語りはじめた。

「あたし、その手紙をドアの下にはさんだのを、榎本さんのしわざだと思っていたでしょう。ところがあとになって、榎本さんはその日、東京にいなかったことがわかったでしょう。だから、だれかほかのひとのしわざにちがいありませんわね。でも、どう考えてみても、榎本さんがあたしにあんな忠告をしたのは、そういう手紙を読んだせいじゃないかと思ったんです」

「そりゃそうだね、それで……？」

「そうすると、そういう手紙を読んだのは榎本さんともうひとり、少なくともふたりいるわけですね。しかも、そのあいだにひと月ほどたっています。だから、そのあいだにそういう手紙が、もっともっとたくさんこの団地にバラ撒《ま》かれてるんじゃないかと思ったんです」

「なるほど」

「そう考えたらはずかしくて、はずかしくてしかたがなくなりました。あたしとってもさびしい気持ちになりました。ひとりぼっちになったような気になったんです。それで死んでしまいたくなったんです」

　戦後の少年少女の心理については、心理学者がいろいろ解明を試みる。おとなの眼からみればかれらはただわけもなく他人を刺し、みずからの生命を断つ。いかに心理学者がもっともらしい解説を試みても、わからないの一語につきるケースが少なくない。それに比較すると京美を自殺に追いやったこの心理は、わかりやすいほうではないか。彼女は極端な孤独感におちいり、彼女を強度のメランコリーに追いやったのではないか。

「それでは君はだれがこんな悪戯《いたずら》をしたのかわからない？」

「いいえ、全然、でも……」

「でも……？　なに？」

「このことと……こんないやらしい手紙とこんどの事件と、なにか関係があるのでしょうか」

「いや、それをいま調査してるんだが……それじゃこの手紙のことはこれくらいにしておいて君、こんどの事件についてなにか心当たりはないかね」

京美はちょっとためらったのち、

「マダムは何時ごろ殺されたんですの」

「それはまだわからないんだが、どうして？」

「あたし九時ごろまでここにいたんです」

一同はハッとしたように京美の顔を見なおしたが、とりわけ驚いたのは順子だった。

「あらまあ、京美ちゃん。それじゃあんたあたしがきたとき、この家のどこかにいたの？」

「ううん、順子ちゃんと入れちがいになったらしいの。マダムがなんにもいわなかったので、あんたのきたこと、さっき河村さんに聞くまでしらなかったけど」

「京美君」

と、等々力警部はいくらかことばをきびしくして、

「君はここへなにしにきたんだね」

「そこに縫いかけのカーディガンがあるでしょう。あたしそれをお客さまから急がれてるんです。おうちにもミシンがあるんですけれど、伯父さま朝五時に起きて勉強するんです。ですから、夜学のない晩は八時半か九時に寝てしまうでしょう。ですから、そんなときいつもこちらへミシンかけにくるんです」

「ああ、そう。それで君のきたのは何時ごろ？」

「八時半過ぎ。九時ちょっとまえでした」

「ああ、ちょっと」

そばから山川警部補が口をはさんだ。

「君はそのときどこから入ってきたの？」

「お店はもうしまってましたのでお勝手口からです」

「お勝手口は開いていたの？」

「いいえ、マダムがなかから開けてくれたんです」

「そのときマダムの顔色はどうだった？」

「いまから思えば……いいえ、そのときも少しおかしいと思ったんです」

「どういうふうに？」

「どういうふうにってうまくいえないわ。でも順子ちゃんはしってるわね。マダムご機嫌が悪くても、めったに顔色にはみせないけど、瞳《ひとみ》がすわってくるわね」

「そうそう、そういうときのマダムこわいみたい」

「ゆうべのマダムがそうだったというんだね」

「はい」

「それで、君がきたときマダムはなにをしていたの」

「その裁《た》ち台のうえにいっぱい外国のモード雑誌をひろげていました」

ちょっと緊迫した沈黙がこの仕事場に落ちこんできた。

順子の瞳にはかすかに悔恨《かいこん》の色が動いた。じぶんがかえったあとで、マダムがさっそく外国雑誌を調べはじめたとしたら、マダムはやはりあの怪文書の製作者ではなく、犠牲者のほうではなかったか。それならばあんなに強く責めるのではなかった……。

「そのとき君はマダムとなにか話をした？」

「べつに……マダムのご機嫌が悪いように思ったので、ただミシンを借りますってかけはじめたんです。そしたらしばらくして、今夜は気分が悪い。そばでミシンをガラガラやられると、いっそうイライラする。今夜はそれくらいにして帰ってほしいというので、カーディガンはそのままにして帰ったんです」

「なん分くらいミシンかけていたの？」

「さあ、十分か十五分くらい……」

「そのあいだなんにも話をしなかったの？」

「はい、マダムはモード雑誌を繰《く》ってましたし、あたしはミシンを踏むのに夢中になってましたから」

「君はこのレディース・エンド・ジェントルメンの手紙のことを、マダムに話してなかったんだね」

「はい、話しません」

「君はまた勝手口から帰ったんだろうが、あとの戸締まりはどうなっていたろう」

「マダムが送ってきたんです。掛け金をかける音がしてたと思います」

ここの勝手口はドアでなく引き戸になっていて、コザルと掛け金とで二重に戸締まりができるようになっている。外出するとき、外から南京錠《ナンキンじょう》をかけるのである。

九時、あるいは九時ちょっと過ぎにマダムがかけた掛け金が、けさ河村松江がきたときには外れていたのである。京美が帰ったあとマダムが外出したのならば、外から南京錠がかかっていなければならないはずだ。

すると九時以後、だれかここへ訪ねてきたものがなければならぬはずである。しかもマダムがコザルをおろし、掛け金を外して迎えいれたとしたら、それはマダムのよほど懇意な人物でなければならぬ。それはだれだろう。

「あたし困るわ。マダムが死んじまって、あたしどうしていいかわからないわ」

京美がとつぜんシクシク泣きだした。

「どうして？　マダムが亡くなるとなにかとくに京美君の困ることがあるの？」

「だって、あたしちかいうちに、こちらへくることになっていたんですもの」

「こちらへくるというのは、どういうこと？」

「マダムはせんからいってたんです。じぶんひとりでは物騒だし、京美ちゃんのほうでも、京美ちゃんがいては伯父さまお嫁をもらいにくい。だからこの家へきて住んだらどうかって。伯父さまもよろこんでたんだけど、マダムの素性がわからないでしょう」

「京美君もマダムの素性をしらないのかね」

「ちっとも。それで伯父さまもあたしを預けるのをためらってたんです。あんまり無責任なこともできないと思ったんでしょう」

「ふむ、ふむ、なるほど、それで……？」

「それで、その話のびのびになってたんです。そのうちにそのイヤらしい手紙でしょう。あたし死のうと思ったんだけど、それもできなくて助かったとき、こうなったら伯父さまといっしょにおれないと思ったんです。さいわいマダムも見舞いにきたとき、退院したらうちへきなさいといってくれたんです。伯父さまももうそのつもりでいたんです。ところがいざ退院して、こっちへきたいといったんだけど、こんどはマダムがもう少し待ってほしいというんです」

「京美君にはマダムがもう少し待てといった理由がわかってるの？」

京美の瞳にはとつぜん燃え狂うような怒りの焔がほとばしった。

「順子ちゃん、マダム、伊丹さんとなんかあったんじゃあない？」

「京美ちゃんにもそう見えて？」

「そうよ、そうよ、マダム、きっと伊丹さんになにかされたんだわ。伊丹さんが暴力で……」

満面に朱《しゅ》を走らせ、ゼイゼイと肩で呼吸をしながら、

「マダムはなんとか、伊丹さんとのことを解決しようと思っていたんだわ。それまで待てとあたしにいったんだと思うのよ。ちかごろのマダム、ほんとうにかわいそうだったわ。ゆうべだって伊丹さんがくる約束だったので、あたしを追っ払ったんだと思うのよ」

順子も言い、京美も感じたとしたら、マダムと伊丹とのあいだに、なにかあったことはたしかなんだろう。

しかも、女のひとり住《ずま》いの夜も九時過ぎ、マダムがみずから、勝手口を開いてだれかを迎えいれたとしたら、それは酔っ払いの須藤達雄より、伊丹大輔のほうがふさわしい人物ではないか。

「ときに、なんとかいったね。相模湖でマダムの写真をとろうとしたの」

「姫野三太ですね」

山川警部補がメモを見ながらことばをそえた。

「そうそう。その姫野三太君がマダムの写真をとろうとしたというのは、どういういきさつなの。君もそのときいたんだろう」

「はい。でも……そのことならタマキちゃんに聞いてください。あたしなんだか苦しくって……」

じじつ京美は苦しそうだった。額にいっぱい脂汗をにじませている。自殺未遂以来とかく健康がすぐれないようだと、順子もそばからことばをはさんだ。

「ああ、そう。それは悪かったな」

等々力警部はいたわりをこめて、

「それじゃ、今夜は休息して、なにかまた気がついたことがあったらしらせてくれたまえ」

「すみません」

順子と京美が出ていくのと入れちがいに、ニコニコしながら入ってきたのはタマキである。

この娘はこの事件を面白がっているようだ。こういう騒ぎが持ちあがって、じぶんがそのなかでひとつの焦点をしめているということに、一種の晴れがましいよろこびを抱いているらしい。

「宮本タマキ君……だったね」

「はい」

体を固くしているが出目金《でめきん》のような眼は笑っている。いよいよじぶんの出番だとゴキゲンらしいのである。

「君だそうだね。このお店の関係者でいちばんさいしょにあの死体を見つけたのは？」

「はい、そうです」

「どうして君はあっちのほうへいったの？」

「あたし水島先生……ああ、そうそう、水島先生のことしってるわね」

「ああ、あとでその先生のことについて君にいろいろ聞きたいんだ」

「ええ、いいわ」

「それで……？」

「水島先生がいたら遊んでこようと思ったの。テラスのほうから呼んでやろうと思ったのよ。そしたらあそこでガヤガヤやっているでしょう。のぞいてみたら女の体がタールのなかに埋まってて……いやアね、あんなの、ゾーッとするわ」

タマキはまた大げさに肩をゆすってみせたが、あんまりゾーッとしたふうでもなかった。

「それで君はすぐここのマダムとわかったの？」

「すぐでもなかったわ。でも、スカートの模様や靴のアクセサリー……あのアクセサリー、ちょっとイカスと思わない？　それで京美ちゃんに見せてやろうと思ってとんで帰ったの。京美ちゃんがっかりだわね、きっと？」

「どうして？」

「だって、マダムが亡くなったら京美ちゃん、もうこのうちへこれないもん」

「ときに、君は水島先生と、だいぶん仲よしらしいじゃないか」

「うっふっふ。ほんとの仲よしはあたしじゃないの。あたしはただダシに使われてるだけなんだ」

「じゃ、だれのダシに使われていたんだい？」

「だれだかわかる？」

と、タマキははぐらかすような笑いかたをする。そういう点だけはすっかり大人だ。

「ここのマダムだろう」

「ううん、ここのマダム用心ぶかいから、水島先生すっかり敬遠されてたわ」

「じゃ、だれだい？　だれのために水島先生、君をダシに使ってたんだい」

「うちのママ、うっふっふ」

等々力警部は虚をつかれて唖然《あぜん》とした。唖然としたのは警部だけではない。金田一耕助や山川警部補もあきれたように、底抜けに無邪気なこの娘を見なおした。

「ああ、そうか」

警部はやっと体勢をたてなおした。

「君のママと水島先生とはそんなに仲よしなのかい」

「ええ、でも、むりないの」

「むりないってどういうこと？」

「ママのわかいころはなんかというと、ホシやスミレなんてメソメソするのがはやってたんだって。そのじぶん水島先生の絵、おセンチな女の子にすごく受けたんだって。ママなんかもそのくちで、ファン・レター出したりしたことあるといったわ。その水島先生がおなじ団地にいるというんで、ママはじめからもうセンセ、センセって夢中だったのよ。うっふっふ」

　そういえばさっき順子もいっていた。水島浩三先生はいまこの団地の亭主族にとって脅威の的だと。

「タマキちゃんのパパはなにをするひと？」

「映画館へ出てるわ。経堂《きょうどう》の極楽キネマの支配人よ」

「パパはしらないのかい？　ママが水島先生と仲よしだってこと」

「しってるわよ。そいでしょっちゅうケンカしてるわ。だけどパパだってあんまり威張った口きけないの」

「どうして？」

「だって、パパ、せんは上野の映画館の支配人だったのよ。それだのにその映画館の女の子に、かたっぱしから手を出してたってことがバレちゃって、いまみたいな場末《ばすえ》のオンボロ小屋へ左遷されたんだって」

「タマキ君、君、いくつ」

「あたし？」

　タマキはニヤニヤわらいながら、

「あたしほんとは高校三年なの。だけどせんの学校遠いでしょ。それに学校あんまり好きじゃない。めんどくさいからやめちゃった。つまんないわ、あたし……」

「タマキちゃんにゃきょうだいはないのかい？」

「あたし、ひとりぼっち」

「学校やめたってこと、パパやママはおこらなかった？」

「おこったわ、だけどしようがないじゃない？」

「しようがないとは？」

「だって学校にまにあうようにいくには、六時に起きなきゃなんないのよ。パパったらかえりいつも十二時でしょ。それからママとケンカしたり、ケンカしないでゴキゲンのときは、なんだかゴチャゴチャしてるわ。うるさくて寝られやしない。だから六時に起きられるようにしてくれたら、学校いってもいいっていってやったら、ふたりとも閉口したわ。夫婦って変よ」

「なにが変なんだい？」

「ケンカしてるときのほうがいいの、静かで。おたがいに口利《き》かないから。ゴキゲンのときがうるさいの、ゴチャゴチャと。……あアあ、つまんないわ、あたし」

団地の各住居は厚いコンクリートの壁と、がんじょうな鉄のドアによって防衛されている。だからそのドアに鍵をかけてしまえば、なかでどのようなことが演じられようと、外部からうかがいしることはできない。しかし、一歩なかへ入ってしまうと、各部屋をしきるものは昔ながらのフスマである。隣の部屋で演じられていることが、手に取るように聞こえるにちがいない。

タマキの両親はまだ若いのだろう。そういう夫婦がたがいに愛人をつくって、ときにはケンカをしたり、また仲直りをしたり、そういう気配をしじゅうフスマ越しにきかされていては、タマキのように妙に早熟な少女が、できあがるのもむりはないかもしれない。

「あたしが学校よしていちばん困ったのはママよ」

「どうして?」

「だって、パパを送り出したあと好き勝手なことができないもん。だから水島先生と共謀してあたしをここへ押し込んだの」

「そうそう、タマキちゃんはちょくちょく水島先生から、マダムに文使《ふみづか》いをたのまれたってえじゃないか」

「ええ、二、三度。マダムにとっても叱《しか》られたことあるわ。でも……」

と、タマキは急に気がついたように金田一耕助のほうをふりかえり、

「金田一先生、警部さんはひょっとすると、水島先生を疑ってんじゃない?」

タマキはたしかに早熟なようだが、まだ思考力に一貫性を欠いている。彼女の話はつぎからつぎへと飛躍してやまない。そういう取りとめもない話から、なにか摑《つか》み出せないかと、金田一耕助も注意ぶかくきいていたのだが、だしぬけに名前をさされて虚《きょ》をつかれた。

「いやあ、それはどうかな。だけど、どうして……?」

タマキは急に思慮ぶかい顔になり、

「いったい、マダムが殺されたのは何時ごろ?」

「それはまだハッキリしないんだが、なにかあるの?」

「もし、マダムが殺されたのがゆうべの十一時よりまえだったとしたら、水島先生のアリバイ証明できるひとがあるかもしれないんだ！」

「だれ？　それは？」

等々力警部の眼が緊張にきびしくなった。

「うちのママ」

「ママは、ゆうべ水島先生といっしょだったの？」

「じゃないかと思うの」

「どうしてそう思うんだね」

「だってきのうの夕方あたし先生に、今夜映画へでも連れてってと甘えてやったの。もちろん断わられたわ。ほかに約束があるからダメだって。そいでうちへかえったら、ママがいやにソワソワしてんの。おやと思ってたらはたしてきれいにお化粧して、ちょっと出掛けるけど、パパがかえるまでにはかえってくる。だから今夜ママが出掛けたこと内緒にしといてくれたら、こないだ欲しがってたスラックス買ってあげるというのよ。あたしよろこんで買収されちゃった。そのあとつまんないもんだから三ちゃんとこへ遊びにいったの」

「三ちゃんてのは姫野三太君のことかい？」

「ええ、そうよ。あたしとおなじ第十五号館にいるわ。三ちゃんいよいよエノさんに大役がつくらしいって、とても羨《うらや》ましがってたわ」

「エノさんというのが榎本謙作だね」

「そうよ。とってもいい男よ。いまに裕《ゆう》ちゃんそこのけの人気スターになるって話よ。ひところ京美ちゃんと仲よしだったんだけど、近ごろどうしたのかな。妙によそよそしくなったわね」

かくのごときタマキの話はつぎからつぎにと飛躍していくのである。

「それで、三ちゃんとこへ遊びにいって……？　それからどうしたの？」

「そうそう、あたしお話へタね。きっとお脳がヨワイのよ。うっふっふ。そいで十時半ごろうちへかえったら、それから半時間ほどしてママがかえってきたけど、その顔見たらすぐハハアと思ったわよ」

「なにをハハアと思ったんだね」

「ママったら出掛けるときとお化粧がちがってたんだもん。眉《まゆ》の引きかたや口紅のさしかたやなんかがさ。だからあたし思った。ハハア、ママ、出さきでお風呂《ふろ》へ入ったな。そして水島好みのお化粧したなって。いったい、出さきでお風呂へ入るってどういうこと？」

タマキは顔もあからめずにおこったようである。

等々力警部と金田一耕助、山川警部補の三人はおもわずしかめっ面《つら》を見合わせた。

女の子というものはこのような意地悪い眼で、母親を観察しているものだろうか。

しかし……？　と、金田一耕助はハッとあることに思いあたって、あらためてタマキの顔を見直した。

この娘、お脳がヨワイなどといっているが、案外これで、抜け目なく立ちまわろうとしているのではないか。じぶんの母親によって水島のアリバイを立証させようということは、逆にいえば水島によって母のアリバイを立証させることである。この娘えん曲にじぶんの母をかばおうとしているのではないか。

「タマキちゃん」

と、金田一耕助は等々力警部に眼くばせすると、

「そうすると、ゆうべタマキちゃんのママと水島先生が十一時ごろまでどこかでいっしょだったとして、しかもここのマダムが殺されたのが、それよりまえだとハッキリしたら、水島先生だけではなく、タマキちゃんのママもアリバイが成立するわけだね」

「うちのママ？」

タマキは出目金のような眼をくりくりさせて、

「うちのママなんかこの事件に関係ないわ」

「だって、水島先生を中心に、タマキちゃんのママとここのマダムは恋のサヤアテを演じてたんじゃないの」

「そりゃ、水島先生のほうではマダムをなんとかしたいと思ってたかもしんないけれど、マダムのほうではあいてにもしなかったのよ。ただ頼まれるとしかたなしにスタイル・ブックやモード雑誌を貸してただけ。タマキはおりおりそういうお使いを頼まれてたの」

「スタイル・ブックやモード雑誌？　それじゃそのなかにそういう雑誌はなかったかね」

等々力警部の眼くばせに山川警部補が裁ち台《た》の下から「ファンシー・ボール」を取りあげた。タマキはあどけない眼を見張って、その表紙をながめながら、

「さあ、よくわかんないな。あったかもしれないけど」

「だって、君がその使いをしてたんだろ？」

「ええ、でも、マダムってきちんとしたひとでしょ？　雑誌を貸すんだってちゃんと包装紙に包んでわたすわよ。そうされると水島先生だって返すとき、ちゃんと包まなきゃなんないわね。でも、ちょっと……」

と、タマキはパラパラページを繰《く》っていたが、

「そういえばこの雑誌、センセのとこで見たような気がするな。ここで見たのかもしんないけど」

いや、タマキはやっぱり水島浩三のところで見たのではないか。

「タマキちゃん、君、きのうの夕方、水島先生と第二十号館の屋上へあがっていったろう」

「ええ、いったわ」

「そのとき、水島先生、きょうあの屋上をタールで塗装するってこと聞いたんだろう」

「さあ、よくおぼえてないけど、……あのひとやっぱり芸術家なんだって三ちゃんがいってたわ」

「それ、どういう意味？」

「好奇心が強いのよ。子供みたいになんでもかんでも聞きほじるの。うるさくてしようがないこともあるけど、芸術家ってみんなそうだって榎本さんもいってたわ」

「そうそう、三ちゃんといえばいつか相模湖でだしぬけにカメラをむけて、マダムをおこらせたってことだが、それ、どういうこと？」

「ああ、あれ、あのとき、あたしたちと三ちゃんといっしょじゃなかったの。マダムがあんまりどこへも出ないでしょ、それで京美ちゃんとしめしあわせて、とうとう相模湖へひっぱり出したの」

「そしたらそこへ三ちゃんがきてたの？」

「ええ、それってのがタマキがそのことをママに話したでしょ。ママが水島先生に話したのね。センセそれをママから聞いても、じぶんひとりじゃバツが悪いもんだから、榎本さんと三ちゃんをそそのかせて、三人でこっそりあとを追っかけてきたってわけなの」

「なるほど。それで……？」

「あたしたちそのときボートに乗ってたのね。そしたらむこうからやってきたボートが、ぶつかりそうにするでしょ。あたしキャーって叫んで飛びあがったわ。ボート危《あやう》くひっくり返りそうになったじゃない。そしたらそれがセンセと榎本さんと三ちゃんじゃないの」

「三ちゃんがカメラをむけたってのはいつ？」

「林のなかでお八つを食べてたときなの。お昼の三時ごろだったわ。三ちゃん記念撮影でもするつもりだったんでしょうけど、だしぬけにカメラをむけたもんだから、マダム猛烈におこっちゃった」

「それで、そのとき写真は一枚もとらなかったの？」

「ほかの連中はとったわよ。いまうちにあるけど……だけど、マダムはぜったいに仲間に入らなかった」

「それ、いつごろのこと？」

「あれ、いつだったっけ。とっても暑いさいちゅうだったわ。そうそう思い出した。八月の第一日曜だったわ。ここ第一と第三の日曜日がお休みだから」

山川警部補はポケット日記を取り出して、

「八月の第一日曜といえば六日になりますね」

「タマキちゃんはマダムのことをなにかしってない？　ここへくるまえにどこでなにをしてたかってこと？」

「順子ちゃんや京美ちゃん、いや、それより伊丹さんはどう？　なにかしってた？」

「いいや、それで弱り切ってるんだ」

「それじゃ、あたしがしってるはずないじゃない？　マダムのことをしってるひとがあるとすれば、伊丹さんだと思うな。あのひとゆうべマダムのところへきたのよ」

「タマキ君、君はどうしてそう思うんだ。伊丹さんがここから出てくるのを見たとでもいうのかい」

「いいえ、そうじゃないわ。だからハッキリとはいえないんだけど……」

「いや、ハッキリでなくてもいい。気がついたことがあったらなんでもいってくれたまえ。ゆうべ三ちゃんとこへ、遊びにいったかえりにでも会ったの」

「ううん、そうじゃないんだ」

タマキは持ちまえの無邪気さを取り戻して、いたずらっぽく目で笑いながら、

「いいや、なにもかもいっちまえ。ゆうべ三ちゃんとこへいったことはいったの。だけど、三ちゃんち、おうちのひとがいるでしょう。だから三ちゃんがあたしを引っ張りだしたの。そいで、あの二十号館の崖下《がけした》にお池があるでしょ。あれ太郎池っていうんだって。ふたりでそっちへいったの。でも……」

「でも……？」

「あたしたちなんでもないのよ。三ちゃんてわりかし純情だし、あたしもママみたいにはなりたくない。で、まあ、三ちゃんがいろいろ夢を語ってたの。映画スターとしての夢……エノさんがチャンスをつかみそうになったんで、三ちゃん興奮してたんだと思うな。そいで、あの池の端に大きな椎《しい》の木があるのしってるかしら」

「ああ、しってる。第二十号館の屋上から見たよ」

「そうお。あの椎の木にもたれてお話ししてたら、池のむこうから懐中電燈の灯がちかづいてきたの。足音もだんだんこっちへくるでしょ。そいで椎の木にかくれてみていたら、池をまわってやってきたのが伊丹さんだったの。あたしたちに気がつかずに、坂をのぼっ

てこっちのほうへきたんだわ」

「それ、いつごろのこと？」

「ちょうど九時四十分だったわ」

「タマキちゃんはどうしてそんなに正確に時間をしってるんだね」

「だって、三ちゃんの腕時計夜光時計になってんの。だから、あのおやじいまじぶんどこへいくんだろ、きっとタンポポへいくにちがいないって、三ちゃんが腕時計を見たでしょ、それで、あたしもママがそろそろかえってくる時間じゃないかと、思ったもんだからのぞいてみたの、そしたら九時四十分だったってわけ」

府中《ふちゅう》からかえってきた伊丹が、河村松江を訪ねてきたのは九時半ごろのことだという。それからすぐにこちらへまわったとすると、ちょうどその時間になるのではないか。伊丹はゆうべここへきているのだ。それにもかかわらず、なぜかれは、さっきそれをいわなかったのか。

「伊丹や河村の家はあの池のむこうにあるのかい？」

「ええ、あの崖の下のほうが昔からひらけていて、このへんはずうっと林だったって話よ。でも、ほんとの道を通るとバス通りに出るんだけど、池のほうを通ってくるとうんと近道になるらしいわ」

「タマキちゃんは、池のそばに何時ごろまでいたんだね」

「十時二十分まで。それからママがそろそろかえってくるじぶんだからって、アパートへかえったの」

「そのあいだに伊丹さんは池のほうへかえってこなかったんだね」

「こなかったわ。バス通りのほうからかえったんでしょ。それともそのじぶんまだここにいたのかもしれない」

さすがにタマキはゾーッとしたように仕事場やなかを見まわしたが、変転してやまないこの娘のあたまには、またなにか思いうかんだことがあるらしく、

「ああ、そうそう、あたしいいこと思い出したわ」

「いいことって、なんだい？」

「警部さんはマダムの人相がハッキリしないと困るんじゃない？」

「そうなんだ。タマキちゃんなにか持ってるのかい？」

「ううん、あたしじゃない。水島先生よ」

「水島先生、マダムの写真持ってるの？」

「写真じゃないの。マダムの似顔絵なの」

「水島先生マダムの似顔絵をかいたの？」

「ええ、もう破ってしまったといってたけど、あんなこと嘘《うそ》にきまってる。いまでもだいじに持ってるにちがいないわ。うっふっふ」

タマキは下唇をつき出して皮肉な笑いだ。

水島画伯がタンポポのマダム、片桐恒子の似顔絵をかいているというのは、耳よりの話

であった。もし伊丹大輔のいうようにマダムの写真が一枚もないとすれば、その肖像画が貴重な証拠になるのではないか。

　等々力警部は思わず裁断机から身をのりだして、

「タマキちゃんはその似顔絵を見たんだね」

「ええ、見たわ。先生かくしてたのよ。それを偶然あたしが見つけちゃった」

「どのくらいの大きさの絵？」

「半紙くらいだったかな」

「その絵、マダムに似てるんだろうね」

「そうね。あのひとあまり似顔絵じょうずじゃないな。でも、マダムのはわりかし似てたわね」

「それ、マダムがモデルになって描いたのかしら」

　これは金田一耕助の質問である。

「ううん、そうじゃないらしいんだ。じぶんでこっそり描いて楽しんでたのね。マダムにいうと叱《しか》られると思ったもんだから、あたしだれにもいわなかったけれど」

「タマキちゃん、いいことを聞かせてくれた。ぜひ水島先生にたのんでその絵を見せてもらおう」

「でも、破ってしまったといい張るかもしれないわ」

「それならまた描いてもらえばいい。出来上がったらほんとにマダムに似てるかどうか、タマキちゃんに見てもらえばいい」

「いいわ。いつでも見てあげる」

「金田一先生、なにかほかにこの娘にきくことは……？」

金田一耕助の注意によって、タマキはさいごに「白と黒」について質問をうけたが、彼女にも思い当たるところはなかった。

そこへマダムの死体についていった志村刑事がかえってきたので、タマキの取り調べはそれでおわった。

「やあ、志村君、どう？　検視のほうは？」

「どうもこうもありませんや。やっとタールを落として、いまはじめたところなんですがね、金田一先生、これ見て下さい。哀れビンゼンたる状態でしょうが」

志村刑事は世にも情けない声を出して、両手をひろげてタールだらけのまえを示した。これではもう奥さん泣かせどころの騒ぎではないだろう。

「あっはっは、いや、どうもご苦労様、それでどうです、死体の顔は……？」

「どうもこうもありませんや。いよいよ先生の領分に入ってきましたぜ。顔のない死体ってやつでね」

「志村君、やっぱりダメかい」

等々力警部がたずねた。

「てんでいけません。顔なんてもんじゃありませんね、ありゃ。ぐちゃぐちゃに焼けただれた肉の塊でさあ」

「それで、死因や犯行の時刻は……？」

「死因は絞殺《こうさつ》ですね、なにか紐《ひも》のようなもので絞《し》められたらしい。これはさいわいタールの難をまぬかれた後ろの首筋に歴然と痕跡《こんせき》が残ってますから。ただし詳しいことは解剖の結果を見なきゃわかりませんが……」

「犯行の時刻は……？」

「だいたいゆうべの十時前後、十時を中心として一時間くらい幅をもたせた、その間の出来事と見ていいんじゃないかっていってるんです」

十時を中心として一時間くらいの幅をもたせた時刻といえば、伊丹がこの団地へやってきた時刻でもあり、同時に順子の良人《おっと》の須藤達雄が、酔っ払ってこのタンポポのほうへむかった時間でもある。

「ところがねえ、金田一先生」

「はあ？」

「ここにひとつ厄介《やっかい》なことができました」

「厄介なこととおっしゃると……？」

「このうえの寝室のじゅうたんに付着していた血痕《けっこん》ですね、江馬君が発見した……ありゃ被害者の血じゃないんですね。被害者の血液型はA型なんですが、じゅうたんから採取された血痕の血液型はB型なんです。だからこりゃ厄介というより有利かもしれません、われわれにとって。おそらく犯人の血でしょうからね」

インターバル

あれほど日本シリーズを楽しみにしていたにもかかわらず、S・Y先生がじっさいにそれを観戦したのは第一戦だけであった。

S・Y先生は胸に痼疾《こしつ》をもっている。少しむりをすると喀血《かっけつ》するのである。これはもう三十年ちかくにもわたる文字どおりの痼疾で時期は春さきか秋口が多かった。やはり時候のかわりめがいけないのだろう。

ことしの夏は信州《しんしゅう》に暑をさけて、大いに健康を養ったつもりだったが、帰ってくると東京の残暑にやられて寝込んでしまった。起きられるようになってから二、三日、自宅の庭をぶらつくていどの運動にとどめていたが、けさ柴犬をつれて散歩したのがたたったらしい。

柴犬は小さいが獰猛《どうもう》である。一時間ほどひきずりまわされているうちに、肺臓の血管が破れたらしい。テレビで観戦しているうちに、ヌルヌルしたものがこみあげてきたので、紙にとってみると一塊の血だった。

慣れているから当人も家人もたいして驚かない。さっそく床をとって絶対安静である。医者に止血剤の注射をしてもらったが、こういう場合の手当ては、医者よりも当人のほうがよくしっている。喀痰《かくたん》から血の色がすっかりとれるまでには一週間くらいかかるのである。

その間絶対安静で、むろん神経をいらだたせることはいっさい厳禁だから、テレビはいうまでもなく新聞やラジオも敬遠してしまう。つまりS・Y先生はすっかり赤いものがとれてしまうまで、みずからを世間から隔離してしまうのである。

倒れた晩、金田一耕助がすぐ近所のS署へきているからと、電話をかけてきたが、家人が事情を話して訪問を見合わせてもらった。

いつもは一週間でとれる色がこんどは十日かかった。

S・Y先生が病床のうえで新聞を読めるようになった日、朝刊の一面はデカデカと衆議院解散の記事でにぎわっていた。

S・Y先生は倒れた翌日、すなわち十二日以来の新聞をもってこさせて、古いほうから順繰りに第一面を読みはじめた。第一面を読んでしまうと、また古いほうから順繰りに社会面を読みはじめた。そして日の出団地の奇怪な殺人事件についてしったのである。

うかつにも……S・Y先生はいつもうかつなのだが……その日の出団地というのが、ついこのあいだ、蜃気楼《しんきろう》かと見まごうたあの団地とは気がつかなかった。

それにもかかわらずS・Y先生がこの事件に興味をひかれたのは、被害者の死体が灼熱《しやくねつ》のタールの底から発見されて、顔のみわけがぜんぜんつかなくなっているということである。したがって事件発生後すでに二週間になるきょう十月十五日にいたるまで、はっきりそれが推定被害者片桐恒子であると、断定できていないらしいというところにS・Y先生はいたく興味をそそられたのである。

S・Y先生はいつか金田一耕助から、探偵小説のテクニックについて聞いたことがある。探偵小説のトリックの一種に「顔のない死体」というのがあるそうである。そういうトリックを扱った探偵小説では、なんらかの原因……首を切断されているとか、硫酸で顔面を焼かれているとか、その他もろもろの原因で人相のみわけがつかない死体が出てきた場合、おおむねさいしょ被害者だと思われている人物が、じっさいは犯人であったということになっているそうである。

「それじゃ、探偵小説を読みなれた読者には、はじめっから犯人がわかってしまうんじゃありませんか」

「そうなんです。しかし、そこをなんとか工夫して、あれやこれやと他のトリックと組み合わせて、読者を瞞着《まんちゃく》してみせようというところに、探偵作家としての抱負というか、ミソがあるらしいんですね」

「あなたがいままで扱われたじっさいの事件のなかにも、そういう例がありましたか」

「いちどありましたね。しかし、犯人と被害者が完全にいれかわっていたというような典型的な例はべつとして、死体の人相の識別がつかないところから、被害者の身許《みもと》の推定をあやまり、事件がこんがらがるという例はちょくちょくあるんじゃないですか」

そういえば悪魔のような男が他人を殺害し、その死体を自分の死体のように見せかけておいて自分は被害者の氏名を偽称《ぎしょう》して、世間を瞞着していたところが、それが露見しそうになったところから、またぞろべつの男を殺害して、その男になりすましていたという事件が、じっさいどこかにあったのをS・Y先生は思い出した。

日の出団地のこの事件も、それに相当するのであろうか。しかし、そこに「顔のない死体」として発見されたのは女なのだ。もし、探偵小説のトリックがこの事件にも適用されるとすれば、犯人も女でなければならぬということになるが、はたしてこの女にそのような大胆な犯罪が実演できたのだろうか……。

と、十四日の各紙の朝刊に発表された片桐恒子の似顔絵をS・Y先生は見守った。

その似顔絵はおなじ日の出団地に住むM画伯によって描かれたものだそうである。

警察が発表させたところをみると、その似顔絵は片桐恒子に、似ていることは似ているのだろうけど、本人の特徴をうまくつかんでいるとは思えなかった。線の細い、いたって平面的なその絵は、ただいたずらにキレイごとに描いているとしか思えなかった。

新聞によると片桐恒子の身許は、いまもってわかっていないらしいのだが、かりにこの似顔絵が酷似しているとしても、それからこの女の前身をしろうとするのはむずかしいのではないか。

片桐恒子はその前身をひたかくしにかくしていたらしいというが、もし彼女にその気があったならば、昔の顔とまったくちがった印象の顔をつくりあげるのは、それほど困難ではなかったのではないか。

この絵で見ると片桐恒子という女は、日常ツケマツゲを用いていたらしいが、ツケマツゲひとつによっても、女の顔はそうとうちがってくるのではないか。また、この絵では前髪を切って額でそろえているが、以前広い額をむき出しにするような髪の結《ゆ》いかたをしていたとしたら、ずいぶん感じがちがってくるはずである。

さらに……と、S・Y先生は持ちまえの空想癖を繰りひろげる。

先生はかつて高原の結核療養所にいたことがあるが、その当時おなじ療養所にいた、痩《そう》軀《く》ツルのごとき婦人患者をしっていた。その婦人の容貌《ようぼう》のいちばんの特徴は、そうとうひどい反《そ》っ歯《ぱ》であった。ところが数年後に健康を回復して、ゴムまりのように肥ったその婦人に再会したことがあるが、その顔から以前の患者時代の顔を捜し出すのは困難であった。反っ歯でさえ厚い肉のなかに埋もれて、もはや目立たなくなっていた。

片桐恒子という女にその逆の場合を想定してみたらどうだろう。

年齢は三十五、六か七、八とあるが、ちょうど女が太りはじめる年頃である。しかし、新聞の記事によっても、この絵によっても、片桐恒子はやせぎすの、すらりと姿のよい女であったらしい。もし以前の彼女が太りじしであったのを、厳重な減食ときびしい美容体操によって、現在のごとき容姿をつくりあげたとしたらどうだろう。昔の彼女をしっている人物がこの似顔絵を見たとしても、それと気がつかないのではないか……。

S・Y先生はそこまで考えてきて、思わず苦笑せずにはいられなかった。おのれの愚かしい空想癖をせせら笑った。

しかし、新聞を読むことはやめようとはしなかった。ものに熱中するとその当座、つかれたようにそのことばかりを考えつめるのがこの詩人のくせなのだ。

S・Y先生は三種の新聞をむさぼり読んだ。

さいしょこの殺人事件の有力な容疑者と目されていたのは、タンポポのあるその商店街全体の家主、伊丹大輔という人物であったらしい。

かれは事件の夜の、しかも殺人が行なわれたと思われる十時ちょっとまえにタンポポを訪れているのである。しかも、そのことを二、三の目撃者があって指摘されるまで、かくしていたということが捜査当局の心証を悪くしたらしい。

伊丹大輔はそのこと……タンポポを訪れたことについてつぎのごとく述べている。

じぶんはたしかにその時刻にタンポポへいった。用があったので勝手口から訪れた。しかし勝手口の戸はなかから締まっていた。じぶんは戸をたたきながら二、三度マダムの名を呼んだ。ところがそのときまでついていた二階のマダムの寝室の灯が、じぶんが名前を呼ぶと同時に消えた。しかもいくら呼んでも返事がないので、いまじぶんにたずねてこられては困るという、マダムの意思表示だろうとあきらめてかえった。だからあのとき二階の灯を消したのが犯人ではなかったかと……。

伊丹大輔がタンポポの勝手口で、マダムの名を呼んでいるところを、一軒おいて隣の理髪店の職人F君が目撃している。F君はそのとき外からのかえりだったが、そのままそこを通り過ぎて、一軒おいた隣の家へかえったので、伊丹がおとなしく立ち去ったかどうかはしっていない。また、勝手口の戸が、なかから締まりがしてあったかどうかも、しるはずがなかった。

伊丹大輔とタンポポのマダムのあいだには、肉体関係があったらしい。したがって、かれにかかる容疑はそうとう濃厚なようだが、捜査当局が逮捕にまで踏み切れないでいるのは、マダムの寝室から発見された血痕《けっこん》のせいらしい。その血痕の血液型はB型だのに、伊丹の血液型はO型だった。

伊丹大輔についで、伊丹大輔以上に有力な容疑者として、目下指名手配中なのは須藤達雄なる人物である。

十時ちょっとまえ、そうとう酩酊《めいてい》した須藤達雄が、団地のまえの停留所で、バスから降りるのを目撃したという証人は数人あった。またそれらの証人は口をそろえて須藤達雄が、タンポポのある商店街のほうへ、千鳥足《ちどりあし》で歩いていったと証言している。

いや、それよりもっとたしかなのは、タンポポの一軒おいて隣にある、理髪店の夫婦や職人のF君の証言である。それらのひとたちは、十時ごろ酔っ払いがタンポポの店の前に立って、大声でマダムにむかって悪口雑言しているのを聞いている。F君がかえってから十分ほどのちのことだったそうである。

なんでもその酔っ払いは、マダムを古狸《ふるだぬき》だの牝狐《めぎつね》だのとののしり、出てこい、話をつけようなどと大声でわめいていたそうだ。ところがそれが急にしずかになったので、F君が二階の窓からのぞいてみると、酔っ払いの姿はもう見えなかった。十時五分だったという。

須藤達雄の妻順子の話によると、かれはかつて与太者《よたもの》に刺され、輸血によって生命をとりとめたことがあり、そのことからして順子は良人《おっと》の血液型をしっていた。かれの血液型はB型であった。しかも、かれはそのとき以来姿をくらまして、二週間のちの今日にいたるまで、いまだにゆくえがわからないのである。

逃亡はもっとも有力な告白もおなじであるというが、かれを犯人だと断言してしまうには、そこに若干の矛盾が発見されると、某紙の記事は説いている。

前述のように、須藤達雄が訪れる少しまえに伊丹大輔がタンポポを訪れている。そのとき勝手口はなかから戸締まりがしてあったというのだ。そのあとへ行きあわせた酔っ払いの、しかも自分のことを悪口雑言している須藤達雄のために、マダムが勝手口を開くだろうか。ちなみにいっておくが、タンポポはどこにもむりにこじあけられた形跡はなかったのだ。

それでは伊丹がいったように、かれが訪れたとき犯人がなかにいたと仮定しよう、そして伊丹が立ち去るのを待って勝手口から逃走し、そのあとへ須藤がいきあわせたと考えてみよう。

須藤達雄は勝手口が開いているのでなかへ入った。そして、二階の寝室へあがっていき、なんらかのはずみで、かれの血が一滴落ちたと仮定しよう。それならば、なぜかれはマダムが殺されていることを、届け出ようとはせずに、そのまま姿をくらましたか。

十月十五日の各紙の夕刊には須藤達雄の写真が、かなり大きく掲載されている。

大学時代ラグビーの補欠選手をしていたというだけあって、金太郎さんみたいによく太った顔は、童顔といってもいいほどの愛敬《あいきょう》があり、凶悪犯人という印象ではなかった。身長一メートル七五、体重七五キロというのだから、プロ野球の選手なみである。

犯行の現場がタンポポの二階であることは、もう疑いのない事実のようだ。検視のさい片桐恒子の着衣の状態が調べられたが、それはあきらかに、恒子がみずからの手で衣類をつけたのではなく、他人の手によって着せられたものであることがハッキリしていた。しかも、男の手によって着せられたものらしく、下着の着せかたに、コッケイなまちがいが演じられていた。

さいわい死体から指紋がとられた。しかも、おなじ指紋がタンポポの内部から、採取されているところをみると、その「顔のない死体」が恒子であることはほぼ間違いあるまいと断定されている。だが、そうなってくると、なぜ顔がメチャメチャになるように工作しておいたのか、その意味がわからなくなる。

だからある新聞ではこう解説している。

この事件は探偵小説にままあるように、被害者と加害者がいれかわっているというような種類のものではなく、犯人は被害者の写真が公表されることによって、片桐恒子と名乗っていた女の前身が、露見することを恐れたのではないか……と。いい忘れたが片桐恒子の写真は、ついに一枚も発見されなかったのである。

被害者の指紋は全国の警察に送られて、指紋台帳と照合された。しかし、どこからもそれと一致した指紋が発見されないところをみると、前科はなかったようである。

タンポポのマダム片桐恒子……彼女はいったい何者か。そこにこの事件の謎《なぞ》があり、S・Y先生のような、横のものを縦にするのさえおっくうがるモノグサな初老の男をして、好奇心を沸《わ》き立たせる要素があるらしい。

だが、いたってうかつ千万なS・Y先生のことだから、問題の日の出団地というのが、K台地のはずれから望見されるあの団地だとは気がついていない。

よしまたそれに気がついたところで、いつかの日、K台地の丘のうえから双眼鏡で、その団地をうかがっていた男のあったことを記憶しているかどうか……。

第八章　渦

池袋のSデパートは、あいかわらず芋《いも》を洗うような混雑だった。どの売り場にもアリのように人がたかって、狭い通路は他人の体と接触なしには一歩も歩けぬくらいである。国電池袋駅からこのデパートへ、人の流れにもまれて、しぜんに足を踏みいれたかっこうの男がある。

一メートル七五はあろうかと思われるその男は、首からうえだけひとごみのなかからぬきんでていて、どんな雑踏のなかにいても眼についた。

左脚がかるい跛なのかステッキをついているので、かれはこの雑踏のなかで、しぜんのなりゆきにまかせているといったかっこうだ。いうまでもなくその男とは、さいきん新聞を賑《にぎ》わせている日の出団地、第五号地区の管理人根津である。

根津はもと職業軍人という、昔の習慣を思わせるように、姿勢をシャンとただしてわきめもふらない。真正面に見すえたその視線や、削《そ》ぎ落としたような頬《ほお》の線には、ヒヤリとさせるような孤独のきびしさがある。

きょうはいつもの作業服とちがい、いささかくたびれてはいるが背広を一着におよんで、ネクタイが少しひんまがっている。

十月二十九日――きょうは土曜日だから、由起子に留守をまかせて外出したのだろう。

午後四時――デパートのいちばん混雑する時刻だ。

正面入り口にちかいところに洋品売場があり、金属製の環にネクタイがたくさんぶらさがっている。

根津はその売り場のまえに立ちどまると、ネクタイをあれかこれかといじりはじめた。売り子は他の客の応接に忙殺されているので、だれも根津にかまいつけるものはない。根津はそれをよいことにして、ネクタイをいじくりまわしているが、よくよくその眼を注意すると、かれの用があるのはネクタイではないらしい。

ガラス・ケースのうえに鏡がひとつ立っている。その鏡のなかにうつし出される背後の雑踏を、根津はそれとなく注視しているのだ。

その雑踏のなかに根津は見おぼえのある女の顔を発見した。それが順子だと気がついたとき、いっしゅん根津の瞳《ひとみ》には一種異様なかぎろいがうかんで消えた。

順子は日の出団地から、この管理人を尾行してきたわけではない。

彼女はきょう渋谷金王町にあるクイーン製薬会社の専務日疋恭助を、会社のちかくにある喫茶店へ呼びだした。

良人《おっと》の達雄が謎《なぞ》の失踪《しっそう》をとげてからきょうで二十日目。いまの順子にとって頼りになる相談あいてといえば、かつてのパトロン日疋恭助よりほかになかった。

怪文書のぬしによって順子との非行をあばかれた、ロマンス・グレーのK・H氏も、事件以来、たびたび捜査係官の訪問をうけ、ずいぶん迷惑しているらしいが、それでも順子が訪ねていくと快く会ってくれた。

喫茶店の奥まったボックスでむかいあうと、日疋恭助はもちまえの温顔の眼尻《めじり》にシワをきざんで、

「やつれたね」

と、いたわるような眼差《まなざ》しだった。

「だって、夜よく眠れないんですもの」

と、順子はわざとツッケンドンにいうのだが、そのじつ彼女の心はこの初老の男にあまえているのだ。

「そいつはいけないいな、やっぱり警察が張りこんでるんだろうね」

「ええ、でも、そのほうはだいぶんなれっこになったけど、いろいろうるさくって」

じっさい、事件以来この二十日間、順子はめまぐるしい渦のなかへ投げこまれて、揉《も》みくちゃにされてきたような毎日であった。

彼女は連日のごとく捜査当局から、達雄のゆくえについて追求された。しらぬ存ぜぬでは通らないらしかった。しまいには金田一耕助をこの事件に引っ張りこんだことさえ、ためにする作為であるかのようにカンぐられるしまつ。マスコミからは追っかけられる、団地のひとたちからは変な目で見られる。……順子はホトホト疲れ果てていた。

「旦那《だんな》さんからはまだ消息がないんだね」

「ええ……」

と、煮え切らぬ返事をしたのち、順子は急に捨て鉢な調子になって、

「ひょっとすると、やっぱりあのひと、どっかで死んでるのかもしれないわ」

そのことはちかごろ新聞でもいわれはじめているので、捜査当局でもそういう疑問をもっているらしいということを日疋恭助もしっていた。

「ハルミ」

と、日疋はとつぜんバーへ出ていたころの名前で順子を呼んだ。

日疋が順子をハルミとよぶとき、そこには一種とくべつのニュアンスがある。パトロンとその愛人という関係にあったとき、日疋は彼女をそうよんでいた。

やがてそこへ須藤達雄があらわれた。達雄もむろん日疋の存在をしっていた。しってい

ながら順子を求めた。順子はさんざん思い悩んだすえ、怪文書のことばを借りると、ロマンス・グレーと手を切って、ボディー・ビル的男性美に走ったのである。日疋はそのときそうとうの手切れ金を出して、気前のよいところを見せた。

その後達雄が与太《よた》もんに刺されて瀕死《ひんし》の重傷を負ったとき、金の工面にこまった順子の泣きついていける先といっては、日疋よりほかになかった。当然日疋はその代償として彼女の体を求めた。良人を救うためにという古風な美名が順子の良心を眠らせた。

達雄が回復して働けるようになったとき、順子は日疋と手を切るべきだった。しかし、そういきかねるところに男と女の関係のむずかしさがあるのだろう。

良人のガムシャラいっぽうの、愛撫《あいぶ》にあきたりない思いをしていたらしい順子は、日疋のものなれた愛戯《あいぎ》に、しっとりと身をひたすことを、しらずしらずのうちに喜ぶようになっているじぶんに気がついていた。

男は男で、バーみたいなところで働きながら、悪くすれてしまえないで、どこか内気ではにかみがちな順子を抱くと、しっとりとくつろぎを覚えるらしい。

こうしてふたりは達雄が回復してからも、ズルズルとひきずられてきたのであった。

「ハルミ」

と、日疋はもういちど昔の名前で順子をよぶと、テーブルのうえにあった女の手ににじぶんの手をかさねて、

「悪かったね」

「なんのこと？」

「旦那さんにあのマダムのことをいわなきゃよかったんだ。しかし……」

「しかし……？」

「いや、君の旦那さんだがね、あの怪文書を読むまでもなく、以前からわれわれの仲……昔の関係が復活してるらしいってことに、気がついていたそうだ」

「まあ！」

「君、それに気がつかなかった？」

「ぜんぜん」

「そうか、あっはっは、旦那さんのほうが役者が一枚上だったのか、それとも気が弱かったというのか、事を荒立てるのが怖かったんだそうだ。事を荒立てて、君を失ってしまうかもしれないということがね」

そういわれれば思い当たるところもあり、順子はべつに意外でもなかった。しかし、そうかといってよい気持ちではなく、ましてや、良人の寛大さに感謝したいという気になど、毛頭なれるものでもなかった。むしろ一種の腹立たしさをおぼえるくらいだ。そういうグズで、弱気なところに母性的な愛情をもったのだが……。

「それであのひと、ユスリがましいことでも申しまして？」

「それはなかった。元来そんな男じゃないんだろ？」

「ええ、それはもちろん……」

順子はじぶんでじぶんのことばを恥じた。達ちゃんにもすまないような気がしたが、

「でも、そうとうことばが荒かったように聞いてますけど」

「そりゃ興奮してたさ、酒も入っていたようだ。だけど、われわれのことについては、そうおこってはいなかったようだよ。むしろじぶんの意気地なさを恥とするという調子で、いままでのことは水に流すから、こんごは慎しんでほしい。じぶんから順子を奪ってしまうようなことはしないでほしいと、平身低頭せんばかりなんだ。神のごとく弱しとでもいうのかな、これにはこっちのほうが恥入ったね」

順子はまた、良人にたいして、やりきれない怒りをかんじながら、

「それであなたなんと返事をなすったの」

「そういわれれば、いや、こんごも関係をつづけるとはいえんじゃないか。いちおう恐縮してあやまったよ。こんごはいっさい手を出さないと約束したさ。守れるかどうかおぼつかない約束だとは思ったがね」

おだやかな微笑をふくんだ日疋の顔を、順子は頰《ほお》を赤らめながらにらんだ。この恥しらずめと思いながら、しかし、さいごの一句は彼女の虚栄心をくすぐるのだ。

「それにしてもパパはなんだって、マダムのことなんかおっしゃったの」

順子はいつか甘えるような調子になっている。

「いや、それなんだ。旦那さんがほんとにおこってたのは、われわれに対してじゃなく、あの怪文書のぬしに対してなんだね。旦那さんとしては、なるべくならばいやな事態に直

面したくなかった。こわかったらしい。だからわれわれの反省を、辛抱づよく待つという態度をとっていたんだ。ところが、ああいう怪文書をつきつけられるとそうはいかん。いやがおうでもいやな事態に対決せにゃならん。そういう羽目に追いやった怪文書のぬしに対して、旦那さんは立腹したんだ。しかし、君と対決するのはいやなので、いやというよりこわいんで、おれのところへやってきたというわけさ。そしてわれわれの関係をしってるものに、心当たりはないかと聞くんだ」

「それでマダムのことをお話しなすったのね」

「ああ、そう、横浜のホテルで君に聞いたことを思い出したもんだから、つい……そしたら、旦那さん、しばらく考えこんでたっけが、なにか思い当たるところがあったらしく、それだ……それにちがいないって勢いこんでいたが……いまから考えると、そんなことという必要はなかったんだ。悪かったと思ってるよ」

「でも、しようがないわ。あたしだってマダムじゃないかって疑ったくらいですもの。それはそれとして、パパはあのホテルのこと、警察のひとに話したんでしょ？」

「もちろん話したさ。それにもかかわらず、いまだにマダムの身許《みもと》がわからないところをみると、マダムとその連れの男も、偽名かなんか名乗っていたんだろうね。いったいどんな男だったんだい？」

「警察でもたびたびきかれたんだけど、あたしはマダムのほうにばかり気をとられていたでしょ。男のほうはうしろ姿しか見ていないので、なんともいえないのよ」

「とにかくその男だろうね、問題は。じぶんの愛人か情人かしらんが、これが殺されたというのに名乗って出ないというのはね」

「あたしもそう思うんですけれど、それじゃ達ちゃんはなぜかくれているのか……あたしやっぱりあのひと、生きていないように思うのよ」

「正体不明のその男に殺された……とでもいうのかね」

「自殺するはずはないと思うの。あのひとがマダムを殺したとは思えないんですもの」

「そりゃそうだ。もしなにかのはずみで殺《や》ったとしても、あんな妙な方法でマダムの顔をメチャメチャにするということは、旦那さんにゃ必要のないことだから」

日疋はそこで順子の顔色に気がつくと、

「だが、その話はもうよそう。それよりきのうの毎朝日報の朝刊にとうとう怪文書のことが出てたじゃないか」

「ああ、そうそう」

と、順子は思い出したように、

「あたしそのことでおうかがいしたのよ。またパパにご迷惑をおかけするんじゃないかと思って」

「なあに、迷惑は覚悟のまえだよ」

日疋は眼尻《めじり》にシワをたたえて微笑している。見ようによってはこの事件を楽しんでいるようにもみえ、ことばほどには迷惑がっているようには見えなかった。

クイーン製薬会社は戦後派だが、たちまち日本でも有数の大会社にのしあがり、半期に使う宣伝費だけでも何十億にのぼるそうである。社長は女だが、じっさいに会社を切りまわしているのは日疋だという話である。

「あれはどういうんだね。新聞雑誌から切り抜いた活字の文字を貼《は》り合わせた怪文書が、いま団地に横行しているらしいってことが出ていたが、毎朝日報のいう怪文書とは君んとこへきたやつかね。それともこないだ君が話してた、京美という娘が自殺しかけた怪文書のことかね」

「いいえ。あれ、ぜんぜんあたしたちのとは関係ないらしいの。またどっかから怪文書があらわれたのを、毎朝日報の記者が嗅《か》ぎつけたのね。でも……」

「でも……」

「怪文書がこの事件に関係してること嗅ぎつけたんだから、いまにパパとあたしのことを告げ口した怪文書のことだって、嗅ぎつけないとも限らないと思うのよ」

「そりゃそうだ。それで……？」

「もしあれを嗅ぎつけたら、新聞記者がここへ押しかけてくるわよ」

「そりゃくるだろうね」

「きてもいいの、そんなに落ち着いてて」

「どうしてさ、きたらきたで、潔《いさぎよ》く白状するだけじゃないか」

「だって、そんなこと、社長さんにしれてもいいの」

女社長と日疋のあいだに、ある特別の関係があるらしいということを順子は聞いており、それをいったのだが、いった順子が赤くなっているのに、日疋はただいたずらっぽく眼でわらっている。

順子は突然屈辱《くつじょく》に体中がもえるように熱くなった。

この男にとってじぶんたちの関係なんか問題ではないのだ。そのようなことが世間に公表されようと、社長の耳に入ろうと、築きあげてきた現在の地位や身分に、みじんも影響しないという自信をもっているのだろう。

順子ははげしい屈辱を感じながらも、これが達ちゃんだったらどうだろう、こんなに落ち着いていられるだろうかと、改めて男にひかれるものを感じるのだ。

「それはそうと、君のいまいった金田一耕助という私立探偵だがね。その男、信頼できる人物だろうね」

「どうしてそんなことをおききになるの？」

「なんならおれから改めて、調査を依頼してみてもいい。どうせ君じゃたいした謝礼もむこうさん、期待できないと思ってるんじゃないか。失敬《しっけい》だがね」

「まあ、パパが……」

「君のためでもある。旦那《だんな》さんのゆくえはわからないわ、事件はいつまでも片づかないわじゃ、君も落ち着かないだろうしね。だが、そればかりじゃない」

「そればかりじゃないとおっしゃると……？」

「いや、おれのためでもあるんだ。さっきは強がりをいったが、マス・コミが押しかけてくるより、こないほうがよいにきまっている。新聞記者も新聞記者だが、ちかごろ警察がうるさくってね」

「それ、どういう意味？」

「アリバイ調べ……十日の夜のおれのアリバイが厳重に追及されているようだ」

「まあ、パパの……？」

順子は強い視線であいての顔を見直して、

「だってパパはなにもこの事件に……タンポポのマダムに関係はないじゃありませんか」

「警察ではそう思ってくれないらしい、おれがアリバイを立証しない限りね」

「パパ、アリバイ、立証できないの」

「できないのさ。ある理由があってね」

日疋はのどのおくでくっくっ笑った。

順子はつよくその顔を見つめているうちに、またしだいに頰《ほお》の赤らむのをおぼえた。

日疋と噂《うわさ》のある女社長には良人《おっと》がある。そのひとは戦前某財閥《ざいばつ》で重要な地位にあり、そのために戦後パージにひっかかった。そのショックで倒れ、半身不随でねたっきりだという。ねたっきりとはいえ、良人のある女性と関係があるということが、噂の域にとどまるうちはよいとして、ハッキリ立証されると困るのではないか。

「パパ」

順子は急に乗り気になって、

「それなら金田一先生にお願いになるといいわ。あのひとなら信頼できると思うのよ。だいいち欲のないひとですからね」

「いや、噂はおれも聞いてるんだ。あのひと警察方面とも関係があるらしいね」

「捜査一課の等々力という警部さんと仲好しなの」

「だけど、じぶんの調査したことをことごとく、等々力とやらいう警部に、報告しなきゃならんということはないんだろう。つまりこちらの秘密……秘密があるとすればだね、それは守ってもらえるんだろう」

順子はまた強くあいてを見かえして、

「それはもちろん。金田一先生と警部さん、たがいにうまくあいてを利用したりされたりというところらしいわ。ねえ、パパ。なんならきょう帰りに寄ってみましょうか」

「そうさねえ」

順子が乗り気になるのと反対に、日疋は気のない返事だったが、そこへボックスのドアを叩《たた》く音がした。このボックスはちょっとスペシャル・ルームになっている。

日疋の合図に女の子が入ってきて、

「会社からお電話ですけれど……」

「ああ、そう。すぐかえってくる」

日疋が出ていったあとで、順子はいまの会話を頭のなかで繰りかえしてみた。

日疋のいう秘密とは女社長とのことだろうか。日疋の顔色からして順子はとっさに十日の晩、日疋は女社長と逢《あ》っていたにちがいないと考えたが、警察でそう執《しつ》ように日疋のアリバイを追及しているとすれば、なにかじぶんのしらぬ理由があるにちがいない。

順子はとつぜんこみあげてくる戦慄《せんりつ》をおさえることができなかったが、そこへ日疋がかえってきた。

「社長からだよ。にやにや笑いながら、すぐかえってこいってさ」

「あら、そうお」

順子はわざとすまして立ち上がると、

「金田一先生のほうはどうなさいます？　万事君にまかせるよ。いちど社のほうへお電話をくださいって」

「ああ、そのこと？　万事君にまかせるよ。」

「承知しました」

順子の体はとつぜん日疋の腕のなかにつつまれた。順子は男の眼のもえているのを見て、じぶんもあいての首に両手をまわした。

「またどっかへ君をつれていってあげたいんだが、当分はだめだろうね」

「悪いひと。パパは達ちゃんとの約束を守る気なんか、はじめっからなかったんでしょ」

「あっはっは」

「でも、いけないわ。あたしひょっとすると尾行がついてるかもしれないと思うのよ」

「それもそうだな」

日疋はまだ未練らしく女の腰を抱いている。

「それよりせいぜい社長さんのご機嫌を取り結んでおいたほうがいいじゃない？」

「こいつめ、こいつめ！」

日疋はもういちどはげしく順子の唇《くちびる》を吸うと、はじめて女の体をはなした。ポケットから取り出した封筒を、女の手に握らせて、

「これ、とっとけよ」

「なあに、これ？」

「さっき電話がかかってきたので用意しといたんだ」

「あら、あたしそんなつもりで……」

「どうせいるさ」

それから日疋はわざと乱暴な口調になって、

「いっとくがね。おれはこんりんざいおまえを放しゃしないぜ。須藤みたいな意気地なしに君を渡したのを後悔してるんだ。おまえだってそうじゃないのか」

「しらない！」

「あっはっは、じゃおれひと足さきに出る」

日疋のうしろ姿を見送っているうちに、順子は体中が熱くなり、頬にカーッと血がのぼった。

それからまもなく、日疋から渡された封筒をハンド・バッグにおさめてその喫茶店を出

たとき、順子の胸に一抹《いちまつ》の不安が影を落としていることは否《いな》めなかった。

日疋はあの晩どこにいたのか。ひょっとするとあの晩、日疋は達ちゃんのあとを追って、団地へきていたのではないか。そしてあたしがほしいばかりに……?

だが、すぐ順子はじぶんの思いあがりをせせらわらった。

あたしはあのひとにとってはアソビあいてにすぎない。少しばかり趣味にかなったおもちゃでしかない……。

「あら!」

とつぜん順子は路傍に立ちどまった。

順子はいつか渋谷駅のちかくまできていた。

彼女は電話で金田一耕助と連絡をとるつもりでいたのだが、ちょうどそこへバスがきてとまった。日の出団地のまえを走っているバスだった。ゾロゾロ客がおりてきたなかに、ステッキをついた男の顔を見て、順子はとっさにひとごみのなかに姿をかくす気になった。いうまでもなく管理人の根津だった。

根津はあきらかに尾行を気にしているふうだ。シャンと姿勢をただし、かりにもキョロキョロするふうはみせなかったが、それでも注意ぶかい観察者には、尾行を気にしていることがわかるのだ。

根津のあとからバスをおりてくるひとびとを、順子もそれとなく眼でさがした。しかし、これが尾行者かと思われるような人物は見当たらなかった。

とっさに順子はじぶんが尾行者になろうと決心した。

順子がここで根津を尾行しようという気になったのは、必ずしも気まぐれではない。彼女はまえからこの孤独な管理人に、ひとつの疑惑をもっていたのだ。

管理人というものは万能鍵《かぎ》をもっている。根津管理人のもっているのは、第十七号館と第十八号館の万能鍵である。そのふたつの建物ならばどの部屋へでも、根津は自由に入ることができるのだ。しかも怪文書によって中傷されたふたり、京美とじぶんはそのふたつの建物に住んでいるのだ。

順子はいつか日疋と逢《あ》ったホテルの名前の入ったマッチを、二、三日のちになってハンド・バッグのなかから発見して、あわてて処分したことがある。ほかにもそういう失敗を演じていたかもしれない。達雄もそういうところから、彼女と日疋の関係に気がついたのであろうが、この管理人もこっそり部屋へ忍びこんで、なにかを嗅《か》ぎつけていたかもしれない。

そういえばあとになってもうひとつ、順子がおかしいと思ったことがある。

順子が意外に思ったのは、京美を自殺に追いやったあの怪文書を根津がひそかに保管していたことである。管理人としてそれは当然の措置だったかもしれないし、じじつまたこの事件が怪文書と関係があるとすれば、根津のとった措置は褒められてよいだろう。

しかし、それならばなぜ根津はその場であの怪文書を出して順子にわたさなかったのか。根津があの怪文書を提出したのは、順子がタンポポへ出向いていってからのことである。

あとから由起子にとどけさせたのだ。

そのことについて順子は疑惑をもたずにはいられなかった。なにかあの怪文書に細工をする必要があったのではないかと、等々力警部に提出する前入念に調べてみたのだが、べつにこれといって変わったところもみられなかった。京美もじぶんが受取ったのは、これにちがいないといっていた。

だが、それならば根津はなぜあの部屋で順子に渡さなかったのか……？

順子がもうひとつ、この管理人について疑惑をかんずるのは、事件の夜かれを訪ねてきたという女のことである。榎本謙作の説によると、その女は由起子に似ていたというが、根津はその女のことについては、警官たちにも語らないらしい。

ネクタイ売り場の鏡のなかにうつっている順子は、あきらかにじぶんをつけてきたとしか思えない……と、根津は下唇をかみしめる。

少しはなれたところにあるおもちゃ売り場のまえに立っておもちゃをいじっているが、子供のない彼女がおもちゃに興味をもつはずがない。

それにしてもこの女、どこから尾《つ》けてきたのだろう。日の出団地のまえから乗ったバスには、たしかに乗っていなかった。いや、そういえばじぶんが外出する二時間ほどまえ、ちょっと町へ出てきますからと、声をかけていったっけ。

だが、そんなことはどうでもよかった。どこから尾けてきたにしろ、尾けられているという事実に変わりはない。しかも、いまの根津には尾けられては困る事情があるらしい。

とうとう売り子がそばへやってきた。根津はいやでもネクタイを一本買わねばならなくなった。ネクタイを買わなければ順子に気がついたことを覚られそうだし、このさい一本奮発してもよいと思った。売り子と相談のうえ一本のネクタイをえらんで包ませた。

正面入り口からSデパートの外へ押し出されると、そこは流れる人と車の渦である。

根津はしばらく正面入り口のわきにたたずんでいた。うしろを振りむかなくとも、順子が洋品売り場のまえからこちらをうかがっていることがわかるのだ。

一台のタクシーが根津のまえへきてとまると、なかから母と娘らしいふたりづれを吐き出した。根津はさりげなくそれに乗りこんだ。タクシーがスタートしたとき、根津はふかぶかと座席に埋まって、ごくしぜんなかたちで順子をまくことができたことに満足した。

順子が急ぎ足で正面入り口から外へとび出したとき、根津を乗せた車はもう、道路を埋める自動車の渦のなかにまきこまれていた。あいにくあたりに空車はなかったし、あっても映画もどきに自動車で、追跡を試みるほどの熱心さは順子にもなかった。

順子は諦《あきら》めてさいしょの予定どおり金田一耕助に電話しようと、デパートのなかへ引き返した。人の波をかきわけて電話をさがしているうちに、すれちがった男の顔を見て、おやとそこに足をとめた。京美の伯父《おじ》の岡部泰蔵だった。

岡部の教えている高校は目黒のほうだと聞いている。もっとも定時制の高校も教えているということだから、その学校がこちらのほうにあるのだろうか。それにしても岡部のようすは少しおかしい。だれの眼にも落ち着きをかいていた。前方からくる順子に気がつかなかったというのも、人混みは人混みとして、かれがしじゅう背後を気にしていたからだ。あきらかに尾行の有無《うむ》に気をくばっているらしい。

岡部をやりすごしておいて、順子はそこにある売り場のまえに立ちどまった。ガラス・ケースをのぞくようなふうをしてひそかにうしろ姿を見送った。岡部は身長一メートル六五、六センチ。ずんぐりとした体つきからダルマさんというアダ名があるそうだ。また岡部がうしろをふりかえった。無帽の額がはげあがって、髪も少々薄くなっている。丸い顔はキメがこまかくて、眉毛《まゆげ》のふといのがいっそう目立つのだ。ダルマさんという名の由来するところだろうが、ダルマ大師《だいし》とは反対に、謹直そうな感じである。

ダルマさんはくたびれたレーン・コートの襟《えり》に、ふかぶかと顔を埋めている。少しでも顔をかくすつもりかもしれないが、それではかえって、人目をひきやすいということをご存じないらしい。

落ち着きのない岡部の顔色やその素振りが、ふっと順子の疑惑を誘った。順子はあとをつけはじめた。

岡部が正面入り口までくると、それまでどこにいたのか順子と同じ年ごろの婦人が雑踏のなかから、つと現われた。取りたてて美人というのではないが、色白のポチャッとした顔に愛敬《あいきょう》がある。地味なスーツを着ているところは、これまた学校の先生という感じである。

ふたりのあいだに素早い目礼がかわされた。岡部はしかつめらしく唇《くちびる》を結んだまま眼でうなずくと、すぐその婦人から顔をそむけて、Sデパートから出ていった。その二、三メートル背後から、アヒルのようにお尻《しり》をふりながら、婦人がかわいくついていく。

順子の唇に思わず微笑がひろがった。

岡部泰蔵先生はいま第二の青春を楽しんでいらっしゃるのだ。かれがおそれているのは警察の眼ではなく教え子たちのからかいだろう。

タンポポのマダムがあんなことにならなかったら、京美をそこへ預けて先生はあのかわいい婦人と再婚していたのではないか。

このランデブーはさまたげられるべきではない。順子はまたSデパートの雑踏のなかへ引き返した。

四時三十分ごろ根津は国電池袋駅の西口で自動車を降りた。その自動車はさっきおなじ池袋駅の、東口で拾ったタクシーとちがっているようだ。

自動車を降りると、かれは駅と反対のほうへ歩き出した。姿勢をただし、きっと前方に瞳《ひとみ》をすえている。左脚をいくらか引きずっているが、それも軍人時代の歩行法をそれほど損うものではない。池袋周辺の雑踏がこういう特異な姿勢の男を目立たないものにしていた。

池袋駅から三、四百メートルほどのところに、帝映パレスという映画館がある。帝映の直営館でこのへんの映画館では上等の部類に属する。

根津はものぐさそうにスチール写真をのぞきこんでいた。どうして時間を消そうかと、思案しているふうにも見える。とうとう意を決したかのように、根津は切符を買ってなかへ消えた。

案内嬢の懐中電燈に案内されて、二階の正面席へ腰をおろすと、歌謡映画がそろそろ終わりにちかいらしかった。階下のほうはそうとうの入りのようだが、二階は六分くらいしか客席が埋まっていなかった。

歌謡映画が終わって場内が明るくなると、根津は廊下へ出てタバコを吸った。根津のほかにも五、六人廊下へ出てきた。ブラブラしているのもあればトイレへ急ぐものもあった。場内にベルが鳴りわたると根津はトイレへ入った。便意を催《もよお》したのか、大便所の左から三番目のドアを開いた。そのドアからはたったいま、革のジャンパーを着た男が出てきたばかりである。

五分ほどして根津がそのドアから出てくると、いれちがいに会社員ふうの男が入っていった。根津はトイレを出ると、もとの席へかえっていった。

いま上映されているアクション・ドラマは、根津がシナリオを刷《す》ったことのあるものなので、筋の展開はよくしっていた。それでも六時十五分ごろ、映画が終わるまで、根津は辛抱づよく客席にいた。外へ出ると日はすでに暮れていて、街には灯の色が明るかった。

駅の近所に大衆食堂がある。なかへ入ろうとして根津はあわててかたわらの立て看板のかげに顔をそむけた。男と女のふたりづれがなかから出てきた。男は岡部泰蔵である。岡部は少し酔っているようだ。ふたりは暗いところまでいき、しばらく低声で相談していたが、やがて岡部が流しのタクシーを呼びとめた。ふたりが立ち去るのを見送ってから、食堂のなかへ入っていった根津の顔には、しかしなんの感興もうかがえなかった。

岡部泰蔵とそのかわいらしい同伴者は、ここで根津にあったということについて、神に感謝しなければならないだろう。もしそうでなかったら、学校の教師として不名誉な立場に立たされたかもしれない。

S署の三浦刑事は、日の出団地からひそかに順子を尾行していた。順子が金王町にある、Q製薬会社のちかくの喫茶店へ日疋を呼び出し、三、四十分用談しているあいだも、かれは喫茶店の付近に張りこんでいた。

まもなく日疋《つ》が出てきて本社へかえり、そのあとから順子が出てくると、三浦刑事はまたそのあとを尾けはじめた。順子はなにか思案をしながら、渋谷の駅前広場までやってきた。急に妙な素振りをみせはじめたので、おやと三浦刑事が順子の視線をたどってゆくと、そこに根津の姿があったというわけである。

その根津を順子が尾行をはじめるに及んで、三浦刑事の心は躍った。順子が根津を尾行するには、それだけの理由がなければならぬ。

考えてみると、根津という男はいままで、捜査当局の盲点のなかに入っていたようだ。しかし、それにはまんざら理由のないことではなく、この男はわりに身許《みもと》がハッキリしているのである。

帝映の重役で名プロデューサーといわれる渡辺達人氏は戦争中応召《おうしょう》して中支《ちゅうし》にいた。その当時の隊長が中佐だった根津伍市だ。根津は大胆でかつ部下思いの軍人だった。渡辺氏もあやうく中支の広野に屍《しかばね》をさらすべきところを、根津中佐に救われたことがある。

終戦少しまえに、あやうくセン滅されるべき運命にあった部下たちを、根津中佐が身を挺《てい》して救ったことがある。その代償として根津がうけたのが左大腿部《だいたいぶ》の貫通銃創だった。根津は病院で終戦をむかえたが、そのときも渡辺氏といっしょだった。

昭和三十年の暮れ、渡辺氏はとつぜん根津の訪問をうけた。根津は尾羽《おは》打ち枯らしており、なんでもよいから仕事を世話してほしいというのであった。

話を聞くと、こうであった。戦争中独身を守りとおしてきた根津は、昭和二十一年郷里で結婚した。根津の郷里は兵庫《ひょうご》県の宍粟《しそう》郡だった。根津は素封家《そほうか》の次男にうまれたが、戦後はお定まりの斜陽族だったらしい。昭和二十二年夫婦のあいだに女の子がうまれたが、その翌年妻は死んだと根津は語った。

根津はじぶんについて多くを語らなかったので、戦後なにをしていたのかハッキリしなかったが、由起子という娘は郷里の兄のもとに預けてあるらしかった。

良心的な軍人ほど、戦後の虚脱状態が深刻らしい、ということをしっていた渡辺氏は、根津に守衛のポストを提供した。もっとよい地位をと心配したのだが、根津のほうで固辞してうけず、守衛に甘んじてスタジオのなかで、カラスのジョーと住んでいた。

そのうち渡辺氏は根津の道楽に気がついた。

いま帝映の看板スターになっている町田容子は、根津の昔の部下の娘である。根津がつれてきて渡辺氏に推薦したのだ。ちかごろ特異なマスクで売り出した青柳輝も、根津が新宿の飲み屋で発見してつれてきたのだ。流しのギター弾きだった。三人目が榎本謙作だ。

それについて渡辺氏はこう考えている。

根津はおそらくじぶんの人生について絶望しているのであろう。その代わり若い有望な新人を発掘し、そのひとたちの育ってゆくのを見守ることによって、せめてもの喜びとしているのであろうと。

今春、根津は小学校を出る由起子を、引きとらねばならぬ羽目になった。そのころ日の出団地が建設途上にあり、公団のおえらがたに渡辺氏の懇意の人物がいた。その口ききで根津は管理人というポストにありついた。

スタジオ内の小屋からジョーとともに団地へ引っ越すと同時に、かれは守衛の職を退いた。そのかわりかれはトウシャ版印刷という仕事をあたえられた。まもなくかれは由起子を手元にひきとった。

こういう経歴のどこにもタンポポのマダムと、クロスするところがあるとは思えなかった。根津がタンポポへ出入りしていたという事実もなかったし、マダムが根津に関心をもっていたという情報もなかった。しぜん根津は捜査当局のリストから脱落していたのである。

その根津を順子が尾行しはじめたということは、彼女がまだ捜査当局に打ち明けてない、なんらかの理由で、根津に疑惑をもっているとしか思えない。まだ若い三浦刑事が胸をおどらせたのもむりはない。

だがその根津にはSデパートの入り口から、まんまと逃げられてしまった。その代わりとして現われたのが岡部泰蔵だ。

三浦刑事はこの偶然に興味をそそられた。順子をつけようか、岡部を追ってみようかと迷っているうちに、かれは順子を見失った。しぜん岡部とその愛らしき同伴者を、尾行する結果になったのであった。

岡部のあとを追って出ようと、テーブルから半分腰をあげていた三浦刑事は、いれちがいに入ってきた根津を見ると、唖然《あぜん》として眼を見張った。あわてて腰を落とすと、首をすくめてメニューをつかんだ。

さいわい入り口で食券を買っていた根津は、気がつかなかった。大衆食堂はいまがいちばん混む時刻だ。

三浦刑事が腕時計に目をやると、時刻は六時四十分。Sデパートの入り口で根津に逃げられたのが四時十分ごろのことだから、あれからちょうど二時間半。根津はその間この付近でなにをしていたのだろうか。池袋駅を中心としてブランクになったこの二時間半内におけるかれの行動が、日の出団地の殺人事件となにか結びついているのであろうか。

食券を買った根津はゆっくりあたりを見まわした。映画館を出て以来、かれの表情に刻まれているいつものきびしさが、いくらか緩和されたようだ。空席を見つけて腰をおろすと、ゆっくり夕刊を出してひらいた。

根津はビフテキでビールを飲んだ。夕刊の第一面に目をさらしながらゆうゆうとしているのが面憎《つらにく》い。ちかごろの新聞の第一面は総選挙の記事でいっぱいだ。

第一面を読んでしまうと、社会面は見出しだけですませて、芸能欄のページを開いた。昼のはしにしぶい微笑がうかんだのは、帝映で撮影中の『波濤の決闘』の記事が出ていたからだ。かれが推せんした榎本謙作の写真と記事がそこに出ている。監督の談として、スマートな人柄とカンのよい演技がほめられていた。

こういうときの根津の顔には、いつもの孤独なきびしさが薄れて、幸福そうな暖かさがそこに見られる。

味わうようにその記事を読んでしまうと、新聞をたたんでポケットへつっこんだ。ビールを一本あけるあいだにビフテキを平らげてしまうと、こんどはカレー・ライスを取り寄せた。三浦刑事はほしくもない、二杯目のコーヒーをかきまわしている。

カレー・ライスのあと根津もコーヒーを注文した。

コーヒーをのみながら、ゆっくりタバコを一本吸いおわると七時半。根津はステッキを取りあげて、ゆうゆうと席を立った。三浦刑事がそのあとを、尾行したことはいうまでもないが、かれはまんまと肩すかしをくった感じだった。

根津は山の手線の渋谷で降りて、そこからバスで日の出団地のじぶんの部屋へまっすぐにかえった。念のために第十八号館の南側へまわってみると、順子の部屋にもあかあかと電気がついていて、テラスへむかったガラス戸のなかのカーテンに女の影が動いていた。

だから、問題は午後四時十分から六時四十分までの、根津の行動にあるのではないか。岡部泰蔵とその愛らしき同伴者白井寿美子が、タクシーを乗り入れたのは原宿の落ちついたお屋敷町だった。

自動車に乗ってからふたりはほとんど口をきかなかった。ふたりともすっかり堅くなっていた。寿美子はときおり不安そうに酒気をおびた岡部の顔色をうかがったが、岡部はなんの説明も加えようとはしなかった。

目的地がちかづくと岡部はポケットから手帳を出して見ながら、目印になる建物を指定した。岡部も今夜がはじめてらしく、求める家はなかなか見つからなかった。

「なんという家なんですか、旦那《だんな》」

「加藤というんだ。加藤という表札があがっているはずだ。友人の家なんだが、ぼくもはじめてだから……」

最後の一句にはいい訳めいたひびきがあった。

「誰かに聞いてみましょうか。もう少しさきへいくと交番があるはずなんですが……」

「いや、交番で聞かんほうがいい。わからなければわからなくてもいいんだから……」

運転手ははじめてこのふたりに注目する気になった。バック・ミラーをのぞいてみると、女はすっかり顔がこわばっている。

「先生……」

と、いいかけて、あわてて、

「あなた」

と、いいなおすと、

「原宿駅まで送ってくださいません？　あまり遅くなると兄が心配しますから」

「君はだまっていたまえ」

岡部はおこったようにきめつけると、そっと女の手をさぐりよせて握った。寿美子は真っ赤になりながらそれでもおずおず握りかえした。

岡部はそれで満足したのか手をはなすと、

「ああ、そこにポストがある。それを左へまがったところじゃないかな、門燈に加藤と書いてあるはずだ」

果たしてポストを曲がったとっつきの家の門燈に、加藤という字がわかりやすく書いてある。

ふたりをおろして立ち去るとき、運転手は家の構えをみて小首をかしげた。平凡なサラリーマンふうの男が女をつれこむには、立派すぎると思ったのだろう。

開けっぴろげた門から玄関まではそうとう遠い。金モクセイのよい香りがただよっている。

「あなた。これ、どういうお家なんですの」

と、寿美子は不安そうに声をふるわせている。

「なあに、ぼくの中学時代の友人の二号の家なんだ」

岡部の声もうわずっていた。

「まあ！」

寿美子は身うちがすくみそうな気がしたが、いっぽうこういう妾宅《しょうたく》を構えている人物を、友人にもつ岡部という男が急にえらくみえてきた。寿美子も善良で単純な中学校の先生なのだ。

「いらっしゃいまし。さきほど立花《たちばな》から電話がございましたのでお待ちしておりました」

長い廊下を曲がりまがって案内されたのは、落ち着いた離れの八畳である。ふたりが立つともなく、坐《すわ》るともなく、まごまごしていると、玄関へ出迎えた女中といれちがいに、顔を出したのが表札に出ている加藤珠江《かとうたまえ》であろう。きものの着こなしの上手《じょうず》な女であった。

「ああ、いや、奥さん、とつぜん参上いたしまして……」

岡部がシャチコ張って挨拶《あいさつ》するのを、女あるじは眼もとで笑いながら、

「あら、まあ、そんな堅苦しいご挨拶はぬきにして、さあさあ、あちらへどうぞ」

床の間を背おうた大きな紫檀《したん》の机の上座《かみざ》へむりやりに岡部を坐らせると、

「そちらさんもこちらへどうぞ。いやですわ。そんなにお堅くおなりあそばしちゃ……」

「白井君、こうなったら仕方がない。君も覚悟をきめてこちらへきたまえ」

そこは男だし、酒の勢いもてつだって、日頃謹直な岡部も床柱を背負って、すっかり大胆になっている。ダルマさんは柔道三段で、柔道部の部長である。

「はあ、あの、それでも……」

障子ぎわで中腰になっている寿美子を、

「さあ、さあ、どうぞ」

押しやるように机の横へ坐らせた珠江が、あらためて岡部に挨拶をしているところを聞くと、たがいに噂《うわさ》は聞いていても、会うのは今夜がはじめてらしい。

「それでお飲み物はなににいたしましょうか。おビール？　日本酒のほうが……？　岡部先生はとてもお強くていらっしゃるとか」

「いや、そのご心配なら無用にしてください。われわれ食事はすませてきたんですから」

「あら、まあ、ひどいわ」

珠江はちょっとにらむまねをすると、

「ようございます。万事こちらにおまかせください。立花にくれぐれも申しつかってるんですから」

机のうえに拭《ぬぐ》いをかけ、お絞《しぼ》りと香ばしい茶をそれぞれにすすめると、珠江は立って縁側へ出たが、

「あの、ちょっと岡部先生」

「はあ……？」

岡部が立って出ていくと、珠江はなにか低い声でささやいていたが、

「とにかくそうなさいまし。先生には立花もいろいろお世話になってるんですし、たまにはご恩返しをさせてくださるものですわ」

さいごの一句は寿美子に聞かせるためらしかった。やがてもとの席へもどってきた岡部はさすがにてれて、寿美子の視線から顔をそむけてギコチなかった。

「岡部先生」

寿美子は眉目《びもく》に危惧《きぐ》の色をふかくして、

「これ、いったいどういうお家なんですの」

「なあに」

岡部はきゅうくつそうに脇息《きょうそく》に身をよせて、

「金儲《かねもう》けするようなやつにゃあ抜け目はないよ。二号をもっても遊ばせちゃおかない。ここ、連れ込み宿というところじゃないか」

「まあ!」

「温泉マークじゃあじけないし、といって堂々とホテルへ連れこむにゃ、気がさすという連中が利用するんだろう。表向きこれふつうの住宅のようだからね」

「先生――」

赤くなるより寿美子はむしろ青くなった。

「困りますわ先生、こんなところへ連れていらしって……学校へしれたらどうしましょう。あたしクビになってしまいますわ」

「だって、君」

岡部は不服そうにあいてを見ながら、

「どうせぼくと結婚すれば学校よすんだろう。共稼ぎはまっぴらだぜ。共稼ぎは亡くなったせんの家内だけでたくさんだ」

昨年の春肺炎で死んだ先妻の梅子、即ち京美の伯母《おば》は岡部より三つ年上で、いま白井寿美子の勤めている中学校の校長だった。あらゆる点で岡部はその細君《さいくん》に頭があがらなかった。だからこんどはうんと年の若い、可愛《かわい》げのある柔順な妻をという希望なのだが、白井寿美子がその望みをみたしてくれそうなので、ダルマさんはいま青春の気にもえているのである。

「そういっていただくのは有難いんですけれど、先生だってこんなことがしれちゃ、学校にいられないんじゃございません？」

「そうだねえ。しれたらただではすむまいね。たとえ結婚するときまっていても」

「そのときはどうなさるおつもり？」

「いやね、立花がまえからすすめてくれてるんだ。学校なんかよしてうちへ来いって」

「まあ」

寿美子があたりを見まわすのは、これだけの妾宅をかまえている、立花とはどういう男なのかと、善良とはいえ女だから、打算がはたらくのである。

「その立花さんてどういうかたでいらっしゃいますの。先生とは中学時代のお友達だとか……？」

「姫路《ひめじ》の中学でぼくの二年後輩なんだが……」

少し暑くなったかして岡部が上衣《うわぎ》をぬぐと、寿美子が立って手伝っているのは、心が落ち着いてきたせいだろう。岡部がえんびをのばして、女を膝《ひざ》に抱こうとしたとき、縁側に二、三人の足音がちかづいてきた。

八寸にこったつき出しが四種類。

刺身。（鯛《たい》と海老《えび》）

鯛のかぶと焼き。

海老のおにがら焼き。

ふろふき大根とがんもどきの付け合わせ。

鯛のおぼろ汁。

とりわけ、大皿からはみ出しそうな、鯛のかぶと焼きがみごとだった。

あやうく、寿美子を抱きそこなって、いささか度をうしなっていた岡部は、ふたりの女中を指図して、珠江が運びこんできた料理を見ると目をまるくして、

「奥さん、こ、こりゃどうしようというんですか」

「まあ、およろしいではございませんか」

と、珠江はてぎわよく皿をならべながら、

「ほんとうなら、順繰りにお運びしなければならないんですけれど、立てこんでおりますから横着させていただきますの。さあ、岡部先生、おひとつどうぞ」

「奥さん、こ、これをわれわれに食えと……？」

「なにもございませんのよ。ほんとに恥ずかしいんですけれど、気は心だとお思いになって。奥さま、あなたさまもおひとつどうぞ」

「あたし、駄目ですわ。お酒など……」

奥さまと呼ばれて真っ赤になった寿美子は、救いを求めるように岡部のほうを見ているが、その岡部はどうやら度胸をきめたらしく、

「いいよ、いいよ、君、盃《さかずき》、いただくだけはいただいときたまえ。だけどこんなにしていただくとわかってたら、ラーメンなど食ってくるんじゃなかったな」

配膳《はいぜん》を手伝っていた女中のひとりが、おもわず吹き出しそうになるのを珠江はやんわりとおさえて、

「そんなにいっていただくほどのもんじゃございませんのよ。立花がいろいろお世話になったことを思えば、万分の一にも当たらないんじゃございません？」

「そうそう、うちの立花というひとはかくのごとく恩義にあついひとでございますということを、奥さんとしちゃみせたいわけだ」

「あら、まあ、よくわかっていただけましたのね。まったくそのとおりでございますのよ、奥さま」

「はあ」

「これ、立花から聞いた話なんですけれど、あのひと、こちらの先生の稚児《ちご》さんだったんですって」

「うわ！　と、とんでもない、そんなこと……」

「でも、立花がそう申しておりましたわ。ずいぶんかわいがっていただいたって」

「そりゃぼくのほうが二年先輩だし、おなじ柔道部に籍をおいていたんですから、多少面倒をみたといえばいえんこともないが、稚児さんだなんて、そんな……なにせ、むこうさんは突貫《とつかん》小僧《ぞう》でしたからね」

「あら、突貫小僧ってなんのことですの？」

「いや、昔そういう漫画があったんですよ。立花君みたいに心臓で、威勢のいい少年を主人公にした連載漫画なんだが、若き日のこちらの旦那《だんな》さんのすることなすことが、その漫画の主人公にそっくりだって、だれいうとなく突貫小僧。だが、その突貫小僧先生、鬼ヶ島ならぬ中近東まで突貫していきよって、金銀サンゴのかわりに、石油をしこたまお持ちかえりあそばした」

　ダルマさんも床柱がようやく板についてきて、感無量という面持《おも》ちである。寿美子は寿美子で石油ということばを聞いたせつな、ハッと顔色にうごくものがあった。

「そのことなんですけれど、先生」

　女中を去らせてひとり残った珠江は、たくみな手つきで酌《しやく》をしながら、

「これはあとでご相談申し上げたいと思ってるんですけれど、さっきも電話で立花に仰せつかりましたの。いちにちも早く色よいご返事をということでした」

「ありがとう。ぼくもなんとかと思ってるんだがなにせぼくじしんが目下宙ぶらりんの状

態だから……」

「だからはやくお決めなさいましよ」

「いや、それについて今夜このひとと談判しようと思ってるんだが……それはそうとさっき電話で聞いたんだが、立花君、こんや関西のほうへたつんですって？」

「選挙運動なんですの」

「立花君、立候補するんですか」

「いえ、それはそうではなく、先生もご存じじゃございません？　やはり兵庫県ご出身で、民々党の代議士をしていらしった一柳忠彦《ひとつやなぎただひこ》先生」

「ああ、そうそう、いちど麻布《あざぶ》の立花君のところでお眼にかかった。あのひとの応援なんですか」

「そうなんですの。東邦石油のことでもいろいろお世話になってるんだそうで、参謀かなんかをおおせつかっているようですわ」

「そいつはたいへんだ……と、いうのはぼくのような朴念仁《ぼくねんじん》のいうことで、立花君ならやるでしょう」

「突貫小僧ですか。ほっほっほ。でも、こんどは一柳先生苦戦じゃないかといってるんですの。そうそう、それで思い出したんですけど、岡部先生は一柳先生の奥さまってかたご存じじゃございません？」

「いいえ。あのひとのうちは神戸でしょう。奥さんにお目にかかったことはないが、どうして？」

「その奥さま、とてもきれいなかただったそうですけれど、なんでも一昨々年の夏、須磨《すま》の沖でヨットが顚覆《てんぷく》して、それっきりおゆくえがわからないんですって。なにしろお亡骸《なきがら》もあがらず、いまもって生死不明ということになってるんですのね、ですからお気の毒に一柳先生、再婚もおできにならないんだそうですの」

「そ、それは……」

岡部はそれがアダ名の由来であるところの、太い眉《まゆ》をつりあげて、

「ありゃたしか死体が見つからん場合、何年かたたなきゃ、死亡と認められないんじゃないんですか」

「そうですって。三年でしたか五年でしたか。……ですからほんとうにお気の毒だと、立花なんかもいっているんですの。そこへいくと岡部先生なんか、いつでもご結婚おできになるんでしょう。さっさと身をお固めになって、立花の力になってくださいましよ。あのひとほんとうに先生を頼りにしてるんですのよ」

「愚直なところがお気に召したかな」

「お堅いってことじゃございません？　立花ってひとやりてではやりてですけれど、ずいぶん抜けたところがございますわね。そこへいくと先生は専門が数学だけにおツムもち密《みつ》にできていらっしゃるって、そういう意味でもご期待申し上げてるんじゃございません？　そうそう、京美ちゃんてかたがいらっしゃるそうですわねえ。亡くなられたせんの奥さま

の姪《めい》ごさんだとか……」

「ああ、立花君はよくしっている」

「そのかたなんかも、麻布の奥さまがお引き取りしてもいいとおっしゃってるとか」

「孝ちゃん……いや、あちらの奥さんもそういってくれるんだがね」

「それをどうして……」

いいかけて珠江は急に気がついたように、

「おや、まあ、あたしとしたことが……先生、そのお話はあとで伺うとして、ちょっと失礼いたします。奥さま、お銚子《ちょうし》ここへおいときますから、ご用があったら、ベルをお押しになって。それではちょっと」

珠江が立っていったあとには、ひょうたんみたいに腹がふくらんで、たっぷり二合は入ろうかと思われる銚子が二本にビールが三本。

岡部はとろんとした眼でそれを見て、

「そんなにゃ飲めやしない。白井君」

「はあ」

「君、どうして箸《はし》をつけないの」

「でも、あたしお腹がいっぱいで……」

「ラーメンなんかよしゃよかったね」

「いやな先生」

「なにが？」

「だってこんなご馳走《ちそう》をまえにおいて、ラーメンのことなんかおっしゃるんですもの。あたし顔から火が出るようでしたわ」

「白井君、君はまた失敬《しっけい》なことをいうんだね」

「あら、どうして？」

「あのラーメンわたしがおごったんだぜ」

「あら、まあ」

思わずぷっと吹きだした寿美子は、

「ごめんなさい、先生」

と、いうのもやっとのくらい笑いころげた。

ここがどういう場所だかしっていながら、寿美子がこんなに笑いころげるというのは、ダルマさんの人柄に心をひかれているからだろう。

寿美子はやっと坐《すわ》りなおすと、いくらかはしゃいだ調子で割り箸をとりあげた。

「あたし頂くわ。頂いてもいいでしょう」

「ああ、食べなさい。食べないとかえって失礼になる。お酒、あげようか」

「いいえ、頂くんならおビールの方がいいの。おビールならコップ一杯位頂けますのよ」

「なあんだ。それならそうとはやくいやあいいのに、ビールこっちへよこしなさい。酌《しゃく》してあげよう」

寿美子はビールの酌をうけながら、

「ねえ、先生」

と、いつか甘えた調子になっている。

「なんだね」

「あたしこうしてご馳走を頂きながら、先生にいろいろおたずねしたいんですけれど」

「ああ、なんなりと聞きたまえ。そのためにここへいっしょにきてもらったんだから」

「さっきお話の出た立花さんてかた、東邦石油の立花隆治《りゅうじ》さんじゃございません？」

「しってたかね、君も？」

「いつか週刊誌で読んだことがございます。でもあのかたと先生とが、そんなにご懇意でいらっしゃるとは存じませんでした」

「家内が死んだときも夫婦できてたんだよ。だけどあのじぶん君とはまだこれほどの間柄じゃなかったからな」

「その立花さんが先生に家へこいとおっしゃるのは東邦石油へという意味なんですの」

「ああ、そう」

「先生、それを断わってらしたんですの」

「まあね」

「どうしてでしょう、東邦石油なら立派なもんじゃございません？」

「そりゃ立派になったからこそ立花もご自慢で、おれに来いというんだろうよ」

「それじゃ先生はなぜお断わりなさいますの。先生はげんざいの職業、教師という職にこのうえもない生き甲斐《がい》をかんじていらっしゃるというわけですの」

「おいおい、からかっちゃいけない。わたしもそれほどのドン・キホーテじゃない」

「じゃ、どうして？」

寿美子は首をかしげて男の顔をのぞきこむ。美人というのではないがそういうシグサにあどけなさがあり新鮮だった。男とは干支《えと》でひとまわりちがっている。

「やはりいってみれば一種のヤキモチというやつかな」

「まあ」

男の顔に眼を走らせた寿美子の額に、急にかすかなかげりが走った。鯛のかぶと焼きをつついていたはしのさきが重くなって、表情も少し堅くなっている。

「それじゃ、先生は立花さんのご成功を嫉妬《しっと》していらっしゃいますの」

「ぼくが？　立花の成功を嫉妬する……？」

ダルマさんが世にも奇怪なことを聞くものかなと、大きな目玉をひんむいたので、寿美子はあわてて、

「あら、だって、いまそうおっしゃったようですけれど……」

「あっはっは」

岡部はビールのコップをとって明るく笑うと、

「君がそんなふうにとったとしたら、ぼくの表現がまずかったんだ。まさかそれほど了見

りレジスタンスなんだ。それも亡くなった梅子にたいするね」

「なるほど、ヤキモチということばはこのさい穏当じゃなかったかな。ヤキモチというよ
「先生、ごめんなさい、でも、今ヤキモチとおっしゃったでしょう。それでつい……」

のせまい男でもないし、だいいちあいてはぼくの稚児《ちご》さんじゃないか」

「まあ!」

「そうだ。このことは君に聞いておいてもらおう。これを聞けばわれわれ夫婦と立花、それに京美との感情的なものが、君にも納得がいくんじゃないかと思うんだが……君も梅子という女はよくしってるはずだね」

「よくといっても、たった半年しかお世話になりませんでしたけれど……」

寿美子が岡部の亡妻が校長をしていた中学校へ、国語の教師として奉職したのは一昨年の二学期のはじめだった。そしてその三学期の途中で梅子は急性肺炎で死亡したのである。

「しかし、まんざらしらぬよりはましだ。つまりぼくはあの女に飼育された男なんだ」

「飼育とおっしゃいますと……?」

「いや、こんなこと自慢にゃならんが、結婚まえのぼくはそうとうの暴れん坊だった。ことに二年おくれて、立花が上京してくると、大学はちがっていたがいっしょに下宿して、しょっちゅうツルんで遊んだものなんだ。ところが、そういうぼくが梅子と結婚すると、がらっと人間がかわってしまった。賢夫人梅子女史がぼくから牙《きば》をぬき、爪《つめ》をはがし、ぼくをすっかり謹直な教師タイプの人間に改造したんだ。なにかそういう力をもっていた女

だったよ、梅子というのは」

返事はしなかったが寿美子も、岡部のいっていることはよくわかるような気がするのだ。

「ところがそうして、じぶんの亭主はすっかり骨抜きにして、デクノ棒に飼育していきながら、立花に対してはぜんぜん風当たりがちがうんだ。あのひとは天衣無縫《てんいむほう》だからとか、奔放不羈《ほんぽうふき》でいらっしゃるとか、立花のやることなら、たいていのことは許されるんだ。女でしくじっても、いかにも隆ちゃんらしいわ、とかなんとかいって、ぼくのお尻をひっぱたいて尻拭《しりぬぐ》いをさせる。それほど立花を愛していながら、房子……というのが京美のおふくろなんだが、立花は房子にそうとう思し召しがあったんだ。しかし、それは許さないんだ。そして、房子はくだらん……まあ、われわれ同様というような男にめあわせて、デクノ棒に飼育していくんだ」

「つまり先生は……亡くなられた先生は、じぶんの親戚《しんせき》は厳格に、かためておかれたかったんでしょうねえ」

「そうなんだ。だけど、それだけじゃさびしいんだね、梅子としても。あの女がそうとう虚栄心の強い、野心家だったってことは君もしってるだろう。だから立花の未来に賭《か》けたんだ。しかし、立花が失敗して不名誉な問題を惹起《じゃっき》したばあい、累《るい》がおのれの身辺にまで及ぶのは困るという考えかたなんだ」

「つまり立花さんをお世話なさるにしても、ある線以上の責任を負うのは困る……」

「それなんだ。それがあんまり露骨で、打算的なんでいやになるんだ。立花のためならなんでもしてやりたい。困ってれば借金を質においてでも助けてやりたい。しかし、そこへ梅子が介在してくるといやになるんだ。立花はぼくより了見がひろいから、そんなことは百も承知で、姉さん、姉さんとあまえていたんだ。だけどおれとしちゃ立花との友情が破壊されそうで、梅子が憎くなってくるんだ」

「立花さんて方、亡くなられた奥さまのこと、姉さんと呼んでいらっしゃいましたの」

「ああ」

「それじゃ、先生のことは……?」

「おれのこと? そうだねえ」

ダルマさんはちょっと小首をかしげたが、急におもてを朱《しゅ》に染めて、いたずらっぽく眼でわらいながら、

「こないだ君のことで相談したんだ。そしたら立花がいったぜ。兄貴、そんなに寿美子さんてひとがいいのなら原宿へつれてって、さっさと夫婦になっちまえって。あっはっは」

口ではかるくいっているが、ダルマさんの視線はくいいるように、寿美子の表情に現われる反応をさぐっている。さすがに寿美子は真赤になって、まぶしそうに男の視線をさけながら、わざとその問題から焦点を外して、

「それじゃ、先生は東邦石油へいらっしゃるおつもりなんですのね」

「いや、その問題はおれがムクれさえしなければ、もっとはやく解決して、とっくの昔にぼくはむこうの人間になってたはずなんだが」

「先生、おムクれなさいましたの」

「ああ、大いにね」

「どうして？」

「だから、さっきいったろう。梅子に対するレジスタンス。つまり梅子の先見の明《めい》が的中して立花が成功した。それはいいが、おたくへ主人を引き取ってちょうだい、引き取りましょうという約束を、ぜんぜんぼくに相談なしに梅子が決めてしまいやがった。それじゃあムクれるじゃないか。いかにデクノ棒でも」

「それじゃ亡くなられた先生のご存命中から、そういうお話がでていたんですのね」

「そうなんだ。それをおれがムクれて、四の五のいってるうちに、とつぜん梅子があんなことになってしまった。その点、ぼくも梅子にすまないと思ってる」

「むこうへいらっしゃれば相当の地位なんでしょう」

「まあ、そうだろうな。悪いようにはしないと立花もいってるくらいだから」

　立花隆治という男が近東から石油をもって帰って業界をあっといわせたのは四、五年まえのことである。以来石油は順調にのびているはずだ。そこの社長とそういう関係にあるとすれば、そうとうの地位がえられるはずである。少なくとも高校の教師よりはよいにちがいない。

　寿美子はうるんだような眼をあげて、

「そうすると、先生もそうとうアマノジャクでいらっしゃるんですのね」

「そういわれても一言もない」

「じゃ、奥さまの一周忌がおすみになると、おうちを引き払ってあの団地へ越していかれたというのも、奥さまにたいするレジスタンスだったんですの」

「そうなんだ」

岡部はわが意をえたりといわんばかりに、

「ぼくとしちゃこのさい、なにもかも新規まきなおしでやりたかったんだ。さいわい君との縁談もうまくいきそうだったし、君としても先妻の思い出があまり色濃くしみついてる家は、いやだろうと思ったもんだからね。だけど、おかげでひどい復仇《ふっきゅう》をされたもんだ」

「てひどい復仇とおっしゃると……？」

「君の兄さんとこへ舞いこんだ怪文書さ。わたしと京美と関係があるという……」

「先生、それじゃ、あの怪文書は誰かの先生に対する復仇だったとおっしゃるんですの」

「いや、いや、ぼくがいま復仇といったのは個人的な意味じゃない。つまり、ぼくが柄にもなく、梅子にたいして謀叛《むほん》気《ぎ》を起こして、団地へ引っ越していった。それを懲罰《ちょうばつ》する意味で、だれかがああいう怪文書を作成した。つまり運命に復仇されたという意なのさ」

寿美子はつめたくこわばった顔をひきしめて、そういう岡部の顔を凝視している。

寿美子もむろん初婚ではない。不幸な結婚に破れて兄のもとへ身をよせている。亡くなった寿美子の父も、兄の直也も、中学校の教師である。寿美子じしん、中学の教師の資格をもっていたので、岡部の亡妻梅子が校長を勤めていた、中学校の教師として奉職した。

梅子の死後、なにかとあとしまつに出入りをしているうちに、岡部との縁談がもちあがったのである。

寿美子の兄の直也もこの縁談に乗り気だった。

ところが梅子の一周忌がすむとまもなく、岡部は京美と日の出団地へ引っ越していった。どういう了見だろうと思っているところへ、舞いこんだのが怪文書である。

新聞雑誌から切り抜いた活字の貼《は》りまぜ手紙で、岡部泰蔵は夫人の死後、夫人の姪といまわしい関係におちいっているが、ご存じかという意味の怪文書だった。

寿美子の兄は謹直で小心な人物である。この悪意にみちた手紙を読むとふるえあがった。寿美子はまさかと思ったが、せっかくいい家をもちながらそれを処分して（もっともその金で手ごろの地所を確保してあり、いつでも新築できるだけの金も用意してあるといっていた）団地のようなところへ、越していった岡部の気持ちがわからなかった。

岡部はむろん八方陳弁これつとめた。しかし、そういう怪文書が舞いこんだということはどうにもまげようのない事実なのだ。岡部はぜんぜん心当たりはないといい張っているが、その手段の陰険さからして、怪文書のぬしは女ではないかと思われ、だれか岡部に強く思いをよせている女がいるのではないかと、寿美子の危惧《きぐ》したのはその点だった。

しぜん、この縁談はデッド・ロックへ乗りあげたまま、今日に及んでいるのである。

「先生。その怪文書のことですの、先生にお訊《たず》ねしたいと思っているのは……」

「どういうこと？」

「きのうの新聞に出てましたわね。日の出団地にいま、怪文書が横行しており、それがこないだのデザイナー殺しに、なにか関係があるんじゃないかってことが……あれ、なにか、兄のところへ舞いこんだ怪文書と、関係があるんでしょうか」

「いや、じつはそのことなんだよ、白井君、ぼくが急に君に会いたくなったのは……九月の下旬に、京美が服毒自殺を企てたことは君もしってるね」

「はあ」

「あのとき君や、君の兄さんはだいぶんぼくを疑っていたようだが、ぼくには京美の自殺の原因が、ぜんぜんわかっていなかったんだ。京美を発見し助けてくれた順子という女や、根津という管理人に尋ねても、遺書らしいものはなかったというんだね。だから、京美がなぜ自殺を企てたかということは、ぼくにとっちゃ悩みの種だったんだ。ところがこんど殺人事件が起こって、それがわかったんだよ」

寿美子は無言のまま岡部の顔を見守っている。いつかきびしい眼つきになっていた。

「管理人たちが京美を発見したとき、枕《まくら》もとに、活字を貼りあわせた怪文書が落ちていたというんだ。しかも、内容というのが、君の兄さんとこへ舞いこんだのと同じなんだ」

「まあ！」

「それを管理人がひそかに保管していたんだね。しかしあまりにもいまわしい内容なので、順子という女としめしあわせてだれにも……おれにさえ内緒にしていたんだ。ところが、これは京美に聞いたんだが、順子という女のところへも、おなじ手法の怪文書がまいこんだらしい。順子君夫婦はその怪文書のぬしを、あのタンポポのマダムじゃないかと疑った。そこで亭主の須藤があの晩タンポポへどなりこんでいって、それきりゆくえ不明になってるんだ。そういうわけでこれも参考になりゃしないかと、管理人の根津という男が、保管しておいた怪文書を警察へ提出した。それを読まされてぼくははじめて、京美が自殺を企てた原因をしったんだが、その怪文書のえげつないったらないんだ」

「えげつないとおっしゃいますと……?」

「君の兄さんのところへ舞いこんだのは、ただぼくと京美と関係があるから気をつけろと、内容はともかくとして、文章はごくふつうの調子だったね。ところが京美を自殺においやったその怪文書ときたら、レディース・エンド・ジェントルメンで始まっていて、おひゃらかしてるというか、茶化してるというか、ふざけきった文章で、しかも、さいごはこう結んであるんだ。もしこれを偽《いつわ》りと思われるなら、医師に乞《こ》うて京美の君の処女膜を調べさせたまえ、あなかしこ、あなかしこ……」

「まあ」

　寿美子はあきれたように岡部の顔を見ていたが、やがてしぼり出すような声で、

「だけど、それ、いったい、だれなんでしょう。罪ないたずらをするというのは……?」

「それなんだよ、白井君、こんや君と話しあいたいと思っているのは、日の出団地にはいま他人を中傷し、おとしいれ、その幸福を破壊して悦《えつ》に入ってる悪魔のような人物がいるとしか思えない」

「まあ！」

「こういうと、ウヌボレているといわれるかもしれんが、君の心がぼくに傾いていてくれるということは、ぼくにもわかるような気がするんだ。それにもかかわらずこの縁談、君が急に煮え切らなくなったというのは、あきらかにあの怪文書のせいだね。と、いって君はかならずしも、ぼくと京美のなかを疑ってるんじゃないと思う。ただ、ああいう怪しからん密告状をよこした人物、そいつにたいして、君は不安をかんじてるんだと思う。ぼくにかくし女かなんかがあって、そいつがふたりのなかを離間しようとしているんじゃないか……と、そういうように誤解して、君はぼくを警戒し、敬遠しはじめたんだ。そうじゃないの、白井君」

「はあ、あの、すみません。でも、そうとしか思えなかったんですもの」

寿美子はおどおどして汗ばんでいる。

「じゃ、こんどの場合はどう説明するんだ」

「先生はそれをどういうふうに、考えていらっしゃいますの」

「だから、さっきもいったとおりいま日の出団地には、他人の幸福を破壊することをもって、無上の喜びとしている、悪魔のような人物がいるとしか思えない。さっき須藤夫婦のところへも、怪文書がまいこんだといったね」

「はあ」

「その怪文書も、やっぱり夫婦のなかを、離間するような種類のものだったらしいんだ」

「先生、あたしなんだかこわくなってまいりました」

「そうだ、こわい話だ。だけど、ある意味からいうとこんどのことは、ぼくにとっては仕合わせだったと思っている。これで君にもぼくにほかに女があって、その女があんな陰険な画策をたくらんだんじゃないってことがわかってくれたと思う」

「はあ」

寿美子は小さく肩をすぼめてうなずいた。

「わかってくれてありがとう。それについて君にひとつ相談があるんだが……」

「相談とおっしゃいますと……?」

「いや、こんどの事件が起こって、京美が自殺を企てた原因をはじめてしったとき、ぼくがどんなに驚いたか、君にも想像できるだろう」

「それはもう……」

「そのときぼくはのどのところまで、かつておたくへ舞いこんだ、あの怪文書のことが出かかったんだ。それをやっとの思いでのみこんだというのは、君たちをこんな事件にまきこんじゃすまないと思ったからだ」

「はあ、ありがとうございます」

「だけど、それにも限度があると、きのう新聞を読んだとき思いはじめた。あの団地にそんなに怪文書が横行しているとすれば、まずその根元を突かねばならぬ。それにはおたくへいった怪文書のことも、打ち明けたらどうかと思うんだが、兄さんはどういうだろう」

「それは……先生や京美ちゃんさえよろしかったら、兄は別に……あたしは構いません」

「あれ、いつごろのことだったかね、君のところへあの怪文書が舞いこんだのは？」

「先生があそこへ引っ越されたのは、たしか五月八日でしたわね」

「そう、日曜日で君も手伝いにきてくれた」

「あれから十日ほどたってからでしたから、五月二十日ごろのことじゃないでしょうか」

「あの怪文書、兄さん、どうしたろう。破りすててしまったろうか」

「あたしはいちど見たきりですけれど、ああいう用心深いひとですから、ひょっとすると、いまでも保存してるかもしれませんわね」

「それだと有難いんだが」

「そのへんは万事、先生におまかせいたしますけれど、あのことがわかれば、捜査の範囲がそうとう狭くなるんじゃございません？」

「ぼくもそう思う」

ふたりはそこで無言のまま、しばらく視線と視線をからみあわせていたが、

「ときに……」

よほどたってから岡部がのどのおくに魚の骨でもひっかかったような声をだして、

「さっきいった立花の忠告はどうしてくれるんだ。ここで夫婦になっちまえという……」

「先生……」

寿美子はもえるようなほおをして、それでも素直に立ってみずから岡部のひざへいった。

第九章　どん栗ころころ

団地居住者の実態調査報告書というようなものによると、そこに住むひとびとの就寝時間は平均夜の十時とある。と、いうことは、人間の睡眠時間を八時間として、起床時刻は午前六時ということだろう。

団地の居住者はおおむね、都心への通勤者によってしめられているのだから、ちかごろの交通地獄を見越すとすれば、その時間に起きなければ、出勤時間にまにあわないということである。

だから平日の午前七時から八時といえば、日の出団地のメーン・ストリートはいんしんをきわめる。通勤者、あるいは通学者がありの行列のようにつづくのである。なかにはよく寝たりて英気さっそうたるものもいるが、大半は睡眠不足の眼をショボつかせて、いったいこの世になんの楽しみがあろうかという顔色である。

だが、これは平日のことであって、日曜日ともなればがらりその様相が一変することはいうまでもない。

日曜日の午前七時前後といえば、日の出団地のメーン・ストリートは閑散をきわめている。日曜日の朝のその時刻には旦那《だんな》さまがたは、きょうが書き入れどきとばかりに、快い熟睡のさいちゅうなのがふつうである。

だが、なかには例外もある。経堂にある映画館、極楽キネマの支配人をしているタマキの父の宮本寅吉《みやもととらきち》のごときは、日曜日の朝のほうがふだんより出勤が早い。ジャリを目当ての早朝興行が午前九時からはじまるせいである。

「阿房《あほ》んだらめが！　亭主の苦労もしりくさらんで……」

寅吉はさっきからしきりにぶつくさ毒づきながら、薄暗いリビング・キチンで朝食をとのえている。

大阪うまれの寅吉は食い意地が張っていて、朝からあたたかい米の飯をたらふく食べなければ食べたような気がしない。しかし、ちかごろは夫婦のなかがあれているので、妻の加奈子《かなこ》は眼がさめていてもふてくされて起きてくれない。

もっとも寅吉と夫婦になるまで大阪の道頓堀《どうとんぼり》でカフェーの女給《じょきゅう》をしていたという加奈子は、料理などいたってふえてで、ちかごろはとかくインスタント料理でお茶をにごそうとする傾向がある。寅吉はそれが不平でみずから庖丁《ほうちょう》をとって台所に立つことも珍しくなく、こと食べ物に関するかぎりいたってこまめな男である。冬場などときどきフグを買ってきてみずから料理して舌ツヅミをうっているが、これには加奈子もタマキもへきえきして手を出さない。しかし、いまだかつて当たったことがないというのが寅吉のご自慢である。もっともいちど当たっていればおだぶつかもしれないのだが……。

ガラス戸にはまだカーテンを引いたままなので、リビング・キチンは薄暗い。しかし、食べ物以外のことにはいたってシマリ屋にできている寅吉は、電気をつけるのが惜しいらしく、その薄暗がりのなかで衝立《ついた》てというアダ名のある体をこまめに動かしている。衝立てとは身長一メートル六〇にもたりないのに、六〇キロはかるくオーバーするという体重からでもわかるとおり、縦よりも横に広いという体つきからきている。着るものは着倒れというほどではないにしても、わりにきれいずきとみえ、浴衣《ゆかた》のうえに重ねた黄八丈《きはちじょう》のどてらも小ザッパリしている。それにしても、左の頰《ほお》にミミズばれの跡がなまなましいのはどうしたことか。

「タマキ、タマキ、ええかげんに起きさらさんかい。この極道《ごくどう》もんがいつまで寝てけつかんねん」

口ではぶつくさいっているものの、タマキを起こして、手伝わせようというハラはないらしい。なんとなく淋《さび》しいので、三味線《しゃみせん》をひいているだけなのだ。あまり女に手を広げすぎたのが原因で、上野から経堂へ左遷されて以来、亭主のこけんもおやじの権威も地に落ちてしまったことを、寅吉も悲しく認めずにはいられない。

それ以来つづいた夫婦間の冷戦が、さいきん火を噴いたというのは、毒矢のような怪文書のせいである。

寅吉が怪文書を受け取ったのは先週の火曜日、すなわち十月二十五日のことである。宛《あ》て名が経堂の極楽キネマ気づけになっていたのは、加奈子に発見されて破り棄てられないための、悪魔のような密告者の悪がしこい用心からであったろう。

この怪文書も捜査当局によって調査されたが、投函《とうかん》されたのは十月十四日になっている。投函されてから配達されるまで、おなじ世田谷区内で十日以上もかかったのは、ちかごろ流行の遅配のせいらしかった。

殺人が行なわれたのは十月十日の晩である。発見されたのがその翌日の十一日。それからなか二日おいて、悪魔のような密告者は、またぞろ、こりずまに悪意にみちた怪文書の矢を、たぶんに色好みではあるが、根はいたってお人好しであるところの、この映画館の支配人にむけてぶっ放したのであった。

十月二十五日の午前十一時ごろ、宮本寅吉は極楽キネマ支配人室で、なにげなく、問題の封筒に鋏《はさみ》をいれた。なかから出てきた活字の文字の貼《は》りまぜ手紙をみると、おもわず大きく眼を見張った。

便箋《びんせん》がヘラヘラ波打っているうえに、大小不揃《ふぞろ》いの活字の貼りまぜ手紙は読みにくかった。それをやっと読みくだしたとき、お盆のような寅吉の顔は真っ赤になった。

寅吉はいそいでポケットからプラスチックの容器を取り出し、銀色の丸薬をひとつまみ、つまみ出して口のなかへ放りこんだ。かれは昔から清涼剤の愛用者なのである。清涼剤の力をかりてやっと心を落ちつけると、かれはもういちど怪文書に眼をとおした。

読めば読むほど、煮えたぎる怒りが腹の底からつきあげてきた。怪文書をポケットにねじこむと、寅吉はものもいわずに極楽キネマをとびだした。ケチンボのかれに似合わずタクシーを奮発した。

日の出団地第十五号館、一五一八号室のリビング・キチンでは、加奈子とタマキが、差しむかいで昼食のテーブルについていた。良人《おっと》の権幕《けんまく》におどろいて、立ちあがる加奈子の横《よこ》っ面《つら》に、寅吉の平手打ちが炸裂《さくれつ》した。

それからどのようなハナバナしい闘争が展開されたか、その詳細をいちいちここで描写するまでもあるまい。ふたりとも興奮すると大阪弁がまる出しになる。大阪弁のもつ庶民《しょみん》性と、誇張性が、この夫婦ゲンカのハナバナしさに、錦上《きんじょう》さらに花をそえるのが趣《おもむき》があった。

「アホ、わけもいわずになにしやはんねん」

「なにもへったくれもあるか。われよくもおれの顔に泥をぬりくさったな」

「なんや、なんや、なんでわてがあんたの顔に泥をぬったんや」

「まだ、あないなことぬかしてけつかるのんか。われ水島とはただファンの関係や、少女時代からあいつの絵のファンやったさかい、それでつきおうとるだけや。べつにイヤらしいことあらへん。きれいなつきあいやいうとったやろがな」

「そら、いうた、また、それにちがいおまへんやないか」

「われまだ、そないなことというてけつかんのか、ええ、こないしたる、こないしたる！」

「ヒーッ、人殺しや！」

夫婦ゲンカの場合、亭主を狼《おおかみ》とすると女房はさしずめ猫属だろう。狼は牙《きば》しかもっていないが、猫属は牙のほかに爪《つめ》という武器をもっている。

「わっ！　こいつ！」

食卓のうえに加奈子を仰向けに押し倒し、髪の毛をひっつかんで小突きまわしていた寅吉は、とつぜん左の頰《ほ》っぺたに、猛烈な疼痛《とうつう》をおぼえて、思わずうしろにたじろいだ。寅吉の左の頰から血が吹き出している。

「ようし、こうなったら堪忍《かんにん》でけへん。殺したる！　殺したる！」

左手で血の滴る頰をおさえた寅吉は、血走った眼でリビング・キチンを見まわした。台所のことだから刃物にことかかない。寅吉は刺身庖丁《ぼうちょう》を手にとりあげた。

「あら、あんた、わてをほんまに殺す気か」

「殺さいでかい、おまえみたいなアバズレ女、この世に生かしておけんわい」

「あれえ、助けてえ！」

夫婦ゲンカは毎度のことだが、きょうの良人はいつもとちがっている。

「パパ、よして、よしてえ。なんぼなんでもオーバーよ」

テラスに難をさけていたタマキも、父の顔色がいつもとちがっているのに気がついた。

「ああ、刑事さん、きてえ、パパがママを殺します」

事件以来、日の出団地は警察の監視下に、おかれているといってもよいだろう。二、三の人物には厳重に張り込みがつづけられており、聞き込みなどにも抜かりはなかった。そして、そのことがタマキの両親の夫婦ゲンカに終止符をうつことになったのである。

タマキの声に志村刑事が駆けつけてきたとき、もうハナバナしい闘争はおわって、まだにらみ合いはつづいているものの、いささか手持ちぶさたそうであった。タマキの叫んだ刑事さんのひと声がきいたのである。

「や！　これはどうした。大将、だいぶ派手にやったらしいじゃないか」

「パパ、じっとしてて。いま赤チンをつけたげる」

刑事の出現に安心してタマキもテラスから入ってきた。

「いらん、いらん、そんなもの」

「ダメよ、ダメよ、傷口からバイキンが入ったらどうするの」

「大将、こりゃタマキちゃんのいうとおりだ。痩《や》せがまんはよして手当てをしときなさい。あたら色男が台なしだ。だけど、奥さん」

「はあ」

加奈子はリビング・キチンの片隅で、骨を抜かれたようにがっくりしている。

「こりゃいったいどうしたことですか」

「どうしたもこうしたもございませんのよ。帰ってくるとものもいわずにあたしを殴りにかかりましたの。まったく、気が狂っている」

「なにを、このアマ！」

「まあ、まあ、大将、暴力はいかん、暴力は。いったいどうしたというんだい」

「どうもこうもおまへん。刑事さん、だれかてこないな手紙受取ったら腹が立ちますやろ」

ポケットからわしづかみに取り出した封筒の表書きを見て、志村刑事の瞳《ひとみ》が光った。

志村刑事が四度目（一度はほんの断片だったが）に読んだ怪文書はつぎのとおりだ。

東西、東西

町内でしらぬは亭主ばかりなりと申しますが、当日の出団地第十五号館にお住まいの宮本寅吉さんの令《れい》夫人、加奈子の君と申さるる肉体美人は、若きころより水島浩三画伯のファンにておわしませしが、この団地にて近づきになられたが百年目。センセ、センセと鼻を鳴らしてファン振りを発揮なされしうちはまだよかったが、水島先生というのがとんだ曲者《くせもの》。昔よりやれ色魔《しきま》よ、ドン・ファンよと悪名高かりしご仁《じん》故、なんじょうもってただではすまんや。肉体美をモデルにするとて、アパートの一室を閉めきり給いて裸にいたし、眼の保養をしているうちはまだよかったが、ついに今月十日の夜、某所において抱き合いたまい、たがいに火ともえ艶情《えんじょう》の限りをつくされしとか。いったいどこで逢《あ》い給いしか、おふたかたよりきき給えとしかいう。

志村刑事は読みおわると、封筒の消印を調べてみた。おやというふうに眉《まゆ》をひそめて、

「大将、君はいつこの手紙を受け取ったんだね」

「いつってきょうですよ、ついさっき……」

落ち着いてくると、寅吉も東京弁が使えるのだ。

「冗談じゃない、消印でみるとこの手紙十四日に投函《とうかん》されてるぜ。きょうは二十五日じゃないか。十日以上もかかるなんて……」

「なんですって？」

と、寅吉も消印をのぞいてみて、

「こらおかしい。だけど刑事さん、こりゃたしかにきょう配達されたんですよ。なんならうちの事務員にきいてみてください」

「そうすると、ちかごろはやりの遅配というやつかな。ときに、大将、奥さんこの手紙のことご存じかな」

「いいや、まだ。なにせ腹が立って、腹が立ってたまらんもんだすさかい……」

「ものもいわずにぶん殴ったか。それじゃ君が悪い。ミミズ腫《ば》れも自業自得というところだ。奥さん、これ、読んでごらんなさい」

大柄な加奈子はいまの格闘でできた綻《ほころ》びを気にしながら、それでも刑事から怪文書を受け取ると、無言のまま読みくだしたが、

「あんたア！」

と、金切り声とともに凶暴な眼をあげて、

「こんなアホなことが……」

「なにがアホや。そんならわれはそこに書いたること、みんな嘘《うそ》やいいよるのんかい」

「嘘も、嘘も、大嘘やわ」

加奈子はもういちど怪文書に眼をおとして、

「今月十日いうたら、タンポポのマダムの殺された晩だすなあ。あの晩ならお峰さんとふ

たりで、新橋演舞場《しんばしえんぶじょう》へいってたいうたやありませんか」

「あっはっは、こりゃ大将、あんたの負けだ。十日の晩の水島先生の行動なら、こちらでちゃんと調べてある。奥さんと密会してたというような線は、幸か不幸か出ておらんようだね」

「あの晩、水島先生はどこにいたんですの」

父の顔に繃帯《ほうたい》をしてやりながら、挑《いど》むような眼を刑事にむけたのはタマキである。

「あの晩水島先生は挿絵《さしえ》画家の会があって、虎《とら》の門《もん》の紅葉館という料理屋にいたんだ」

「刑事さん、それ、ほんとうのこと？」

タマキは母の手から怪文書をひったくると、それに眼をとおしながら、食いさがるような調子である。

「どうしてだい？　タマキちゃんはこの怪文書のいうことを、ほんとだと思ってるのかい」

「ううん、そうじゃないけど、水島先生、タンポポのマダムに熱心だったでしょ。アリバイが気になんのよ」

「ああ、そうか。だけどそれまちがいないよ。挿絵画家連盟というのがあって、水島先生は幹事なんだ。あの晩、会員のひとりが画集を出したので、出版記念会というのが紅葉館でひらかれたんだ。会は六時半ごろはじまって十時にはおわったが、水島先生は、他の幹事三人と銀座へ出て、十二時ごろまで飲んでまわってる。かえりは新宿から小田急を利用しているが、S駅までは連れがあった。その連れのいうところによると、水島先生がS駅で下車したのは、十二時五十分ごろだというんだ。どうだい、タマキちゃん、それでもまだ不十分かい」

「ううん、それならいいわ」

タマキは怪文書を志村刑事につきかえしたが、内心は承服したわけではなかった。警察で調べたのは、タンポポのマダムが殺害された十時前後を中心とした時間のアリバイだろう。なるほどその時間に関する限り、アリバイはあるのだろうけれど、怪文書の指摘している件はどうだろう。

虎の門といえば新橋のちかくである。三十分くらい抜け出しても、気づかれずにすんだかもしれない。演舞場もまた新橋である。しかも加奈子といっしょだったお峰さんというのは、上野で美容院を開いている女だが、加奈子にとってあまりよい友達とはいえない。だいいち演舞場へ芝居を見にいくのなら、じぶんを買収する必要はないではないか。それにあの晩ママはたしかに風呂《ふろ》へ入ってかえってきた。……

お人好しで、ぼんやりしているようでも、こういうことになると頭が働くのは、年頃のせいだろうか。

だが、タマキは出目金《でめきん》のような眼をふせたきり、それを口に出してはいわなかった。タマキに輪をかけて好人物の寅吉はすっかりそれで騙《だま》されてしまった。

「そんなら加奈、だれがこないな手紙よこしよったんや。おまえだれかに怨《うら》みうけるおぼえあるのんか」

「うん、パパ、それならなんでもないのよ」

タマキがすかさず引き取って、

「京美ちゃんや順子ちゃんのところへも、変な手紙がまいこんだらしいのよ。ねえ、刑事さんそうでしょ？」


やっと飯がたきあがった。

大根の千六本と薄揚げのみそ汁。ネギを刻みこんだシラスのおろしあえ。土佐《とき》のかまぼこが六片。神戸の牛肉のつくだ煮がひと皿、生卵が一個、焼ノリに塩こんぶ。

以上がその日曜日、すなわち十月三十日の朝の寅吉の献立である。

寅吉にとっては、ちかごろとかく面白くないことがつづくのだが、しかしそれらの不祥事も、かれの食欲を減殺するまでにはいたらないらしい。どんぶりみたいな大きな茶碗《ちゃわん》に、山盛りに飯をよそうと、みそ汁を何杯かかえて、寅吉はおう盛な食欲をみたしはじめた。

そばにおいた腕時計は八時半を示している。

支配人とはいえ、開館までに顔を出さねばならぬということはないが、いちど、左遷のウキメをみている寅吉は、どうしてももういちど這《は》いあがりたかった。都心のよりよい館へうつりたかった。それにはいま勤めている極楽キネマで、少しでもよい成績をあげなければ。……

寅吉はわざと茶碗をガチャつかせたり、せき払いしたりするのだが、六畳も四畳半も森《しん》閑《かん》として、反応を示さない。妻と娘のふたりがふたりとも、寝入っているはずはないのだから、いまさらのごとく寅吉は、おのれの軽率のむくいを痛感せずにはいられなかった。たっぷりと三杯飯をたいらげると、食いちらかされた食卓はそのままにして、寅吉は妻の寝ている薄暗い六畳へ入っていった。

「加奈、後片づけはわれに頼むぜえ」

洋服に着かえようとして声をかけたが、加奈子は掛蒲団《かけぶとん》に顔を埋めたきり返事もしない。薄暗い部屋のなかに、こんもり盛りあがっている夜具の形と、その夜具のなかの体温の連想が、ぼつ然として寅吉の本能をかき立てた。

あれ以来背中合わせのふたりなのである。

「あほう!」

「ええやんか、ええやんか」

「そやかて隣でタマキがきいてまっしゃないか」

「そやさかい、キスだけや、キスだけや」

「朝は口が臭おますさかい気イひける」

「これ嚙《か》みいな」

と、寅吉は愛用の清涼剤を妻の口にふくませた。

むろんふたりとも頭から掛蒲団をひっかぶって、こういう会話も押し殺したようなヒソヒソ声だが、ふすまひとえのタマキの部屋へは筒抜けにちがいない。とつぜん、がばと隣の部屋で起きなおる気配がすると、しばらくモゾモゾしていたが、やがてドアをあけたてする音もあらあらしく、コンクリートの階段をおりていくサンダルの音があわただしかった。

「なんや、あれ」

掛け蒲団のなかから、むっくり鎌首をもちあげた寅吉の顔は、紅をそそいだようである。

「いわんこっちゃないわ。タマキに聞こえたんやわ」

「ええやんか。あいつ気イきかしよったんや」

「あんたア」

加奈子は良人《おっと》の首に両腕をまきつけると、

「もうええかげんにかんにんしとくれやす」

「なんのこっちゃ」

「あんまりいじめはったらいや!」

「いじめられてんのはこっちゃやないか」

「もうそないなこと、いわんといておくれやす。わてなあ、あんたに、あやまらんならんことおますのん」

「ええやんか、そないこと。それよりもっと……」

「あんたア、ちょっと待ってえ」

加奈子は良人の手をおさえて、

「わて、あんたに告白聞いてもらわんなりまへん。それからにしておくれやす」

「告白いうて……？」

寅吉はギョッとして妻の顔をのぞきこんで、

「水島のことか」

「わてなあ、あほうだすよって、すんでのことにあのひとと間違い起こすとこだしたん」

「すんでのことちゅうと、ほんならまだ間違い起こってえへなんだんかい」

「いややわあ。あんたア。ほんならもう間違い起こってた思てはったんですか」

「わっ、痛ッ、なにさらしよんねん」

「そやかて、あんまり憎い口やもん」

「ほんならおまえ潔白いうねんな」

「潔白ですみましたん。いまから思たらゾッとする。そやけど、いったい、だれが、わてを助けてくれはったと思わります」

「だれや」

「どん栗《ぐり》さん」

「どん栗さんてどなたのこっちゃ」

「あんた知らはらしまへなんだん。いまゆくえ不明になったはる須藤さんの旦那《だんな》さん」

「なんやてえ」

「あのひとコロコロ太ってはりまっしゃろ。そやさかいどん栗さんいうアダ名がおますのん。タマキやなんか、いつもどん栗のおじさまいうて呼んでましたのん」

「そやけど、そいつやったら、タンポポのマダム殺しの重要な容疑者になってる男やないか」

「さよだす、さよだす」

「加奈、われその男に救われたちゅうて、それどがいな意味や」

「それはこうだすのん。まあ聞いとくれやす」

加奈子は良人の厚い胸にピッタリと頰《ほお》をよせて、

「あの晩、わてお峰さんと新橋演舞場へいきましたやろ。それみんな水島の差し金だすのん。途中で劇場ぬけだして、烏森《からすもり》の田村ちゅううちへ来いいいますのん」

「烏森ちゅうたら、虎の門のすぐ近くやな」

「さよだす。さよだす。時刻は八時。八時きっかりに来いいうて、田村いう家の詳しい地図から、電話番号まで書いてくれたんです」

「ふむ、ふむ、それで……？」

「わて七時半ごろにこっそり演舞場抜け出しましたん。演舞場いま新派《しんぱ》で花柳《はなやぎ》と水谷《みずたに》の『絵島』の途中でしたけど、気分が悪いさかい廊下で休んでくるいうてお峰さんだましましたんです」

「なんや、お峰もぐるやなかったんか」

「あないなひと信用でけしまへんわ。それに敵をあざむかんとすればまず味方よりやと水島がいいますのん」

「悪がしこいやっちゃなあ、水島いうやつは」

「ほんまにそうだす。そやけどわてあほやさかい、あいつのいうままになっとりましたん。そいで七時半ごろ演舞場を出て、タクシー拾お思うても拾われしまへん。たまにつかまえても烏森ちゅうたら、みんな逃げてしまいますのん」

「そらそうやろ。演舞場から烏森ちゅうたらあんまり近過ぎるもんな」

「そうだっしゃろ。こっちゃは気がせいてますわなあ。小走りに走るようにして銀座まで出てしまいましたん。そしたら山葉《やまは》ホールのまえあたりだした。だしぬけに奥さん、奥さんいうて声かけられましたん」

「だれや、それ？」

「それがどん栗さんやおまへんか」

「なんや、須藤達雄ちゅう男か」

「あんたア」

加奈子はあまえるように、良人《おっと》の足に、自分から自分の足をからませながら、

「その時のわての気持ちよう聞いておくれやすな」

「ふむ、ふむ、そら、聞かせてもらお」

「わてなア、あんたに反逆してあげよ思てましたんよ。あんたがあんまり浮気しやはるもんやさかい、わてかてかまへん、水島の誘惑にのったろ思てましてん。そやさかい、あの

とき須藤さんに会わなんだら、わて烏森へいてまっしゃろ。田村いう家がどないな家かしりまへんけど、そこへいて水島に会うたら、二度とあんたに顔向けでけん体になってしもたやろ思てまんねん。そやさかいにあそこで須藤さんに会うたいうことは、ほんまに神さんのお恵みや思てますのん。そやけどそのときはゾーッとしましたんよ。わてに声かけたんがおなじ団地の住人やとわかったときには……」

「そらそうやろ。せっかく企んだ演舞場のアリバイが台なしになりよったんやさかいな」

「そやけどなあ、あんた、わてかて良心いうもんおまっせ。あんたに反逆してあげよ気持ちの反面、悪い、悪い、でけたらやめたいいう気イも強おましたんよ」

「なんや、ほんならおまえが水島と会う約束したんは、あの男が恋しいいうのんとちごうとったんかいな」

「あほらしい、なんぼわてがあほな女やかて、小娘やあるまいし、あないなキザなやつ！」

「ほんならわいに対する面当《つらあ》て……ただそれだけで浮気する気でいくさったんやな」

「そらそうやわ、あんたア」

加奈子は鼻声を出すタイミングも鮮《あざや》かに、いよいよ良人の体にからみつきながら、

「そのことようおぼえといておくれやすや。こんどあんたが浮気しやはったら、そのときこそわてなにをしでかすかわからしまへん」

「わっ、怖いことといいよる」

だが寅吉はまんざらではなかった。内心大いにご満悦で、肉づきのよい加奈子の体を愛《あい》

撫《ぶ》しながら、

「加奈、そのときの話もう少し聞かし。須藤とはただ会うただけのことか。それともなにか話したんか」

「それだんねん、わてすごく良心にとがめてますのんよ。そのこと警察のひとにかくしてるちゅうことが」

「加奈！」

寅吉はギョッとしたように妻の顔をのぞきこんで、

「そら、どないこっちゃ。須藤いう男、なんぞこんどの事件に関係あるようなことといよったんか」

「あんた、おとといの新聞に怪文書のことが出てましたやろ。この団地に、けったいな手紙が横行しているいうて。いまから思えば須藤さんがあの晩いやはったん、そのことらしおますのん」

「そうそう、そういえばこないだタマキもいうとったな。順子や京美のとこへも怪文書が舞いこんだいうて。順子いうのんが須藤のおかみさんやろ」

「さいだす、さいだす。あんたその話もう少しくわしゅう聞いておくれやす。そしたらわてがこわうて、浮気なんかでけんようになってしもうたいうわけが、ようわからはりまっしゃろ」

「よっしゃ、聞いたる。さあ話し、わいこうしとったるさかいに」

「いややわあ、うっふっふ、あんたもっとまじめに聞いとくれやすな」

「まじめやがな。まじめやさかいにこそこないなことすんねん。さあ、話しいな」

「へえ」

加奈子は息がはずみそうなのをこらえて、

「須藤さんはそのときそうとう酔うてはりましたん。わてこらえらいひとにめっかってしもた思て、挨拶《あいさつ》もそこそこに逃げだそ思たんですけれど、須藤さんわてを放しゃはらしません。ちょっと、ちょっといやはってわてをとうとう喫茶店へ引っ張りこまはってん」

「ちょい待ち」

寅吉はゆたかな妻の肉づきをめでながら、

「逢《あ》い曳《び》きをまえにして、ほかの男に喫茶店へ引っ張りこまれたちゅうことは、そのとき、われはそうとう後悔しとったんとちがうか」

「そらそうだすがな。そやさかいにゾーッとしたいいましたやろ。ここでこのひとにめっかってしもたいうことは、浮気したらいかんいう、神さんの思し召《おぼめ》しやないか思いましたん」

「それ見い、それ見い、そないなもんや」

寅吉は大いに満足して、

「それからどないしたん?」

「ほんで、喫茶店へ入ってなにいい出すことやら思てましたら、あんた、こないなこといいますのよ。奥さん、女房にほかに男があるとわかったとき、亭主たるもん、どんな態度とったらよろしいかいうて」

「なんやてえ。ほんならあのおかみさん、浮気しとんのんかいな」

「そうらしいですのん。しかも、それがだれかの投書でわかったらしいんですのん。そやさかいに、あの団地にはひとの秘密をほじくり出して、そないな中傷の手紙、書くのんを趣味にしてる人間がいるらしい。ぼくはタンポポのマダムが怪しいと思うが、奥さんはどう思うかと聞きやはりますのん」

「ああ、そうか、それであの晩須藤いう男、タンポポへ怒鳴りこんでいきよったんやな」

「たぶんそうやと思います。そやけど、警察では手紙のこと秘密にしてまっしゃろ。そやさかい、新聞読んでも、奥歯にものがはさまったようにしか思えまへんのやわなあ。ところがあんた、その晩わてもっとこわいこと須藤さんに聞いたんですのん」

「もっとこわいことというて、どないなこっちゃ」

「いやなあ。わていちおうマダムのことを弁護してあげたんです。そら人違いでっしゃろ。もしお宅へそんな怪《け》しからん手紙が舞いこんだとしたら、犯人はマダムやのうて、もっとほかにあるのんとちがいますか、いうて意見してあげたんです。うっかりわてがたきつけようもんなら、マダムのとこへ怒鳴りこんでいきかねまじき権幕《けんまく》だしたさかいになあ。ほしたら須藤さんしばらく考えこんではりましたが、急にわての顔をにらむようにして、マダムやないとするともうひとりのやつや。やっぱりあいつかもしれんいやはりますのん」

「あいってだれや」

「わてもそれを聞いたんですねん。そしたらぼくとおなじ階段の三階に住んでる水島いうエカキやないかっと」

「水島が……？」

寅吉の声は思わずうわずった。加奈子を愛撫《あいぶ》していた手を急にやすめて、

「加奈子、須藤がそないにいうのんには、なんぞ根拠でもあってのことか」

と、われしらずことばに力が入った。

「それをわても聞いたんですのん。そしたら須藤さんのいうのんに、あのひと怪文書を読むまえから、順子さんに男があることに気イついてたんですわなあ。その男いうのんがだれか、そこまではいいませなんだが、あるとき順子さんがその男と自動車で横浜へいくのんを、こっそりつけやはったんだすな。ほしたらふたりで横浜のホテルへしけこんだんやっと。須藤さんどないしたろ思て、ホテルのまわりをぐるぐる歩いてはって、そこで水島の姿を見かけたんやそうですのん」

「水島も、須藤のおかみさん、つけたんやろか」

「そらわからんと須藤さんもいやはりますのん。スケッチ・ブックやなんか抱えて、いちおう横浜へスケッチにきたいうような格好しとったそうやし、それに水島のほうが順子さんやなんかより、ひとあしさきにそこへきとったふうやった。しかし、スケッチにきていて偶然順子の姿を見つけよって、あないな投書よこしよったんかもしれん。……」

「それで、おまえどない返事したん」

「どないもこないも、いいようがおまへんやないか。あんたというひとを裏切って、ほかの男に会いにいこいうやさきに、奥さん、女房に男があるとわかったとき、亭主たるもの、どんな態度とったらよろしいか、なんて切り出されてごらんなさい。どんな度胸のええ女でも、たいがいドキンとしてしまいまっせ」

「あっはっは、ええ気味やったな」

と、寅吉はますますご機嫌である。

「ほんまにそうやわあ。あんたになんぼ笑われても、一言もおまへん。それに怪文書の犯人ですけどなあ、マダムと水島を天秤《てんびん》にかけると、わてには水島のほうが臭いんやないかいう気がしましたん」

「なんでやねン。水島いうたらそないな男か」

「そやかて女と逢《あ》い曳《び》きするにもアリバイ作らせる男だっしゃろ。じぶんのほうでもアリバイ作っとったいうことは、こないだまで知りまへんけどなあ。それに水島がタンポポのマダムに、モーションかけてるいうことは、タマキに聞いて知ってましたん。そういう男ですもん、おなじ階段に住んでる順子さんに目えつけんはずがない。それを振られるかなんかしたもんやさかいに、そないな暴露戦術に出よったんやないかっと」

「そういえば、こないだの手紙にも、やれ色魔や、やれドン・ファンやと書いてあったな」

「そうだっしゃろ。そやさかい、わて急に水島いう男がこわなってきましたがな」

「ほんまやな。そやけどわれそのこと、水島のほうが怪しいいうこと須藤に話したんか」

「そんなことといえへんわ、こおうて。それにわてひとに意見でけるような身やおまへん。須藤さんにジロジロ顔を見られたとき、わて穴があったら入りたいような気でしたんよ」

「脛《すね》に傷持つ身イいうやつかいな」

「それだけやおまへんのん。演舞場をぬけだす時のわては水島に会うつもりでしたやろ。会う以上は少しでもむこの気にいってもらわんならん。ところが水島のやつ、いつもわての化粧のしかた古いいいますのん。あの男の趣味やと、まるでパンパンさんみたいな化粧がええいいますのん。わて虫が好かんおもたけど、これもエチケットやおもて、演舞場を出るまえトイレへいて水島好みの化粧したんですのん。須藤さん、まさかそないなことご存じないんだっしゃろけど、顔見られるたびにわて恥ずかしゅうて恥ずかしゅうて、あんた、こんなあほな女やけど堪忍《かんにん》しとくれやす」

「おまえがそないに後悔しとるんなら、わいとしてもいうことあらへん。そいで水島のほうはすっぽかしか」

「それもついでに聞いておくれやす。わていちおうは須藤さんに意見したんです。短気は損気いいますから、よう調べてからにしなさいいうてな。そいで須藤さんに別れたんが八時十五分ごろ。約束の時間とうに過ぎてましたん。そやけどすっぽかしはあんまりや思うて、田村いううちへ電話かけてみましたん」

「水島はきとったか」

「いいえ、むこも抜け目おまへん。じぶんは来ずに二度電話かけてきたそうです。わてが来てたら虎の門から駆け着けてくるつもりやったんだっしゃろ。わて、こらええ都合やおもて、こんやは差し支えがありますから、こんど電話がかかってきたらそういうといてほしいいうて電話を切って、そのまま演舞場へかえったんです」

「それでお峰は気イつかへなんだんか」

「あのひとは芝居いうたら夢中だすさかい、ひとのことなんか眼中にあらしまへん」

「そいで、そのことについてあとで水島、なんにもいわなんだんかいな」

「そらいうつもりだしたやろ。そやけどつぎの日があの騒ぎだっしゃろ。あのひともマダムを取り巻く狼《おおかみ》のひとりとして、そうとう突っ込んだ取り調べうけたらしい。それやこれやで、おたがいに敬遠してしもたんですのん」

「あいつの描いたマダムの似顔絵、あんまり上手《じょうず》やなかったなあ」

「そんなことより、あんた、あの怪文書、だれがよこしたんだっしゃろなあ」

「マダムやないことはたしかやな」

「と、いうて水島であるはずもないし」

「おまえ心当たりないのんか」

「わてずいぶん考えましたんやけれど、なんにも心当たりおまへんのん。だれがあないなことしっとったんか思うとゾーッとしますわ」

「薄気味悪い話になってきよったが、それよりおまえあの晩、須藤に会うたいうこと警察へ届けえでもええのんか。須藤が水島を疑うとったとしたら、あの晩、タンポポから水島のとこへいたかもしれへんやないか」

水島に不利になることなら、寅吉はどんなことでも教唆《きょうさ》するつもりのようである。

「そやかて、わて、警察へいうていくのんなんやいややわ。それであんたに相談してみよ思てましたんやけど、いつか金田一耕助いうひとのこと話しましたなあ」

「順子いう女のしりあいの私立探偵やな」

「私立探偵いうても、警察のひととも関係があるいう話だす。わていちおうそのひとにでも、打ち明けてみよか思てますんやけど、どうだっしゃろ」

「そら、おまえの好きなようにしたらええけんど、あいてが私立探偵やったら、金がかかるのんとちがうか」

「いけまへんやろか」

「構へん、構へん。少々金がかかってもこないなこと、スッキリしといたほうがええで」

水島をやっつけるためなら多少金がかかっても構わないと、寅吉は憎悪をもやしている。

加奈子は加奈子でいまとなっては水島が憎いらしく、

「ほんなら、きょうにでも順子さんに頼んで紹介状書いてもらいまほ。あんた、ほんまに堪忍しとくれやすや」

「そのかわり二度とムホン気起したらあかんぜ。わいかて浮気つつしむさかいな」

「あんた、ほんまだっせ」

「ほんまや、ほんまや」

寅吉はつよく加奈子を抱きよせると、頭からすっぽり掛蒲団をひっかぶった。


「つまらないわ、あたし……」

タマキはそれが口癖の「つまらないわ、あたし」を繰りかえしながら、ションボリと団地の緑地帯を歩いている。久しぶりに父と母とが朝っぱらからゴチャゴチャやりだしたので、たまらなくなって飛び出したものの、さて、いくところのないじぶんに気がついた。

さいしょのつもりでは、おなじ十五号館にいる三太でも引っ張りだそうと思ったのだが、考えてみるときょうは日曜日である。三太の父は公務員だし、弟は中学生である。いまごろはまだ寝ているにちがいない。それでも念のために十五号館の南側を歩いてみたが、三太の部屋のテラスにはまだカーテンがしまっていた。

「つまらないわ、あたし……」

タマキはトボトボと十七号館の南側へまわった。十七号館には京美が伯父の岡部泰蔵と住んでいる。京美の伯父の朝早いことはしっているが、そこへいく気はなかった。京美の伯父のようなひとにむかって、朝早くうちを飛び出さねばならぬ理由などいえたものではない。しかし、京美と同じ階段の一階うえに榎本謙作が母とふたりで住んでいる。謙作の母の民子は小金をもっていて、慰みはんぶんにお茶とお花を教授している。

天気はよかった。第十七号館の南側へまわると、京美の部屋のテラスに、ズボンにシャツ一枚のダルマさんが出ていて、朝日にむかって体操をしていた。

「あら、おじさま、お元気ですのね」

タマキが声をかけると、

「なんだ。タマキちゃんじゃないか。朝っぱらからどこへいくんだい」

「ううん、ただなんとなく。……京美ちゃん、起きてて?」

「いま朝ご飯の支度をしてる。あがって来ない?」

ダルマさんはご機嫌だった。満ち足りた中年男の精力が、泰蔵の顔をかがやかしいものにしていた。

「ありがとう、おじさま、でもいいの、京美ちゃんによろしく」

いきかけると、階段をへだてた四階のテラスから顔を出したのは、思いがけなく由起子だった。

「おはよう、タマキお姉ちゃま」

由起子は袖《そで》のながい着物に帯を胸高にしめている。

「あら、まあ、由起子ちゃん」

タマキはまぶしそうに眼をパチクリさせて、

「あんたそんなに盛装してどこへいくの」

「おばさまに、お茶の会へつれてっていただくのよ」

由起子が両の袂《たもと》をひろげてみせているところへ、パジャマ姿の謙作が歯ブラシをくわえたまま顔を出した。

「タマキ、いまじぶん、なにをふらふらしてんだい」

「うっふっふ」

「なにがうっふっふだい、なにかあったのかい？」

「だっておうちにおれないのよう。なにやかやとゴチャゴチャして……」

「ああ、そうか」

謙作にはそれだけでわかったらしく深刻な顔をして、

「それで飯は？」

「まあだ」

「なんだ、タマキちゃん、朝ご飯も食べずに飛び出してきたのかい？」

泰蔵も眼をまるくして、

「そんならこっちへあがってきなさい。パンでもいっしょに食べよう」

「いいです、いいです、おじさん」

と、謙作は手摺《てす》りから長身をのりだして、斜下《ななめした》のテラスをのぞきこみながら、

「タマキちゃんはぼくがご馳走《ちそう》します。タマキ、おまえ太郎池へいってろよ。おれ、サンドイッチ作って持ってってやる。そうそう、おじさん」

「なんだね、謙ちゃん」

「京美ちゃんもいっしょにいかないかって誘ってみてください」

「あっはっは、朝っぱらからピクニックかい。それもよかろう、京美、こっちへおいで」

京美はこれらの会話を聞いていたにちがいないが、それにしては愛敬《あいきょう》のない顔をテラスに出して、

「どうしたのよう、タマキちゃん、またパパとママがケンカでもしたの？」

と、きめつけるような調子である。

「ううん、ケンカならまだいいんだけど……」

「京美ちゃん、それ以上聞いちゃいけない。それより君、どう？　太郎池のそばへ朝飯食べにいかない？」

「ええ」

京美は煮え切らない調子で、

「伯父さま……？」

「いいよ、いいよ、いっといで。おれのぶんだけこさえといてくれればいい」

「はい、でも榎本さん。あなたきょう撮影があるんじゃない？」

「ぼくの出番は午後からなんだ。そうそう、今夜は太郎池で夜間ロケやるんだ」

「わっ、スゴイ！」

タマキはさっきからのユーウツを、すっかり吹きとばしたような顔色で、

「エノさんも出るの？」

「うん、まあね。そうそう、タマキ、三ちゃんも呼んどけよ。あいつまだ寝てるにちがいない。いっしょにサンドイッチでもパクつこうって」

テラスの下から三太に声をかけておいて、タマキが日の出団地のだらだら坂を降りていくと、だれかが椎《しい》の根元でタバコを吸っていた。管理人の根津だった。

そこだけは夜霧に濡《ぬ》れていない。おまけにうまいぐあいに日が当たっているので、根津は南京袋《ナンキンぶくろ》を敷いて、仰向けにねるような格好で椎の根元にもたれている。口にくわえたピースがまっすぐに天をさしていた。

タマキはよくこういう根津を見ることがあるので、かれがなにをしているのかしっていた。

「おじさま、またジョーの散歩？」

ひとなつっこい彼女は、この孤独な管理人にたいしてもものに怖《お》じしない。あどけなく小首をかしげながら近づいていくと、根津のそばに腰をおろした。

「うん」

根津はちらとタマキのほうを見たきりで、陶然《とうぜん》としてタバコを吹かしている。

「ジョー、どこにいるの？」

「どこかそのへんにいるだろう」

根津は大儀そうな声である。しかし、いつものとげとげしいきびしさはなかった。

「どこかしら？」

タマキがあたりを見まわすと、ジョーは完成まぢかい第二十号館の屋上に黒い点となっていた。

「ああ、あんなところにいるわ。おじさま」

「うん？」

「ジョーはなぜ逃げないの。あんな檻《おり》みたいな箱のなかのほうがいいのかしら」

「ジョーは仲間にあうといじめられるんだ」

「あら、どうして？」

「ジョーはね、人間に飼われてるうちにカラスの仲間からはみ出してしまったんだ。ちょうどおれが人間の仲間からはみ出してしまったようにな」

「あら、おじさま、人間の仲間からはみ出してしまったの？」

「まあね」

「そんなことないわよ、おじさま。エノさんなんかとってもおじさまに感謝してるわよ。おじさまのことをいいひとだといってるわ。おじさま、わかっていないんだわ」

「そうかね」

「そうよ、おじさますねてるのよ」

根津は苦笑をしたきり返事をしない。

「ごめんなさい、よけいなお節介《せっかい》をいって、それはそうとジョー、いつか脚に繃帯《ほうたい》してたことがあったけど、あれ、仲間にいじめられたのかしら」

根津はポイとピースの吸い殻を池のなかへ投げすてると、むっくりと起きなおってタマキを見た。

「タマキちゃんはいまじぶん、こんなところへなにしにきたんだ」

根津のことばはタマキの質問にたいする答えにはなっていない。しかし、そんなことにこだわるようなタマキではない。彼女のことばもまた根津の質問にたいする返事にはならなかった。

「おじさま、由起子ちゃんお茶の会へいくんですって？」

「タマキちゃんはどうしてしっているんだね」

「だって、いま会ってきたんですもん」

「どこで？」

「タマキいま第十七号館のまえ通ってきたのよ。そしたらエノさんの部屋から由起子ちゃんが声をかけたの。お茶の会どこであるの」

「護国寺《ごこくじ》だろう」

由起子のことになるとふしぎに根津は口が重くなる。

「わっ、スゴイ。お茶の会なんて窮屈《きゅうくつ》でたまらないと思うけど、あんなきれいな着物きたひとが集まるなんていいわね。由起子ちゃん、お茶、じょうずなの」

「なあに、なんにもわかりゃしないんだよ」

「そうねえ、まだ子どもだもんねえ。でも、由起子ちゃんかわいいからエノさんとこのおばさま、ご自慢でつれて歩きたいのよ、きっと。ああ、ああ、あたしなんかつまらないわア」

タマキはごろんと仰向けにひっくりかえりかけたが、すぐ気がついたように起き直ると、

「そうそう、おじさまいまタマキがどうしてここへきたのかとたずねてたけど、みんなでここで朝ご飯たべることになってんのよ」

「みんなって？」

「エノさんに三ちゃん、京美ちゃんもくるわ。あたしが朝ご飯も食べずにおうち飛び出したってこと聞いて、エノさんが同情したの。ここへサンドイッチもってきてくれることになってんのよ。あのひと思いやりがあるわね。やっぱり育ちのせいかしら」

そこへいくとあたしなんか……と、いいかけて、さすがにタマキもことばをひかえた。のんきなタマキもちょっと娘らしい悲しみがこみあげそうになったが、わざとケラケラと笑いにまぎらして、

「どうお、おじさま、朝のサンドイッチ会なんてイカスじゃない？　おじさまもいっしょにどうお？」

「ありがとう。だけどじぶんはもう朝飯をくったからな。それじゃ、邪魔にならぬようボツボツかえるとしようか」

根津が鋭く口笛を吹きかしわ手をうつと、カラスのジョーが一直線にまいおりてきた。

カラスのジョーを肩にのせて、根津が左脚をひきずりながら、だらだら坂をのぼっていくのといれちがいに、三太の姿があらわれた。三太は根津をみると、おやというような顔をしたが、すぐ気をとりなおすと、ペコリとお辞儀をしておいて、スタスタこちらへ降りてきた。

「タマキ、オッチャンここでなにしてたんだい？」

三太も池畔《ちはん》の朝飯会とはイカスじゃないかと、心も弾んでいたのだけれど、根津の姿に出鼻《でばな》を叩《たた》かれたかたちになっていた。さっき根津の坐《すわ》っていた南京袋に大きなお尻《しり》をどっかとおろすと、探るようにタマキを見る。

「ジョーに運動させてたのよ。それはそうと」

と、タマキは三太の身辺を見まわして、

「三ちゃん、あんた食べもん持ってこなかった？」

「なんだ、おれも持ってこなきゃいけないのかい？」

「まあ、チャッカリしてんのねえ。じゃ、あんたエノさんや京美ちゃんにオンブするつもり？　いやアな感じ」

「だって、おれ、話のスジがよく通ってねえんだもん。それにだいいちおれんち、まだみんな寝てんもんな」

「三ちゃんち朝寝坊ね。いま何時よ」

「そろそろ九時半だ。だけど日曜日だとおやじ十時まで起きやしねえ。かわいそうだからソーッとしといてやんのさ。日頃の勤勉にめでてな。だけど、タマキ」

三太はちょっと気になるふうで、

「おまえ、オッチャンとなんの話してたのさ」

「べつになんにも……」

タマキはそこでいたずらっぽく笑うと、

「よっぽど三ちゃんの名推理を聞かせてあげようかと思ったんだけどな」

「よせよ、よせよ、そんなこと」

三太はあわてて真赤になった。急激に動くと細いジー・パンツがハチ切れそうだ。

「いいじゃないの、面白いわ、あの話」

「バッカ、ありゃフィクションだといったじゃないか。おまえだれにもあの話しゃべりゃしないだろうな」

「しゃべったっていいじゃないの。あんな名推理おクラにしとくのもったいないわ」

「名推理といやあ」

三太はそこで急に思い出したように、猪首《いくび》の肩を大きくすくめて、

「おれ、いま金田一耕助という男に会ったぜ。あいかわらずモッサリしてやアがんのさ、あいつ」

「あら、三ちゃん、あんたどこであのひとに会ったの？」

「いんまそこでさ。十八号館のほうへいったからどん栗《ぐり》のとこだろう。あいかわらずモッ

サリしてやがんの」

「なにかあったのかしら」

「もうあってもいいじぶんだぜ。あれからもう二十日たつじゃないか」

「金田一耕助ってひとひとり？」

「ああ、ひとりだ。あいかわらずもじゃもじゃ頭をしてヒダのたるんだハカマはいてたぜ。あれがあの男のトレード・マークなんだな」

「ひとりじゃダメね。なにかあったんなら警部さんもいっしょにくるはずよ」

いみじくもタマキのいったとおりである。

順子はきのうデパートから緑ヶ丘荘へ電話をかけた。金田一耕助は留守だった。順子はそれから渋谷へひきかえして、ちょっと高級の中華料理を食べた。日疋からタンマリもらったので、ゼイタクな欲望をおさえきれなかったのだ。七時ごろそこから電話をかけたが、金田一耕助はまだかえっていなかった。今夜の訪問を諦《あきら》めた順子は、至急お目にかかりたい事態がもちあがったからと、管理人に伝言を依頼しておいた。金田一耕助が訪ねてきたとしたら、たぶんそのためだろう。

「それにしても金田一耕助ってひと、ずいぶんはやくきたもんね。いま何時よ」

「だからそろそろ九時半……あっ、いけねえ。もう九時半まわってらあ」

「ああ、ああ、タマキお腹すいたわあ」

「いったいどうしたってえんだ。こんなとこで朝飯食うなんて」

「なんでもいいの。あたしもうダンゼン欠食児童よ。給食班はやく……ああ、来た、来た」

「あっ、ふたりとも大きなバスケットぶらさげてるぜ。あっ、魔法瓶《びん》も、ありがたや、ありがたや」

「さもしいもいいとこねえ、三ちゃんは」

ふたりがいそいそしているところへ、謙作と京美が足ばやにだらだら坂をおりてきた。

「遅くなってごめん、ごめん、タマキ、お腹すいたろう」

「あたしもう気が遠くなりそうよ」

「あっはっはっは、京美ちゃん、さっそく店を開こうじゃないか。三ちゃん、おまえも手伝え」

謙作は小脇にかかえてきたアンペラをそこへ敷こうとして、ふと南京袋に目をとめた。

「あれ、この南京袋どうしたの？」

「ああ、そうそう、管理人のおじさまが忘れてったのよ。それとも気をきかしてわざとおいてってくれたのかしら。あのおじさまおかしいのね。タバコ吸うとき、いつもエントツみたいに突っ立ててるわ」

「エノ、どうしたんだい。なにを、ボンヤリしてんだい」

「いやあ、べつに……」

謙作はなぜか、ちょっと、暗い表情になっていたのを、悪夢でもふり落とすように、首

を強く左右にふると、もちまえの愛敬《あいきょう》のある笑顔を取り戻して、

「それじゃさっそくはじめようじゃないか」

バスケットを開くと、なかからゴム・バンドでとめたビニールのつつみを取り出した。ビニールのなかはサンドイッチがいっぱいである。

「あたしのは見かけ倒し、なかみはほんのちょっぴりよ。話があんまり急なんですもの」

京美もバスケットのなかからサンドイッチのつつみを取り出しながら、

「姫野さん、あんたは……？」

「わっ、それいわれるとヨワイんだ。おれ、タマキの話がよくわからなかったんだもん」

「いいよ、いいよ、どうせてめえはお相伴《しょうばん》だ。つきあってくれりゃそれでいい」

「姫野さんはいつもそうねえ。出すものは出さないで、手を出すほうだけはいちばんなんだから」

「ちっ、頭にきちゃうな。いいや、どうせこちとらは、さもしくお生まれあそばしたんだ」

遠慮なくビニールのつつみをとくと、ハムに野菜に、イクラやいり卵もあるというデラックス版。

「わ、スゲエ、なんといわれても仕方ねえや。おれ、最高に腹へってんだもんな」

両手にサンドイッチをわしづかみにすると、三太はかわるがわる頰張《ほおば》りはじめる。

「タマキ、君も食べなよ」

「ええ、いただくわ、エノさん、ありがと」

「タマキちゃん、あたしのも食べてよ」

「ええ、いまに……だって三ちゃんじゃあるまいし、そういっときにガッツケないわ」

「どうせおれはガッツキさ。じゃ、こんどは京美のをいただき」

「おいおい、そうねじこんでいいのかい。ここに紅茶あるぜ。タマキ、バスケットのなかに砂糖あるだろ」

「だけど、エノ、これいったいどういうんだい。だれがこんな酔狂な考え起こしたんだい」

「まあいいじゃないか。そんなこと」

「タマキちゃんちの家庭の事情よ。よけいなこと聞くもんじゃないの」

「わっ！」

と、三太は猪首《いくび》をすくめて、

「そうか、そうか、ごめん、ごめん。そのおかげでおれまでお相伴にあずかったのか」

日は暖かで、池畔の空気はさわやかである。どこかでモズがけたたましく鳴いているのが、いかにも郊外らしく、すぐそばに何千世帯もの人間を包容する団地があり、人間の愛憎が火花を散らしていようなどとは、思えないくらい静かで、かつ、のどかである。

ゲスの口を封ずるにはなにか食わせておくに限るというが、この場合その格言も当たらなかった。この若いグループは胃の腑《ふ》の欲望を満たすにも忙しかったが、さりとて、その間舌をやすめておくような連中ではない。

アルマイトのコップで紅茶のまわし飲みをしながら、かつパクつきかつしゃべり、いやはやお賑《にぎ》やかなことである。まもなく謙作と京美のもってきたサンドイッチはあらかた片づき、ハム・サンドがひとつだけ残った。

「そうそう、おれ、面白い話を思い出したぜ」

「面白い話ってなんだい」

謙作は満ち足りたように草のうえに長身をのばして、のんきらしく肘枕《ひじまくら》をしている。

「いやね、四、五人でアミダかなんかでスシをとんのよ。そいでみんなでパクつくんだな。で、けっきょくスシがひとつだけ残ったんだ」

「なにが残ったの、マグロ？　コハダ？」

タマキはあどけなく首をかしげている。

「なあに、そんなこたアどうでもいいのさ。四人か五人かでスシつまんでてよ、しかもまだみんな食いてえのに、皿ンなかにスシがひとつになっちまった。そンときだね。そのスシに手を出せる男こそ、この世でもっとも大人物であアるという話なんだがどうだい」

「なあんだ、つまんないの。あたしはまたまじめに聞いていたのよう」

タマキが鼻を鳴らして不平の意を表明した。

「その大人物とは、すなわちわが輩であアると、三ちゃんはいいたいんでしょう」

「ドン・ピシャリ。京美の君ののたもうとおり」

京美の顔色がさっと変わった。眉間《みけん》に稲妻《いなずま》が走って、三太を見る眼に火花が散った。京美の君という表現があのいまわしい怪文書を思い出させ、彼女の心臓に鋭いトゲのように突っ立った。

三太は、しかし、京美のそういう変化に気がついているのかいないのか、残りのサンドイッチを取りあげると、ムシャムシャと頰張っていた。

「あアあ、いい天気だなあ」

謙作はゴロリと仰向けになると、いかにも気持ちよさそうにノビノビと長身をのばした。しかし、いまかれの洩《も》らした詠嘆《えいたん》もいささか取ってつけたようである。

なるほど空は底抜けに晴れている。しかし、その快晴とは反対になにか重っくるしいものが、この若いグループのうえに落ちこんできた。ただあどけないタマキだけがその理由をしっていない。

「それはそうと、エノさん、今夜この太郎池で夜間ロケがあるんですって？」

「うん」

「そいで、三ちゃん出ないの？」

「タマキ、それいわれるとおれヨワイんだ」

「ヨワイってどういうの？」

「だって、おれ、エノのやつにこの池ンなかへ叩《たた》きこまれちゃうんだもんな」

「まあ」

「だけど、三ちゃんよ」

　謙作は仰向けに寝っころがったまま、

「あれ、ちょい役としちゃ儲《もう》け役じゃねえかと思うんだがな」

「ごめん、ごめん、エノ、おれヨワイといったけどさ、なにも不平でいったんじゃねえぜ、おれもチャンスだと思ってる。だけどさ、ここの連中にむかってテレくせえじゃねえかよう」

「あら、まあ、三ちゃん」

　タマキは大きく眼を見張って、

「そんなにいい役がついたの？」

「エノが推センしてくれたんだよ。エノはいまちょい役っていったけど、そんなんじゃねえんだ。終始一貫エノにからむ役で、ほら、内海徹《うつみとおる》さんしってるだろう」

「三枚目の名優ね」

　と、京美もそばで好奇の目を光らせている。

「そうそう、あのひとにふってあったんだけど、内海さん急性盲腸できのうにわかに入院さ。そいでおれならイキがあうだろうってエノが推センしてくれたのさ」

「まあ、三ちゃんたら！」

　タマキは涙がにじむような目をむけて、

「あんた大丈夫？　内海さんにふってあったような役、あんたにできるの？」

「よせやい。そんなことおれの知ったことかい」

「いやね、タマキ」

謙作は寝そべったまま楽しそうに、

「三ちゃんはおれなんかとちがって、三、四年も苦労してきてるんだろう。基礎ができてるんだ。ただこのひとシンゾウみたいにみえて案外そうじゃねえんだな。ひとの世話ばっかりやいてるけど、じぶんを売り込むってことができないひとなんだから、きのう急に役がふりかわって、三ちゃんもう三カットほど撮ったんだけど、こんな男がいままでどうして芽が出なかったんだろうて、監督さん感心してたよ。三ちゃんはもう大丈夫」

「あら、まあ、そうだったの」

京美はわざとジロジロ三太とタマキを見比べながら、

「そのこと三太さんまだタマキちゃんにいってなかったの」

「そんなこといちいちタマキに報告することねえじゃねえか」

「そうかな」

「そうかなって、なんでえ」

「あっはっは、まあ、いいや、それにねえ、タマキ」

「ええ」

「きのうのきょうだからまだ報告するひまがなかったんだと堪忍しておやりよ。それにこのひとテレヤさんだからな」

「でもねえ、エノさん」

　タマキはまぶしそうに京美の視線をさけながら、わざとほかのことをいおうとするかのように、

「三ちゃんたらとってもいけないのよ」

「なんでえ、なんでえ、おれがどういけねえんだよう」

「だってねえ、エノさん、三ちゃんたら管理人のおじさまにたいして、とっても失礼な空想をたくましゅうしてんのよう」

「よせよ、よせよ、タマキ、ありゃフィクションだ、作り話だといったじゃねえか」

「タマキ」

　謙作はにこにこしながら、

「三ちゃんがあのおじさんにたいして、どんな失礼な空想をたくましゅうしてるというんだい？」

「だって、三ちゃんたらこんどの殺人事件の犯人、あれ、根津さんだというのよう」

「なんだって」

　謙作は弾かれたように草のうえから起きなおった。

「バッカ、バッカ、タマキのバッカ」

　可哀《かわい》そうな三太はふとい猪首《いくび》まで真っ赤になって、

「エノ、それ、フィクションなんだ。実話じゃねえんだから気にしねえでくれよう」

「三ちゃん」

　謙作はしかしこわいほどの真顔になって、

「フィクションでもなんでもいい。おめえの話聞かせてもらおうじゃねえか。根津さんがなんだってタンポポのマダム殺すんだ」

「ううん、そうじゃねえんだ。おれのフィクションによるとあの死体は、マダムじゃねえことになってんだ」

「マダムじゃねえ？　じゃ、いったいだれなんだ？」

「エノ、おめえ推理小説読んだことねえか」

「おれもちょくちょく読むがそれがどうした？」

「推理小説によるとだな、顔のない死体……つまりいろんな原因で顔のみわけのつかねえ死体が出てくるだろ。そうすると十中八、九その死体は、被害者と推定される人物じゃなく、ほかの人間だってことになってるんだ」

「そうそう、おれもそんな小説読んだことがある。それで……？」

「それをおれ、今度の事件に当てはめてみたんだ。だけど、この団地に近ごろマダムとおなじ年ごろで、ゆくえ不明になっている女いねえだろ。そこであの晩根津さんをたずねてきた女……。エノ、おめえが根津さんとこへ案内していった女だなあ。その人がちょうどマダムとおなじ年ごろらしいので、それをあの死体のぬしということにしてみたんだ」

「なるほど、あの人を殺してマダムの着物を着せ、顔がめちゃめちゃとなるようにしておいたというんだな」

「うん、それがおれのフィクションなんだ」

「すると、根津さんとタンポポのマダムは共犯者というわけか」

「ま、そういうわけだな」

「で、動機はなんだ」

「タンポポのマダムにゃ前科がある。それを伊丹のおやじに握られておもちゃにされてる。逃げたいが、へたアすると伊丹のおやじに前科をばらされるおそれがある。だからあの人を身代わりに立て、自分は死んだことにして身をかくす」

「じゃ、身代わりにされたあの女のひとはどういうんだ」

「その人、由起ちゃんに似てたとおめえいってたろう。だからおれのフィクションじゃ由起ちゃんのママさんで、根津さんを裏切った女だということにするんだな」

黙って聞いている謙作の顔色はますます深刻になってくるようだ。

「それで……？　それからどうしたんだい？」

謙作の顔は苦渋にみち、その声はまるでのどの奥から搾《しぼ》り出すようであった。

さっきから呼吸をつめてふたりの応酬《おうしゅう》をきいていた京美とタマキは、おもわず顔を見合わせた。三太もそれに気がついて、

「エノ、よそうよ。どうせフィクションなんだから」

「いや、よしちゃいけねえ。それからどうした。由起ちゃんのママさんがどうしたんだ」

「そうか、てめえがそういうなら、ついでのこと終わりまで聞かせてやろう」

三太はいくらか挑戦的になって、

「つまり由起ちゃんのママさんはいまになって後悔して、根津さんに復縁を迫っている。だけど根津さんにゃてんでその気はねえ。ねえばっかりか、その人に憎悪をおぼえている。いっぽう根津さんもタンポポのマダムも上方《かみがた》出身というじゃねえか」

「タンポポのマダムはしらない。根津さんは播州《ばんしゅう》だ」

「だからよ、ふたりは以前からの知り合いだったということにするんだ。それが偶然ここで落ち合って恋仲かなんかになっている。そこで根津さんがマダムのために、かつて自分を裏切った憎い女をあの晩よびよせ、マダムの身代わりにしたってえのがおれのフィクションョン。以上をもって全巻のおわりとござアい」

「嘘《うそ》よ、嘘よ、そんなこと嘘よ！」

とつぜんそばから金切り声をあげたのは京美であった。舌端《ぜったん》火を吹かんばかりの勢いで、

「そんなこと、みんなデタラメよ！」

「もちろんデタラメさ。だからフィクションだといったじゃねえか。だけど、京美、このフィクション、どっかに辻《つじ》ツマのあわねえところがあるかよう」

「だって、あの死体がマダムにちがいないってこと、指紋によって証明されてるのよ。あの死体からとられた指紋と、おなじ指紋がタンポポからたくさん出たのよ」

「たくさんてどのくらいだい？」

「さあ、それは……」

「なあ、京美、推理作家ってやつは、そんなとこにも抜かりはねえのさ。由起ちゃんのママさんは、自分の生命がねらわれてるなんてこと、ゆめにもしらねえもんだから、あの晩、根津さんにダマされて、のこのことタンポポへついていったんだあね。そこでいろんなものに触った。いや触らされたってことにするのさ」

「だけど……だけど……」

京美はくやしそうに脂汗を額にうかべて、

「それじゃ、須藤さんはどうしたの。あの晩からゆくえ不明になって、いま重大な容疑者と目されている順子ちゃんの旦那《だんな》さんはどうしたというの」

「そんなことわかってるじゃねえか」

「わかってるってどうわかってるの」

「殺されたのさ。あの女を殺したとおなじ犯人に」

「まあ」

「だって、新聞に出てたじゃねえか。タンポポの二階の寝室に血が一滴垂れてたって。しかもその血の血液型はどん栗《ぐり》さんの血液型とおんなじだって」

「まあ！」

京美の頬《ほお》から血の気がひいて、瞳《ひとみ》が恐怖におののいている。いや、眼の色がかわっているのは京美だけではない。謙作もタマキも頬をこわばらせていた。

「よして、よして、三ちゃんもうそんな話よしにして」

タマキは金切り声を張りあげたが、京美はよそうとしなかった。

「三ちゃん、順子ちゃんとこのおじさんが殺されたとして、死体はどうなったの。その死体はどこへ消えてしまったの」

「そんなこと、きまってるじゃねえかよう」

「きまってるって、どうきまってるのよ」

京美はあくまで食いさがっている。

「この池ンなかにきまってるじゃねえか」

キャ――ッ！

と、タマキは謙作にとびついた。

時刻はかれこれ十時半。日はたかくあがって、池の面はナマズの肌を思わせるように、青黒い光沢をおびてかがやいている。いつか池のおもての半分をおおっていたどん栗の実は、もうすっかり底にしずんでいた。

「三ちゃん、須藤さんが殺されてるとしても、どうして死体が池のなかにあることにきまってるんだ」

「だって、あのひとどん栗さんだろう」

「うん、それで……？」

三太はとつぜん歌いはじめた。小山のように盛りあがった太股《ふともも》を、ピシャピシャ平手で

たたいて拍子をとりながら、歌い出した。（青木存義作詞の）

　どん栗コロコロドンブリコ
　　お池にはまって
　　　さあたいへん

歌いおわって三太はどうだいといわぬばかりにアゴをしゃくり、腹をゆすってケラケラ笑った。

「エノ、だからいったじゃねえかよ。フィクションだってさ」

三人は唖然《あぜん》として三太の顔を見ていたが、とつぜんタマキがけたたましくさけんだ。

「あら、むこうから金田一耕助がやってきた」

だらだら坂を金田一耕助が降りてきた。管理人の根津が跛をひきながらならんでいる。ふたりの背後から順子と加奈子のすがたがあらわれた。なにかしら、異様に緊張した空気が四人の男女をくるんでいる。

「あら、ママだわ」

場合が場合だけにタマキはおびえたように、

「いったいなにがあったのかしら」

「こちらを指さして話してるぜ」

謙作も思わず声をころしていた。

一行は坂の途中で立ちどまると、池のほうを指さしてなにかささやきあっていたが、また足をはやめて降りてくる。順子は封筒のようなものを手に握っていて、ひどく興奮しているようだった。

「どうしたんだろ」

「なにがあったのかしら」

謙作とタマキは顔見合わせたが、三太と京美はおしだまったきり、一同のすがたを見まもっている。

「やあ、お早よう」

金田一耕助はひとなつっこい顔色でにこにこしながら、

「君たち、ここでピクニックだってね」

「金田一先生、なにかあったんですか」

「やあ、ちょっとね」

金田一耕助は椎《しい》の木のはえている、岬のとっぱなへ出て、池のなかをのぞいている。池のなかは青黒くにごっていて、水面から一メートル下は見えない。水面すれすれのところに長い水草の茎が、女の洗い髪のようにおどろおどろしく乱れていた。

「ママ、ママ、いったいどうしたというの？」

「あたしにもよくわからないのよ。須藤さんとこへお伺いしたら、金田一先生がきてやはって……奥さんがあたしにもいっしょにきてほしいいやはるもんやから……」

「金田一先生」

　タマキは金田一耕助のところへとんでいって、

「ひょっとすると、この池のなかに、順子ちゃんとこのおじさまの死体が沈んでるというんじゃない？」

「タマキ！」

　三太があわてて声をかけたがおそかった。四人のおとなたちはいっせいにタマキのほうをふりかえった。

「タマキちゃん！」

　順子の声は鋭かった。

「だれがそんなこといってるの。だれかこの池のなかにうちの主人の死体が沈んでいる、とでもいってるひとがあるの？」

　順子の瞳《ひとみ》にははげしい火のようなものが燃えていた。

　タマキはひるんで返事が出なかった。三太はいまにも逃げ出しそうな屁《へ》っぴり腰だ。

「タマキちゃん！」

　順子が金切り声をあげたので、タマキも逃げ腰になっている。

「いやあ、冗談なんですよ」

　落ち着きを取り戻した謙作が、ふたりのあいだに割って入った。

「冗談ですって。なにが冗談なんです」

「いやあ、おたくのご主人どん栗さんてアダ名があるんです。どん栗さんだから、池のなかだろうって悪いやつがいうんです。ほら、どん栗コロコロドンブリコ、お池にはまってさあたいへんて。だから……」

謙作はそこでふっと口をつぐんだ。じぶんをみつめる順子の瞳の異様なかがやきに気がついたからである。

「榎本さん！」

順子がなにかいおうとするのを金田一耕助がよこから引き取って、

「榎本君、誰がそんなことといってるんだね」

「だれって……だれでもいいじゃありませんか。どうせ冗談なんだから。なんならぼくにしといてくだすってもけっこうです。すみません、あなたにとってはこのうえもなく厳粛な事実を、こんな冗談のたねにして……」

「榎本さん、それじゃ、それじゃ、これをあたしによこしたのは、あなただったのね。あなたこそ怪文書のぬしだったのね」

「なんですか」

謙作はふしぎそうに順子につきつけられた封筒を手にとった。表書きは須藤順子の名前になっているが、その宛て名が定規で引かれたような文字で書かれているのを見て、謙作ははっと顔色をうごかした。

「これ、なかを見てもいいんですか」

「どうぞ、見なくってもあなたにはわかってるんでしょうけれど。いま配達されたばかりよ」

順子の声は冷たく咽喉《のど》にひっかかった。

謙作がソワソワとなかから取り出したのは一枚の便箋《びんせん》である。例によって切り抜かれた活字の文字で、ただ、

どん栗コロコロドンブリコ
お池にはまって
さあたいへん

第十章　逃亡

事件発生以来すでに二十日、すっかりデッド・ロックしていたこの事件が、俄然《がぜん》急展開を開始したのは、その日、順子が受け取った怪文書からである。

怪文書が綴《つづ》る童謡の一節は、須藤達雄が死体となって、太郎池の底に沈んでいるということを暗示しているのではないか。

この太郎池浚渫《しゅんせつ》は以前にも話題にのぼったことがある。しかし、それにはそうとうの費用もかかるし、どうしてもこの池をさらってみなければならぬという決め手もないままに、いままで見送られてきたのである。

そこへ舞いこんだのがあの警抜な怪文書だ。怪文書はハッキリと太郎池をさらってみよと指令してはいない。しかし、多分に暗示的な童謡の一節は、いままで逡巡《しゅんじゅん》していた捜査当局のお尻《しり》をひっぱたいて、太郎池浚渫にふみきらせるだけの効果は十分にもっていた。

等々力警部は太郎池浚渫の準備一切を指令すると同時に、榎本謙作をはじめ若いグループの取り調べをおこなうことになった。この取り調べの場所として選ばれたのが、事件以来閉鎖されているタンポポの仕事場だった。

ここでついでに、タンポポのその後のなりゆきについて簡単にのべておこう。

なにしろ、マダム片桐恒子の身許《みもと》がいまだにわからないのだから、したがって相続人も発見されていない。こういう場合家庭裁判所によって、管理人選任ということが行なわれる。遺言もなく、相続人もなく、これという債権者もないこんどのような場合、死亡公告があって一か年をへても、相続人が現われないときには、財産は国庫に帰属するわけである。

この管理人としては利害関係のない人物が理想的なのだが、こんどの場合事件が事件だから管理人のなりてがなかった。そこでやむなく選任されたのが家主の伊丹大輔だった。伊丹はいちじ容疑者と目されたくらいの人物だから、管理者としては適当とはいえなかったが、ほかに適任者がいなかったのだからやむをえない。

そのかわり、詳細な財産目録が作製され、必要なものにはげんじゅうに封印がほどこされた。

そのタンポポの仕事場がひさしぶりに開放されて、若いグループの取り調べがおこなわれることになった。

「冗談なんですよ、あれ……ほんの冗談だったんです」

等々力警部と山川警部補のまえへ呼び出された榎本謙作は、案外落ち着いていて、形通り住所氏名を名乗ったあと、恐縮そうに肩をすぼめた。

「あの須藤さんにはわれわれどん栗《ぐり》さんというアダ名をたてまつってあったんです。そこへあの池でしょう。しかも、あの池にはついこないだまでどん栗がいっぱい浮かんでたんです。だからどん栗さんあの池ンなかじゃないかって、つい冗談をとばしてたんです」

「しかし、ねえ、榎本君」

そばから言葉を出したのは、オブザーバー格でそこにいる金田一耕助である。

「さっき京美ちゃんに聞いたんだけど、それをいい出したのは君じゃなく、姫野三太君だというじゃないか」

「だれだっていいじゃありませんか。金田一先生、三ちゃんだって冗談だったんです。あいつ、ちょっと推理小説マニアみたいなところがあって、そこでついこんどの事件をタネにして、いろいろ仮説をたててみて、それをわれわれに語って聞かせていたんです」

「それじゃ、こういう童謡をもち出して、須藤氏が死体となってあの池のなかに沈んでいるといい出したのは、君じゃなくて姫野三太だったというんだね」

等々力警部が念をおした。

「はあ、でも、三ちゃんハッキリいったんです。フィクションだと。……それにだいいちそんな怪文書を送ったもんが、とくいになってあんなこと、ベラベラわれわれにしゃべるはずがないと思うんです。それに……」

「それに……?」

「金田一先生、この怪文書けさとどいたんですね」

「ああ、そう、けさわたしはちょっと用事があって、須藤さんとこへ訪ねていったんだ。そこへタマキちゃんのお母さんが訪ねてきて、郵便受けに手紙がはさまってるとしらせてくれたんだ。それがこれだったわけだね」

この団地の郵便受けは集配人の労をはぶくために、各階段の下にならんでいる。加奈子は第十八号館の一八二〇号室を訪《たず》ねようとして、ふと郵便受けをみると須藤家のポストの入り口から、問題の怪文書が半分はみ出していた。最近怪文書を受け取ったことのある加奈子の眼には、宛て名の文字がつよく焼きついたというわけである。

「警部さん、ぼく生意気なことをいうようだけど、この怪文書を出したの、ぼくでもなければ三ちゃんでもないということを、証明できると思いますよ」

「ほほう、それ、どういうこと?」

「ぼくさっきその封筒の消印を見たんです。それ、豊島局区内のどこかのポストに投函《とうかん》されたんだと思うんです。しかも、消印の文字によると十月二十八日、すなわち一昨日の午後零時から六時までに受け付けられたことになってます。とするとその手紙、おとついの午前中に投函されたということになるんじゃないでしょうか」

「それはそうだが、それで……？」

「おとついの午前中だと三ちゃんにしろぼくにしろ、とても豊島局区内まで出向くひまはなかったんです」

「つまりアリバイがあるというわけだね」

そばから山川警部補が言葉をはさんだ。

「そうです、そうです。いまうちで『波濤《はとう》の決闘』て映画とってるんです。それに内海徹さんて三枚目の名優がいるんですがご存じでしょうか」

「ああ、名前は聞いてる」

「はあ、ところがその内海さんが一昨々日、二十七日の正午頃とつぜん盲腸炎で入院したので、その役が三ちゃんにまわってきたんです。ハッキリ三ちゃんときまったのは二十七日の夜の八時ごろでした。だからその晩から二十八日の朝へかけて、三ちゃんおそらく徹夜で本を読んで勉強したと思うんです。せっかくじぶんにめぐってきたチャンスをフイにしてまで、そんなへんてこな手紙作るやつもないと思うんです。それ相当ひまのかかる仕事だと思うんですがどうでしょう」

「そりゃそうだろうが、手紙はもっとまえに作ってあったのかもしれない」

「いや、ところがそれを投函にいくひまがなかったはずです。二十八日の朝ぼくたち誘いあわせてスタジオへいきました。八時ごろでしたよ、ここを出たのは。それから、いちんちじゅう三ちゃんと、台詞《せりふ》のうけわたしやなんか稽古《けいこ》してたんです。これスタジオで調べてくださればすぐわかります」

「なるほど、それじゃアリバイは完全だね」

等々力警部はうなずいたが、

「しかしそうすると、姫野君の仮説とこの手紙は、偶然の暗合ということになるのかね」

「そうじゃないんでしょうか。どん栗さんというアダ名とあの池と、……偶然ふたりの人物に、おなじ考えをもたせたのじゃないでしょうか」

「しかし、それだとこの怪文書製作者は、須藤のアダ名しってたわけだね」

「はあ」

「それをしってるのはだれだれ？」

「そうとうおおぜいいるんじゃありませんか」

「おおぜいってどういうひとびと」

「まずわれわれ四人。タマキちゃんの両親や京美ちゃんの伯父《おじ》さんなんかもしってたかもしれません。ぼくんちのおふくろもしってました。それから三ちゃんちのひとたちもしってるでしょう。ああ、そうそう、エカキさんの水島浩三さんもしってました。それから……」

「それから……？」

「はあ、あの……」

と、謙作はちょっと口ごもったのち、

「たしか管理人の根津さんのまえでも、ぼく口をすべらせたことがあるように思います」

「ああ、あの管理人がね」

等々力警部は金田一耕助や山川警部補に眼くばせをした。ゆうべの三浦刑事の尾行から管理人の根津伍市は、俄然《がぜん》注目の人物として浮きあがっているのである。

「だけどこのアダ名ぼくたちが考えるより、もっと広くしられてるかもしれませんよ」

「そう、われわれもしってたくらいだからね」

金田一耕助はボソリといって、

「ときに、榎本君、君はいま姫野君がこんどの事件をタネにして、いろいろ仮説を組み立ててるといったが、それどういうの、ひとつ参考のため聞かせてくれたまえ」

謙作のおもてにろうばいの色が走った。三太の仮説はかれの恩人をいちじるしく傷つけるものなのだ。

「でも、それフィクションなんですよ。とってもとっぴな説で参考にもなんにもならないと思います」

「いいじゃないか。ひとつ聞かせてくれたまえ」

と、等々力警部も体を乗り出した。

「ええ、でも、それなら三ちゃんじしんの口から聞いてください。ぼくはちょっと……」

「まあ、いいから話してみたまえよ。三ちゃんにはあとで聞くとして、君からひとつ聞かせておいてください。君がそんなに渋っているところをみると、三ちゃんはだれかを犯人として仮定してるんだね」

金田一耕助は執ようである。

「いやあ、三ちゃんのフィクションはドダイむりなんです。第一、あの死体からしてタンポポのマダムと認めないんですからね」

「ほほう、じゃ、いったいだれだというんだね」

「いやあ、あの晩、ぼくがバスから降りてきた須藤さんに会ったということはいっておきましたね」

「ああ、それは聞いた」

「ところがそのとき須藤さんひとりじゃなく、中年の婦人といっしょだったんです。ところがそのひと須藤さんの知り合いではなくバスのなかで根津さんのことを聞かれたんですね。ところが須藤さん酔ってたせいか根津さんを思い出せなかったので、ぼくに声をかけてきたわけです。そしてぼくにその婦人をまかせてタンポポのほうへいったんですね。そのあとでぼくその婦人を根津さんのところへ案内したんですが、三ちゃんのフィクションによると、タールの底から発見されたのはその婦人だというんですから、無茶ですよ」

「それで犯人はだれだというんだね」

「根津さんだというんですよ。根津さんとタンポポのマダムは以前から知り合いだった。そこであの晩訪ねてきた婦人を身代わりに立て、マダムは姿をくらました。動機は伊丹のおやじがなにかマダムの秘密を握っている。それから逃げるためだというのが三ちゃんのデッチ上げたフィクションなんです」

「それでその婦人というのはどういう女だった？　根津君とはどういう関係なんだろう」

「いや、ぼくもみちみちそれとなく聞いてみたんです。だけど、婦人のほうではただはあとか、いいえとかしか答えないんです。ぼくもあまり立ち入ったことを聞くのも失礼だと思って控えたんです。でも……」

「でも……？」

かくしてもあとで三太の口からしれることだと心を決めて、

「そのひと由起ちゃんに似てました。だから、由起ちゃんの叔母《おば》さんじゃないかと思ったんですが、三ちゃんのフィクションだと由起ちゃんのママになってるんです」

等々力警部は黙っていた。その沈黙が無気味だった。しばらくたって口を開いた。

「由起子という娘のママさんは死んだということになっているんだね」

「はあ、ぼくもそうきいてたもんですから、叔母さんだと思ったんです」

「その女どんな服装をしていたかね。服装からだいたい身分やなんかもわかるだろうが」

「夜でしたからねえ。でもかなりいい服装でしたねえ。イヤリングにダイヤがちりばめてあるのが印象的でした。イミテーションかもしれませんけど」

「年格好は？」

「タンポポのマダムとおなじくらいでしたね。すらりっと姿のよいきれいなひとでした」

「その女はその晩はじめてこの団地へ訪ねてきたようすだったのかい？」

「そのようでした」

「根津君はそれについてなんといってるんだい」

「ぼくもあとできいてみたんですけれど、あのひと言葉を濁して……」

「由起子という娘《こ》は……？」

「はあ」

謙作はジレンマにおちいった。かれは三太のフィクションをあくまでフィクションだと信じている。しかし、警部があまり真剣なので、警察側にもそういう疑いがあるのだろうかと不安になった。

ひょっとするとじぶんは根津さんを、窮地におとしいれるようなことをしゃべっているのではないか。と、いってここでかくしていたところで、三太にきけばしれることとなのだ。

「由起ちゃんの話によるとそのひとが訪ねてきたとき、根津さんはそうとう驚いたそうです。しかし、すぐ外へつれだしてしまったので、由起ちゃんもそのひとがどういうひとかしらないというんです」

「姫野君のフィクションによると」

と、等々力警部はするどくあいてを見すえながら、

「根津君はタンポポのマダムと共謀してその女を殺し、マダムの身代わりにしたというんだね」

「はあ」

「だけどねえ、榎本君」

と、金田一耕助が言葉をはさんだ。

「あの死体からは指紋がとられ、おなじ指紋がタンポポから検出されてるんだよ。その点について姫野君のフィクションではどうなってるの」

「三ちゃん、その点についても抜かりはないんです。そのひと根津さんにだまされてタンポポへつれていかれた。そして、なんにもしらずにいろんなものに触らされて指紋をとられた……と、いうのが三ちゃんのフィクションなんです。推理小説にそんな手があるんじゃないんですか」

「なるほど」

金田一耕助の顔がほころびかけたので謙作もいくらか安心した。少なくともこの人だけは三ちゃんの説をフィクションとして受け取っていてくれるのではないか。

「ところで、榎本君」

こんどは山川警部補が乗り出して、

「姫野君の説によると須藤氏も殺されて、あの池の底へ沈められたというんだね」

「そうなんです。どういうわけで須藤さんが殺されたのか、そこまでは聞きもらしましたが、タンポポの二階の血痕《けっこん》は須藤さんのもんだというんです。それでどん栗さんだから池のなかだろうって、まあいってみれば落とし話みたいなもんですよ。あっはっは」

謙作は笑ってみせたがその笑いは顔面に凍りついてしまった。だれもかれの笑いに同調してくれるものがなかったからだ。

「だけど、金田一先生、警察ではあの池をさらう準備をしてるようですが、そうすると順子さんとこへ舞いこんだ投書を真実だと思っていらっしゃるんですね」

「いやね、榎本君」

等々力警部が返事を引き取って、

「あれはかならずしも投書のせいじゃないんだ。金田一先生なんかまえから主張していられたんだ」

「だけどねえ、警部さん。もしかりに池のなかから須藤さんの死体が現われたとしても、それはあくまで三ちゃんや根津さんとは無関係だと思ってください。三ちゃんのはあくまでもフィクションなんですから」

「いや、その点については姫野君にじきじき聞いてみよう。それじゃきょうはこれくらいにしとくが、根津君を訪ねてきた女性についてなにかわかったら、すぐわれわれにしらせてくれたまえ」

「はあ」

と、謙作が椅子《いす》から立ち上がろうとするのを、

「ああ、ちょっと」

と、金田一耕助が引き止めて、

「君にもうひとこと訊《たず》ねたいことがあるんだが……」

「はあ」

「君、さっきどん栗コロコロのこの怪文書の表書きをみたとき、はっとしたような顔をしたが、まえにこういう怪文書を受け取ったことがあるんじゃない？」

「すみません、金田一先生」

謙作はすなおに頭をさげて、

「こないだ新聞にこの団地に怪文書が横行しており、それがこんどの殺人事件に関係があるのではないか、というようなことが出てましたね。あのときぼくのほうから申し出るべきだったのかもしれないんです。でも、ぼくンとこへ舞いこんだ怪文書が、直接こんどの事件に関係があるとは、どうしても思えなかったもんですから」

「その怪文書はどうしました」

「焼きすてました。けがらわしいもんですからね」

「でも、内容はおぼえているでしょう」

「はあ」

「どういうんだったの、それ？」

と、聞いてからあいてがちゅうちょするのをみて、

「京美ちゃんを中傷してるんじゃなかった？」

「ああ、もうわかってるんですね、じつはその内容があまりえげつないもんだから、いま

までだれにもいえなかったんです」

「ここでいってみてくれませんか」

「はあ」

謙作はちょっと頬《ほお》をあからめた。

「つまり京美ちゃんと伯父さんとのあいだに、いまわしい関係があるということを、ひじょうにイヤらしい文章で書いてあるんです。まるでチンドン屋の口上《こうじょう》みたいな文章なんです」

「それ、レディース・エンド・ジェントルメンという呼びかけではじまってるんじゃなかった？」

「そうです、そうです、そうでした」

「そして、最後はこれをウソだと思うんなら、京美の君の処女膜を調べてみろというんじゃない？」

「はあ、そうでした。それがえげつないからだれにもいえなかったんです」

「榎本君」

と、等々力警部がそばから口をはさんで、

「君、その怪文書を焼きすてたというがほんとかね」

「ほんとうです。どうしてですか」

「いや、それをだれかに渡すとか、どっかのドアの下に突っ込むとかしたんじゃないのか」

「いいえ、決して。どうしてそんなことをおっしゃるのかしりませんが、ぼくはたしかに焼きすてました。そんなものおふくろに見られるのさえいやですからね」

「榎本君」

と、そばから金田一耕助がひきとって、

「それはいつごろのこと？」

「いつでしたか、なんでも暑いじぶんでしたよ。そうそう思い出しました。ぼくそのことについて京美ちゃんに忠告したことがあるんです。それが八月の盆踊りの晩のことでしたから、手紙を受け取ったのはそれよりまえってことになりますね」

「忠告ってどういう忠告？」

「それがぼくとってもいいにくかったんです。そういう中傷の手紙が舞いこんだってこと、ハッキリいえませんしね。京美ちゃんがかわいそうですし、だいいちそんなこと信じちゃいなかったんです。でも、京美ちゃんも年頃ですし、岡部先生もまだ若いでしょう。しかも血のつづいていない伯父姪《めい》ですから、そういうふたりが、こういう団地に住んでるのはいけないんじゃないか。それに京美ちゃんタンポポの住み込みになるかもしれないってこと、聞いてたもんだから、はやくそうしたらどうかって忠告したのが八月の盆踊りの晩なんです」

「そのとき京美君の返事はどうだったの？」

「とても憤慨しましたよ。絶交を申し渡されました。それもむりのないことで、怪文書のことかくしてたでしょう。だからぼくがかってにそういうイヤしい想像をめぐらせたんだと誤解したのもむりはないんです」

「絶交を申し渡されたというと、それじゃ、それまでそうとう親密につきあってたんだね」

「親密って……まあね、あのひとあのとおりキレイでしょう、スタイルも悪くないし……」

「絶交を申し渡されてから疎遠になったの」

「はあ。まさか道で会っても口をきかんていうほどではありませんが、あのひと三ちゃんに接近してったんです。それまではぼくと京美ちゃん、三ちゃんとタマキと、カップルができてたんですけれど。それでタマキがヤキモキしだしたというわけです。あっはっは、こういう団地にもいろいろカットウがあるもんですね」

カットウは大人の世界にもある。そして、ふたつのカットウがどこかで交錯しているのではあるまいか。

しばらくして金田一耕助が、

「榎本君」

「九月の下旬に京美君が自殺をはかって未遂に終わったことがあったね。あれを君はどう思った？　京美君の自殺の動機を？」

「はあ、ぼく……あのときたいへん失礼なことを考えたんです」

「失礼なこととは？」

「いや、ひょっとするとあの怪文書のいってたことはほんとじゃなかったか、それが原因で京美ちゃん自殺をはかったんじゃないかって。でも、やはりそうじゃないらしいとはのちに気がつきましたけれどね」

「と、いうのは？」

「いや、岡部先生が心配してぼくのとこへも京美ちゃんの自殺の動機について聞きにきたんです。その誠実な顔色をみるととてもそんな忌《い》まわしいことのあるべきはずはないと思ったんです」

「じゃ、君はいまでも京美ちゃんの自殺の動機をしらないの」

「しりません。京美ちゃんが回復してからもぼくたちつとめてその話題をさけてきましたから。いや、それにそのことがあってから京美ちゃん、三ちゃんからも離れていったんですね。と、いうことはわれわれのグループからも離れていったってことですね。なんだかとっても孤独になってしまって……」

「ああ、なるほど」

金田一耕助は等々力警部をふりかえって、

「警部さん、まだなにか……？」

「いや、だいたいそれで……じゃ、姫野君にここへくるようにいってくれたまえ」

しかし、長身の謙作といれちがいに入ってきたのは、三太でなく江馬刑事だった。

「やあ、どうも金田一先生、たいへんなことになってきましたね。こうなるとしったら先生のご主張どおり、もっとはやく池をさらってみるべきでしたね」

「江馬君、浚渫《しゅんせつ》の用意はいいだろうね」

「はあ、いま多摩川からボートを三、四艘《そう》運ばせるように手配してきました」

「江馬君、姫野三太が店にいたろう」

「ああ、そうそう、忘れてました。タマキのおふくろさんがこんどの事件について、なんだか重大なことを申し上げたいって待ってるんです。なんだか急いでるようですが、どうしましょう。姫野のほうをさきにしますか」

「ああ、そうそう」

金田一耕助も思い出したように、

「あのひとわたしに話があったようです。姫野君はあとにして、宮本夫人の話を聞いてごらんになったら?」

一同が待っている仕事場へ入ってきた加奈子はひとりではなかった。順子がいっしょだった。順子の目はいぜんとしてつりあがっている。この女はけさ怪文書を受け取って以来目がつりあがったままなのである。

「警部さん」

順子はつっかかるような調子で、

「順番を狂わせてすみません。でも、あのひと逃げるんじゃないかと思ったもんですから」

「逃げる？　だれが……？」

江馬刑事が反射的に腰をうかした。

「水島です。エカキの水島浩三です」

「水島が……？」

山川警部補が裁《た》ち台から体を乗り出して、

「あの男が逃げるというのは……？」

「はあ、あの、さっき……」

と、順子は立ったまま腕時計に目をやって、

「十二時ごろのことでしたから、二時間ほどまえのことですわね。あのひとがあたしの部屋へやってきて、団地が騒がしいようだがなにかあるのかときくんです。それでつい、警察のほうで、裏の池をさらうことになったといってしまったんです。そしたら……」

「ふむ、ふむ、そしたら……？」

と、等々力警部も体を乗り出してくる。

「そしたらハッと顔色がかわったんです。でも、あたしそれどころではないでしょう。だから、そのときはそれほど気にもとめなかったんです。だけど、そのあと池のようすを見ようと外へ出たら、水島が団地の入り口のほうへいくうしろ姿が見えたんです。片手にレ

ーン・コート、片手にスーツ・ケースをぶらさげていました」

「それ、何時ごろのこと？」

「昼ご飯をたべて外へ出たときでしたから、一時ごろでしたでしょうか」

「いまから約一時間まえのことだね」

「はあ。でもそのときも、それほど気にとめていなかったんです。そしたらさっきこの奥さまが……」

と、加奈子のほうをふりかえって、

「あたしの部屋へお見えになって、いろいろと、まあ、お互いの恥をうちあけあったんです。それでてっきり、水島が逃走したにちがいないってことになって、ふたりでこちらへ駆けつけてきたというわけです」

順子は息もつかずにしゃべりつづけた。

「水島には逃走しなければならぬ理由があるんだね」

「それをこちらの奥さまがしっていらしたんです」

「ようし、江馬君」

山川警部補が声をかけたとき、江馬刑事はもう仕事場のドアの外にとび出していた。

「奥さん、須藤さんの奥さんも……」

江馬刑事がとび出したあと、等々力警部はふたりの女をふりかえって、

「それじゃお話をうかがおうじゃありませんか。あなたは水島浩三についてどういうこと

を……？」

「はあ……」

加奈子はゆたかな膝《ひざ》のうえでオドオドとハンカチをもみながら、

「いままでかくしてて申し訳ございません。さいわい主人もよくわかってくれましたので、金田一先生にでもご相談申し上げよう思うてたんです。そしたらこちらが、そんなことやったら警察のかたにも、いっしょにきいてもらいなさい、いうてくださるもんですから」

「なるほど。それで、それはどういうこと？」

「はあ、じつはあの晩……タンポポのマダムが殺されはった晩、あたしバッタリ銀座で須藤さんのご主人にお目にかかったんですの」

「タンポポのマダムが殺された晩……？」

二人ははっと顔を見合わせて、

「何時ごろ？」

「七時半ごろでした」

「ふむ、ふむ、それで……？」

「そのとき須藤さんそうとう酔うていやはったんです。そしてむりやりに、あたしをすぐちかくの喫茶店へひっぱりこまはったんですのン」

「なるほど、なるほど、それから……？」

加奈子は心苦しそうに順子をふりかえって、

「奥さん、申し上げてもよろしおまっしゃろな」

「いいんです、いいんです、あたしのことはかまわず、なにもかも申し上げて」

「えらい、すンません」

加奈子はそちらへ頭をさげて、

「でも、お互いさまのことですわねえ」

と、歯ぐきをいっぱいみせて作り笑いをすると、また警部のほうへむきなおって、

「須藤さん、のっけからこんなこといやはるんですの。奥さん、女房にほかに男があるとわかったとき、亭主たるもん、どないな態度とったらよろしいかっと」

三人ははっと顔見合わせた。あの夜須藤は動揺していたのだから、それくらいのことはあってもふしぎではない。

「あたしびっくりして返事のしようもありません。それでいろいろきいてみたら、どっかからそないな手紙がまいこんだんですの。奥さんにほかに男があるいう手紙が……その手紙のぬしを須藤さん、タンポポのマダムやないやろかっとあたしに相談しやはりますのン」

「ふむ、ふむ、それで……？」

「あたしまたびっくりしてしもて、マダムのためにいろいろ言い訳してあげたんです。そしたら須藤さん、マダムやなかったら水島にちがいないいいだしたんです」

「須藤さん、ご主人が水島氏を疑っていたというのは、なにか根拠があってのことなんで

すか」

「わたしもそれをきいてみました。そしたら須藤さんがいやはりますのンに、いつか須藤さん、この奥さんがどなたかと、横浜へいきやはったとき、あとをつけたといやはりますのン」

「奥さん、須藤さんの奥さん」

「はあ」

「あんたそのことをしってたかね。ご主人があんたがたのあとをつけたってこと」

「いいえ、それはさっきこの奥さまにきいてびっくりしました。うちの主人そのことだけは日疋……いいえ、あのひとにもかくしてたんですわね」

「ああ、なるほど、それで……」

等々力警部が加奈子のほうへ向き直ると、

「はあ、そしたらふたりでホテルへはいっていきやはった。須藤さんどないしたろ思てホテルのまわりを歩きまわってたら、水島の姿を見かけたいやはりますのン」

「奥さん」

山川警部補が身を乗り出して、

「じゃ、水島もこの奥さんを尾行したと……？」

「いいえ、わてもそない思てたずねてみましたン。そしたら須藤さんのいやはるのンに、そらそやなかったらしい。女房たちより水島のほうがひと足さきにきとったらしい。それに水島スケッチ・ブックかかえてたさかい、そのへんを写生にきてたんやないか。そやけどいやにホテルのほうを気にしてたところをみると、きっと女房に気がついたにちがいないいやはりますのン」

金田一耕助はしずかに頭のうえのすずめの巣をかきまわしている。この事件において水島浩三氏のはたしている役割がしだいにホウフッとしてくるようである。

「奥さん、宮本さんの奥さん」

と、隅のほうから口を出して、

「そのとき水島氏は須藤さんのご主人に気がついたんでしょうかねえ」

「いえ、それもきいてみました。そしたら、そら気いつかなんだやろと須藤さんいうてはりました。須藤さん器量の悪い話だすさかいにな、すぐかくれてしもて、ウカウカして水島に見つかったら恥の上塗りやおもて、そのまま東京へかえってきやはったいう話でした」

「なるほど」

金田一耕助がそのまま引っ込んだので、等々力警部がまた乗り出して、

「それで……?」

「はあ、それでわたしいろいろ須藤さんをおいさめしたんです。短気は損気いいますさかい、よう調査してからのことにおしやすいうて別れたんですのン」

「それをいままでかくしていられたというのは、須藤さんの奥さんの名誉を思うてのこと

ですか」

「いえ。そやおまへんの」

さすがに加奈子は満面を朱《しゅ》に染めて、

「じつはその晩、わたし水島の口車にのせられて、あのひとに会いにいく途中でしたン」

あっ……と、三人は加奈子の顔を見直した。

金田一耕助は思わず口がほころびそうになる。加奈子がいちはやくそれを見つけて、

「いや、金田一先生、笑わはったら！」

「いや、どうも……失礼しました」

こんどは金田一耕助のほうがあかくなって、もじゃもじゃ頭をペコリとさげた。

等々力警部はニコリともせず、

「そうすると奥さんは以前から水島と……？」

「いえ、そやおまへん。その晩はじめてだしたン。そやさかいにあぶないところを須藤さんに救われたわけで、そやさかいに主人も許してくれましたんです」

「あの晩は、水島氏は虎の門の紅葉館という料亭にいたはずなんだが……」

と、そばから山川警部補が口を出した。

「そやそうですな。志村さんからききました」

「奥さんはどこで会う約束だったんですか」

「烏森《からすもり》の田村たらいううちでしたン。その晩わたし友達と新橋演舞場へいてたんです。そ

れも水島の差し金で途中で抜け出してこい、一時間くらい抜けても芝居のさいちゅうやったら、友達も気イつけへんやろとわたしに知恵をつけたんですのン」

「その途中でこちらのご主人につかまったというわけですな」

「はあ、そうだすさかいに須藤さん、わたしにとっては助けの神ですわ」

「なるほど、それじゃ田村といううちへはいかなかったわけですね」

「はあ、須藤さんにひっかかって時間くうてしまいましたし、だいいちいまみたいな話きいたら、気味が悪うて会いにいけしまへん。それにまたマオトコしたろ思てるやさきにほかのひとから、女房がマオトコしてる場合、亭主たるもんどないな態度とったらよろしおまっしゃろなんて相談かけられてごらんなさい。たいがいショックですわ」

「あっはっはっ」

とうとう等々力警部も吹き出した。山川警部補もニヤニヤしたが、順子は涙ぐんでいる。

「奥さん、マオトコしたろとおもったんですか」

「もちろん」

加奈子はもちまえの陽気さを取り戻してこうぜんと答えた。陽気さを取り戻すと堂々たる貫禄である。

「それというのがうちのがあんまり浮気がはげしおまっしゃろ。そっちがそっちならこっちもこっちやいう気になりまっしゃろやないか。そやけどもうコリゴリしました」

「しかし、水島氏は紅葉館を抜け出して、田村といううちへいったんでしょうかねえ」

山川警部補が心配したのもむりはない。そうだとすると水島のアリバイ調べにミスがあったことになる。

「いや、それはそやおまへん。わたしもそのままスッポカシもなんや思たもんだっさかい、田村へ断わりの電話かけたんです。そしたら水島から二度電話がかかったそうです。わたしがきてたら駆けつけるつもりやったんだっしゃろ。なかなか抜け目おまへんわ」

そこへ三浦刑事が入ってきた。

「警部さん、京美の伯父の岡部泰蔵氏がなにかあなたに申し上げたいことがあるって、いま店のほうにきているんですが……なんだか怪文書のことだそうです」

「怪文書のこと？」

金田一耕助と等々力警部は顔見合わせて、

「姫野君はまだ店のほうにいるだろうね」

「はあ、榎本といっしょです」

「警部さん、このおふたかたがおわったら姫野君に待ってもらって、岡部先生のお話をうかがおうじゃありませんか。鉄は熱いうちに打てといいますからね」

「ああ、そう、山川君、君はまだこのおふたかたにきくことある？」

「いや、だいたいいいんじゃないですか」

「わたしも申し上げることはすっかり申し上げたつもりですけれど……」

と、加奈子も椅子から腰をうかした。

「ああ、そう、それでは須藤さんの奥さんもご苦労でした。おふたかたともなにかまた気づいたことがあったらしらせてください」

「ああ、そうそう、警部さん、岡部先生にはご婦人のつれがあります。ほら、きのうの」

三浦刑事は等々力警部と山川警部補に片目をつぶってみせた。ふたりははっと顔見合わせて、

「じゃ、どうぞといってくれたまえ」

「ああ、ちょっと宮本さんの奥さん」

と、金田一耕助が呼びとめて、

「あなたこの事件に関して、白と黒という言葉についてなにかお心当たりはありませんか」

「白と黒……？　いいえ、べつに……白と黒とがどうかしたんですか」

「ああ、そう、それじゃけっこうです」

加奈子といっしょに仕事場から店へ出た順子は、岡部泰蔵のそばにいる女を見て、おもわずおやと目を見張った。それはきのう池袋のSデパートで岡部と待ち合わせていた女であった。しぜん順子は女らしい意地悪い目でその女を観察することを忘れなかった。

きょうの白井寿美子は和服を着ていて、化粧もふだんより、濃い目になっている。きのう順子の目にうつったその女を彼女はずいぶんモッサリしていると思ったが、こうしてみるとまんざらでもない。

「岡部先生、どうぞこちらへ」

三浦刑事の声に、謙作となにか話をしていた岡部が席を立つと、寿美子もそれにより添うように腰をあげた。まぶしそうに順子の視線をさけながら、店の奥のカーテンをくぐるとき、

「あのかたどなた？」

と、小さな声で岡部にたずねているのが順子の耳にとどいた。

若い婚約者をうしろにひかえて、ダルマさんはいささか得意そうである。ふだんはしごく服装にかまわないほうで、よく先妻の梅子に叱《しか》られたものだが、きょうはゆったりとセルを着こなして、きれいにひげを当たっている。日曜日だというと無精して、ひげもそらないのがふつうなのだが。

仕事場へ入ってくるとだれにともなく目礼して、

「とつぜん押しかけてまいりまして、こちら白井寿美子といって、じつはわたしの婚約者なんです」

岡部もさすがに鼻白んだ。

寿美子は口のうちでなにかつぶやきながらていねいに頭をさげた。もえるように赤くなっているのは、すでに岡部のものになっているからだろう。

等々力警部はそれとなくふたりを観察しながら、

「どうぞお掛けください。怪文書のことについてなにかお話がおありだそうで」

れている。

と、岡部はふところから一通の封筒を取り出した。その封筒の上書きをみて一同は思わずはっと顔を見合わせた。その封筒の上書きも定規で引いたような規格正しい文字で書かれている。

「はあ……」

「じつはここにも一通怪文書があるんですが、これをお目にかけるまえに、秘密は守っていただけるでしょうな」

「それはもちろん。ご希望とあらば」

「いや、じつは京美を自殺に追いやった怪文書についても、げんじゅうに秘密を守っていただいてる、ちゅうことについてはふかく感謝してるんですが、これもぜひ同様の扱いにしていただきたいんで。もしこのひとの名が新聞に出るようなことがあっては、これの親兄弟にたいしても申しわけないことになりますから」

「ご念には及びません。秘密はあくまで厳守いたします。それで……？」

「いや、ありがとうございます。それじゃ、この怪文書をお目にかけるまえに、ひととおりこのひとのことについて聞いてください」

寿美子のほうにあごをしゃくって、

「このひといちど結婚したんですがそれに破れて、いま実家の兄のもとに身をよせているんです。その実兄というのがこの封筒の表書きにある白井直也という人物で、いま中学校の教師をしとります」

「ああ、なるほど」

「このひとじしんも中学の教師の資格をもってて、じつは亡くなったわたしの先妻が校長をしていたK中学校に、目下奉職してるんです。実兄といいこれといい、そういう境遇ですからなおのこと、こういう事件の渦中にまきこみたくないんです」

「それはごもっともです」

「ところが先妻の死後、このひとが学校との連絡やなんかをやってくれていたんですが、そのうちにわたしとの縁談がもちあがったんですね」

「なるほど」

「縁談はとんとん拍子に進行して、本来ならばいまじぶん、もうすでに式を挙げているはずだったんです。ところがそのやさきに、直也君のところへ舞いこんだのがこの怪文書で、おかげでなにもかもご破算になってしまったというわけです。どうぞごらんください」

岡部は封筒を警部のほうへ押しやった。

「ああ、そう」

警部は封筒からなかみを引き出したが、それは例によって粗悪な便箋《びんせん》のうえに切り抜かれた活字が、黒いバイキンのようにおどっている怪文書だった。

拝啓、一言ご注意申し上げます。あなたの妹さんと岡部泰蔵さんと結婚なさるそうですが、岡部さんと岡部さんのめいの戸田京美さんとのあいだに肉体関係が結ばれていると

いうことをご存じでしょうか。念のために一言ご注意申し上げます。　敬白

等々力警部は二度それを読みかえすと、無言のまま金田一耕助のほうへ便箋をまわした。自分は封筒を調べていたが、おやというふうに眉《まゆ》をひそめて、

「岡部先生」

「はあ」

「この消印によると、この怪文書が渋谷局区内のポストに投函《とうかん》されたのは、ことしの五月十何日ということになっておりますが……」

なるほどその消印は五月とまではハッキリ読めるが、十何日なのかインキがボヤけて読めなかった。

「寿美子」

と、岡部にうながされて寿美子はドギマギしながら、

「その手紙は兄が保存していてくれたんですけれど、きょうそれをもらってくるとき日記を調べてもらったら、五月十九日に受け取ったことになっております」

「だから、それが怪文書のハシリじゃないかと思うんですがね」

岡部があとから言葉を添えた。

「失礼ですが、あなたがこの団地に入居なすったのは？」

「五月八日でした。日曜日にあたっていたので、このひとにも手伝ってもらったんです」

「そうすると、この怪文書はそれからわずか十日ののち発送されたということになりますね」

「はあ」

「そのじぶん団地にはもう居住者がいましたか」

「いいえ、第十七号館ではわたしどもがいちばん早かったんです。ほんとうはまだ入れないのを無理を願って入ったくらいですから、どの建物もガラガラで京美などずいぶん薄気味悪がったもんです」

「こちらへいらっしゃるまえ、あなたは吉祥寺《きちじょうじ》にお住まいだったと聞いてますが、なぜこのような団地へ、しかも、そんなにいそいで引っ越してこられたんですか」

「いや、そのご不審はごもっともで」

この質問は岡部も予期していたとみえて、べつに不快そうな色もみせずに、

「吉祥寺の家はわたしが先の家内の梅子と結婚したとき建てたもんで、地所も二百坪ほどついていました。これはわたしの力でできたものではなく、郷里のおやじがつくってくれたものです。その家に家内と二十年以上も住んでいたんですが、去年の三月家内に死なれてみると、人生の再スタートを切らねばならなくなったわけです。それにはなにもかも新規まきなおしで出直したかった。居は気を移すといいますから、家なども新しくする必要があるのではないかと思ったのです」

「なるほど」

「ちょうどそのころこの団地のことを聞いたもんだから、試みに応募しておいたんです。それと同時に家の買い手をさがすいっぽう、しかるべき土地を物色していました。ところがこの団地に当選したのと、家に買い手がついたのと、手頃な土地が見つかったのと、三ついっしょになったわけです。土地を買う金は家を売らねば手に入りません。家を売る金は家をすっかり明け渡さんことには全額入らんわけです。それでいそいでここへ引っ越してきたわけで、わたしの計画ではここに半年ほど住んでいて、そのあいだに新しく買った土地に新築し、それからこのひとと結婚して引っ越すつもりだったんです。それがその怪文書のおかげでメチャクチャになったというわけですな」

「京美さんはこの団地に移ることに賛成でしたか」

金田一耕助がたずねた。

「いや、あれは吉祥寺の家を手放すのさえ反対のようでした。といってじぶんになんの発言権もないことはよくしっています。だから黙ってわたしのいうなりについてきたんですが、それにしても、直也君にその怪文書をつきつけられたときにゃ、なるほどそんな見方もでけるもんかと、大いにびっくりしたもんです」

「それで縁談がこじれたんですね」

「なにせみんな実直で律義《りちぎ》なひとたちですからな。この怪文書ですっかりおじけづいちまったというわけです。もっともすっかり話がこわれたというわけでもなかったんですが、このひとなども急に煮え切らなくなって、もう少し、もう少しでひきのばされて、とうとうきょうに及んだというわけです」

「この怪文書についてしっているのはだれとだれ？」

「ここにいるふたりにこれのおふくろさん、兄夫婦と以上五人のつもりでいたんですが、さっきこれに聞いたらもうひとりいるそうです」

「それはどういうひと？」

「寿美子、おまえから申し上げなさい」

「はあ……じつはこれきょうはじめて兄から聞いたんですけれど、兄もこの縁談をこわしてしまうのは惜しかったんですのね。それで学校時代の親友で新聞社にいらっしゃるかたがあるんです。そのかたにお願いして、調査していただいたことがあるそうです。けっきょくわからなかったんですけれどね」

「なに新聞のなんというひとですか」

金田一耕助がたずねた。

「A紙の学芸部にいらっしゃる佐々《さっ》照久《てるひさ》さんというかたです」

「すると佐々君からほかへもれてるかもしれませんね」

「まさか。佐々さんならわたしもよく存じあげておりますけど、とても信頼できるかたです。むやみにこんなことをひとにもらすようなかたじゃございませんわ」

「しかし、ねえ、奥さん」

と、金田一耕助は微笑をふくんで、

「ものごとを調査するには、ひとにいろいろきかねばなりませんね。ひとにものをきく場合、その一端なりともらさなければ、訊《き》きようがないじゃありませんか」

「そうおっしゃれば……」

寿美子は素直にうなずいてあおざめた。

「山川さん、これはいちおう佐々照久君というひとに会って、調べてみる必要がありますね」

「承知しました」

「ところで、岡部さん、あなた京美さんをどうなさるおつもりだったんです。こんな団地に入居なすって」

「だからさっきも申し上げたとおり、この団地へ入ったのは家を売るための方便に過ぎなかった。ですから縁談がスムーズにいっとれば、このひととも相談のうえ、京美がいても差し支えのないような間取りの家を設計し、秋までには完成するでしょうから、そしたら結婚して引っ越すつもりだったんです」

「タンポポへお預けになるつもりは？」

「そんな話もなくはなかったが、わたしは賛成できませんでしたな。まさかこんなことになろうとは思わなかったが、もひとつマダムの素性がハッキリせんでしょう。亡くなった家内にたいする義理からでも、そんな無責任なことはできませんからな」

「京美ちゃんはどうだったんです。いきたかったんじゃないですか」

「さあ、どうですか。いまどきの娘の気持ちはわかりません。しかしじぶんがいちゃあ、わたしが結婚しにくいという遠慮はあったでしょうから、そういう意味でいきたかったかもしれませんな」

「京美ちゃんがタンポポへ通うようになったいきさつは？」

「あの商店街はわたしどもが引っ越してきたころ、大部分が開店の準備中だったんです。五月の終わりごろでしたか、タンポポの店頭に弟子募集の札がぶらさがっているのを見て、京美がいきたいといいだしたんです。じつをいうとあれはこの春東大を受けてすべったんですな。それで勉強に自信をうしなったらしく、ノイローゼ気味になってました。わたしとしてはそんなことするより、一年浪人して勉強するようにといったんだが、亡くなった家内に似てなかなか気の勝ったほうで……」

東大を志望したところをみるとアタマには自信があるのだろう。気が勝った娘であることは金田一耕助も気がついていた。

新しいデータがいろいろ出てくる。

事件の晩根津をたずねてきた女があって、姫野三太が奇妙なフィクションを構成しているということは、捜査当局にとって意外な事実であった。それはこの事件と全然無関係なことなのかもしれない。あまりにもとっぴで空想的でありすぎる。しかし事実は小説よりも奇なりというではないか。ことにきのうの三浦刑事の尾行から、根津は俄然《がぜん》注目の人物として浮かびあがってきている。問題の婦人についていちおう調査しておく必要があるのではないか。

また水島浩三画伯が、順子と日疋恭助氏との秘めたる情事をしっていたかもしれないということも、看過できない重大事実だ。順子と日疋恭助氏が横浜の臨海荘でデートしたとき、おなじ場所でタンポポのマダムも正体不明の男とあい引きをしているのである。

須藤達雄が加奈子に語ったところによると、水島浩三画伯は順子や日疋恭助氏よりひと足さきにそこにいっていたらしいという。と、すると画伯は順子たちを尾行したのではなくて、タンポポのマダムを尾行したのかもしれない。そして、マダムの秘密をしると同時に、順子のひめたる情事をもかいまみたのではないか。

だが、それらの事実にもまして捜査当局をおどろかせたのは、五月のなかごろ、まだこの団地にほとんど居住者がいなかったころ、すでに怪文書が製作されているという事実である。しかもその怪文書の内容といい、形式といい、京美を自殺に追いやったものとほとんど同様である。ただ、文体はひどくちがっているけれど。

「いや、どうもありがとうございました。そのほかにまだなにか……？」

「いや、わたしの申し上げたいのはそれだけで。わたしどもがこの団地へ入居してまもなく、そんなけしからん怪文書がこのひとの兄のところへ舞いこんで、そのために縁談がていとんしていた……と、そういう事実があったことをお耳に入れておくのも、なにかのご参考になりはしないかと思って、これとも相談のうえおうかがいしたようなわけで……」

「岡部先生」

と、そばから金田一耕助が言葉を強めて、

「これはおそらくこの事件の捜査のうえに、非常に重大なキイとなりましょう。ありがとうございました」

「いや、どうも……それじゃ、寿美子」

ふたりが出ていくのといれちがいに姫野三太が入ってきた。

「どうもすいません」

部屋へ入ってくるなり三太はペコンと頭をさげた。まるでいたずらを見つかった子供のように猪首《いくび》をすくめてショボンとしている。

「まあいいからそこへ掛けたまえ」

「はあ」

ゴッツイ体を小さくして窮屈《きゅうくつ》そうに腰をおろすと、ボサボサの頭をかきまわしながら、

「その怪文書のアリバイについちゃエノが話してくれたそうで。まったくエノのいうとおりなんで、オレそんなの出したおぼえはねんで。だいいちオレぶきっちょだから、そんな器用なまねできっこありませんや」

「いや、それより君はこの事件について、なかなか奇抜な観察をくだしてるってじゃないか」

「あれはフィクションなんですよ。ヨワイなあ。あれ、ドキュメンタリじゃねえんで、ちょうどあのじぶん硫酸で顔をメチャメチャにやられた死体の出てくる推理小説を読んだん

ですよ。それでオレもひとつってえ気になって、あんなフィクションでっちあげたんです」

「だけど、君、須藤氏が殺されてるって空想はまだいいとして、その死体が池のなかにあるなんて少しできすぎじゃないかね」

「そうじゃねえんで。そうじゃねえってば」

と、三太はじれったそうに貧乏ゆすりをしながら、

「金田一先生、先生たまにゃ推理小説てえもんを読むことがありゃしませんか」

「ああ、たまにゃね」

「そいじゃ、外国の推理小説に、童謡のとおり殺人が起こるってえのがあるのをご存じじゃありませんか」

「いや、外国の推理小説のみならず、わたしじじしんがそういう事件を扱ったことがありますよ。そのときはその地方に昔からつたわってる、手マリ唄《うた》のとおりに殺人が起こったんですがね」

「わっ、スゲエ！　そいじゃ、先生、日本の殺人事件もオレが考えてるより案外進歩してんですね」

推理小説マニヤもいいとこである。

「そいですからね、警部さん、金田一先生もご存じのとおり、外国の推理小説によく童謡のとおり殺人が起こるってえのがあるんです。それをこの事件に結びつけてやれってんで、

ドン栗コロコロを持ってきたんです」

ボサボサ頭をかきまわし、貧乏ゆすりをしながら、三太はやっきとなってフィクションであることを強調する。

「しかし、ねえ、三太君」

と、金田一耕助が乗りだした。

「こんどの事件で死体の顔が判然しないところから、君がこれを身替わり殺人事件と空想したのはまだよいとして、その身替わりの対象として、どうしてあの晩根津氏をたずねてきた婦人をえらんだんだい？」

「そ、そりゃあ……ほかに適当な女がいなかったし、エノや由起子から話を聞いてたもんだから」

「ただ、それだけ？」

金田一耕助に突っ込まれて三太はひえッというように首をすくめた。けだものが追いつめられたときにみせるような目で、金田一耕助を見すえているので、等々力警部と山川警部補は思わずさっと緊張した。

「ひょっとすると君じしん、あの晩その婦人に会うか見たかしたんじゃない？」

三太は黙っていた。等々力警部と山川警部補はいよいよ目つきを鋭くする。警部がなにかいおうとしたとき、

「恐れ入りました。金田一先生」

と、三太は裁ち台のうえに肘《ひじ》を張って手をつくと、

「ドン・ピシャリ、さすがは名探偵のホマレ高き金田一先生、ご明察のほど恐れ入ります」

と、うやうやしく頭をさげておどけてみせたが、金田一耕助はニコリともせず、

「それは何時ごろのこと？」

「時間までハッキリ覚えちゃいませんがね」

「君はあの晩……」

と、山川警部補はいそいで手帳を繰ると、

「タマキ君といっしょに太郎池のそばにいた。そして九時四十分ごろ伊丹大輔氏が池をまわって団地のほうへ行くのを目撃している。それから十時二十分ごろそこをはなれて団地へかえった……と、タマキ君の供述によるとこうなっているが……」

「じゃ、そのあとのこってすから十時半ごろのこってしょう」

三太はその晩のことを思い出すような眼つきをして、

「じつはあの晩のオレときたら相当頭にきてたんです」

「頭にきてたとは……？」

「だってエノのやつスゲエ役がつきそうになってたでしょ。そりゃエノは二枚目だし、素質にも恵まれてるから当然かもしンないけどさ、オレとしちゃおもしろくねえや。もうあしかけ四年大部屋でくすぶってンですからね。だからタマキを送ってからオレもいちどア

パートをとびだしたんだ。エノを引っぱり出していっぱいおごらせてやろうと思ったんでさ。ところがエノのいる十七号館と根津さんの十八号館はならんでるでしょ。だから十七号館の角まできたとき、根津さんがあの女と出てきたのが見えたんです」

「ふむ、ふむ、それで……？」

と、等々力警部も体を乗り出した。

「ソンときオレちょっとハッとしたんです」

「ハッとしたとは……？」

「オレその女をいっしゅんタンポポのマダムだと思ったんだな。ちがうってことはすぐわかったけどさ。だけど、ソンときの印象があるもんだから、しぜんあんなフィクションができあがったんだと思うんです」

「そうするとタンポポのマダムと根津氏はじっこんだったのかね」

「さあ、どうだかな。少なくともオレいちどもタンポポのマダムとオッチャンがいっしょにいるのを見たこたあねえな。だからいっそうハッとして、オッチャン隅におけねえと思ったんです」

「だけど、すぐマダムじゃないとわかったんだね」

「はあ、なにせあのメーン・ストリートそうとう広いでしょ。その道をへだててむこうとこっちだから、顔をハッキリ見たわけじゃねえけどさ。そりゃタンポポのマダムじゃねえってことくらいすぐわかりましたさ」

「ふたりはそれからどうしたのかね」

「いや、それなんですよ。オレがそンときへんに思ったてえな」

「それとは……？」

「いえね、ふたりはメーン・ストリートをまっすぐに、団地の入り口のほうへいきかけたんでさ。そいだのにオレのすがた見ると急に気がかわったように、オッチャン二、三歩うしろへひきかえして、ふたり並んで第十八号館の北側ぞいに西のほうへいったんです」

「西のほうというと商店街のある方角だね」

「ええ、そうなんです。オレちょっとへんに思ったもんだから、いっぺんうしろをふりかえったら、タンポポのほうへ曲がっていきましたよ。だからいよいよもってあんなフィクションができあがったんです」

「それから君はどうしたの？」

「オレ、エノの部屋のある階段のまえまでいったんだけど、急にきまりが悪くなってきちゃったんだ。そいでそのままスゴスゴ引っ返して寝ちゃいました」

「きまりが悪くなったとは？」

「だって、そンときのオレときたらしっとの鬼に化してたんでさあ。そんなのエノに見抜かれるのヨワイじゃありませんか」

「それじゃ、あの晩、根津氏をたずねてきた婦人について、君がしってるというのはそれだけなんだね」

「そうです、そうです。だからみんなフィクションなんで」

等々力警部はそれからその女の服装などをたずねてみたが、べつに、これといった特徴はなかったらしい。謙作はそうとうゼイタクな服装といっていたが、三太にはそれさえわかっていなかった。

「ときに、三太君、もうひとつ君に質問があるんだが……」

と、金田一耕助がそばから口を開いた。

「はあ、どういうこと？」

「これは榎本君も打ち明けてくれたんだから、君も正直に打ち明けてくれたまえ。君、ひょっとすると京美ちゃんを中傷するような、怪文書を受け取ったことない？」

三太はギョッと目をまるくして、

「エノが打ち明けたというと、そいじゃエノのやつも怪文書を受け取ったことがあるんですか」

「ああ、京美ちゃんを中傷するようなね」

「そいじゃ処女膜を調べろという……」

三太はしまったというように、ドギマギした。

「いや、いいんだ、いいんだ。なにもかもわかってるんだから。それで、君、その怪文書はどうした？」

「すいません。まさか京美が自殺をはかろうなんて思いませんから……」

「京美君の部屋のドアの下から突っ込んだんだね」

「はあ、あンときぼく憤慨したんです」

三太は急に神妙になって、

「匿名《とくめい》の手紙でしょ。世のなかでいちばん卑劣で陰険なやりかたでさあ。しかも。伯父さんと関係があるなんて。ぼく岡部先生ってひと好きですよ。あのひと学校でも評判いいらしいんです。だから、そンまま握りつぶしてしまおうかと思ったけど、いちおうこんなバカなやつもいるってこと、京美なり伯父さんなりに注意しとく必要があると思ったんです。そしたらそれから二日目だったか三日目だったか、京美が自殺をやりかけたんで、ぼくあんなにびっくりしたことありません。金田一先生、ぼくのやったこといけなかったでしょうか」

「いや、君としてはそれよりほかに方法はなかったんだろうね。ところでそのときの封筒は？」

「焼いちゃいましたよ、不愉快だから。ちょうどそこにあるその怪文書の上書きとおなじようなかきかたでした。当時わかンなかったのはなぜよりによってこのオレに、あんなもんよこさにゃならなかったかってことで、いっそう不愉快でイヤらしかったんです」

「そりゃ君、京美が君に好意をもってたからだろう」

山川警部補が大まじめにいった。

「とんでもない。京美がだれかに好意をもつとすりゃそれはエノですぜ。エノは二枚目だし、目下籍だけとはいえ大学生ですからね。オレみたいなガクもない三枚目に、ハナもひっかけるやつじゃありませんや。だけどこれでわかりました」

「なにが？」

「エノのとこへもおなじような手紙がいったんですね。エノそれをどうしたんです」

「焼きすててしまったそうだ。しかし、いちおうそれとなくあの娘に忠告はしたそうだ。伯父さんといっしょにいるとへんな誤解を招くおそれがあるから、アパートを出てタンポポへでもいったらどうかとね」

「それで京美のやつ気を悪くしてオレに接近してきやがったんだな。そこでだれかお節介なやつがいて、またぞろオレンとこへ怪文書をよこす……と、そういう順序になるんですね」

「まあ、そうだろうな」

「だけど、それお門違いもいいとこですぜ。京美はおれに接近してきたけど、心はいつもエノにありでです。エノをじらせていっそうお尻《しり》を追っかけさせる。女の子のよく使う手でさあ。こっちはどうせ三枚目だから、それをしっててお相手をつとめてたわけです。悲しいね」

「君はその怪文書のぬしをだれだと思う」

三太はボサボサ頭をかきまわしながら、

「わかりません。だけどそいつは陰獣みたいなやつですぜ。男の子と女の子が仲よくやってるとヤケるんですね。それでつい水をさしたくなる。タマキの両親がやっぱりそれで、ハナバナしく大立ち回りをやったってえじゃありませんか。やあな感じだ」

いったいこれで何通怪文書が出てきたのであろうか。日付の順でいけば寿美子の兄の白井直也が受け取ったのが、いままでのところいちばん早いようである。そのつぎが榎本謙作の受け取ったやつ。これはだれの目にもふれずに焼きすてられたが、三番目が姫野三太の受け取ったもので、これが京美を自殺に追いやった。四番目が順子の受け取ったやつだろうか、いや、そのまえにタンポポのマダムも受け取ったらしいから、順子の受け取ったのは五番目になるのだろう。そのつぎが宮本夫妻にハナバナしい立ち回りをやらせたやつで、さいごがこのどん栗コロコロである。

これら七通の怪文書のあいだになにか一貫性があるだろうか。いや、それにもまして問題なのは、これらの怪文書とこんどの殺人事件のあいだに関係があるのかないのか。

姫野三太が引きさがるのといれちがいに志村刑事が入ってきた。

「警部さん、水島画伯に逃走のおそれがあるんですって?」

「ああ、そう、その理由を話しとこう」

等々力警部がいま加奈子から聞いた話を語って聞かせると、志村刑事は目をまるくして、

「それじゃ怪文書のぬしは水島画伯だということになるんで?」

「しかし、それにしちゃおかしいですね。宮本寅吉のところへ舞いこんだ怪文書では、加奈子と水島のことを密告している」

山川警部補が疑問を表明した。

「いや、それは水島じしんがやったことかもしれないぜ。水島はこの団地で札つきらしい。タンポポのマダムに須藤順子、宮本加奈子にもちょっかいを出している。まだほかにも手をひろげているかもしれない。いっぽう団地では男女の非行を暴露する怪文書が横行している。それにもかかわらず、じぶんがいちども槍玉《やりだま》にあがっていないというのでは、疑惑を招くおそれがある。そこでじぶんでじぶんを中傷することによって、疑惑をほかへそらせようとしたのかもしれない」

「京美と順子を中傷した怪文書が水島の手になるものとしたら、加奈子と水島の仲を密告したのも水島でしょうね。文体がぜんぜんおなじですからね」

その点は山川警部補も同意した。

「しかし、これはどういうんだ」

等々力警部は岡部がいま提出した一通を取りあげて、

「これは五月十何日かに投函されているんだが、水島はもうこの団地にきていたのかな」

「どういうお話かしりませんが」

と、そばから口を出したのは志村刑事だ。

「この事件の関係者で五月にここへ入居したのは岡部の一家だけですよ。商店街のほうはべつとしてね。あとはみんな六月に入ってから入居しています」

「と、するといよいよ辻褄《つじつま》があわなくなってくる。それにこの怪文書だけはほかのやつとぜんぜん文体がちがってるね。ほかのがみんなふざけちらしているのに、これだけはひどくきまじめな文章になっている」

「文章といえば……」

と、金田一耕助がそばから意見をはさんだ。

「さっき山川さんも指摘なすったとおり、京美と順子を中傷した怪文書と加奈子を密告した怪文書の三通は、ぜんぜん文章のスタイルがおなじなのに、前二者はLadies and Gentlemen――という呼びかけて始まっている。それに反して加奈子のやつは東西、東西ではじまってましたね。それはなぜでしょう」

結局七通の怪文書はあとで、綿密に比較研究する必要があるということになったが、そのまえに管理人の根津に会って、事件の晩かれをたずねてきた婦人についてたしかめておこうということになった。

志村刑事が第十八号館の一八〇一号室を訪れると、管理人の根津伍市はトウシャ版を刷っていたらしく、インキだらけの作業服でせまい玄関に現われた。

「とつぜん押しかけてきてなんですが、ちょっとおききしたいことがありましてな」

「ききたいことってこんどの事件についてですか」

「ええ、まあ、そうですな」

「ああ、そう、じゃどうぞこちらへ」

通せんぼうでもするように立ちはだかっていた根津が体をひらいた。奥の六畳のデスクのうえにはトウシャ版の道具がちらかっている。

「お仕事中をどうも」

「いいや」

根津は手ばやくデスクのうえを片づけると、

「さあ、どうぞそちらへ」

四畳半との境の長椅子《いす》を指さし、じぶんはデスクのまえの回転椅子に腰をおろした。

「で、おたずねとおっしゃるのは……？」

「つかぬことをおたずねするようですが、事件のあった晩、すなわち今月十日の晩の十時ごろ、こちらをたずねてきたご婦人があるそうですな」

志村刑事の目は、鋭くあいてを凝視している。女のことを切り出されたとき、根津は、たしかにろうばいしたようだった。しかし、いっぽう、なんだ、そんなことかというような安心感も見受けられた。

「その女がなにか……？」

「はあ、そのご婦人についておたずねしたいことがあってやってきたんですが、そのひと、あなたとどういう関係になるかたですか、それをちょっと……」

こんどは根津のほうがジロリと鋭い一べつを志村刑事のおもてにくれた。

「刑事さん、さっきのあなたのお言葉では、こんどの事件についてききたいことがあるということでしたが……」

「ええ、まあ、そうですな」

「だったらその質問はぜんぜん無意味ですよ。あの女……いや、あの婦人はこんどの事件についてはぜんぜん関係がありません。だいいちこの団地へきたのはあの晩きりですからな。したがっていまのあなたの質問にはお答えする必要はないと思いますがね」

「いや、ごもっとも。われわれとしても、みだりにひとさまの私事に立ち入ることは、控えねばならんということぐらいはしってます。しかし、どうしてもここでその婦人の生存をたしかめておかねばならんような事態がもちあがったもんですから……」

「あの女の生存を……？」

根津はびっくりしたように眉《まゆ》をつりあげて、

「それはまたどういう意味で……？」

「いやね、ここにちょっと妙なことをいいだしたやつがいるんです」

「妙なことというと？」

「じつはタールの底から発見されたあの死体は、タンポポのマダムじゃなくて、あの晩こちらをたずねてきた婦人じゃないかといいだしたやつがあるんです」

「そんなバカな……だれがそんな……」

と、いいかけてふと思い出したように、

「まさか、それ、榎本君じゃないでしょうね」

「いいえ、榎本君じゃありません。まあ、だれともここでは申し上げかねるのですが、それでいちおうその婦人のことをたしかめておいたほうが、よくはないかということになってるんですがね」

「しかし、あの死体がタンポポのマダムであったことは確認されてるんでしょう」

「確認といってもなにしろ顔はあのとおりだし、それに肉親というものがひとりもいない。みんな半年足らずの浅いなじみの連中ばかりですから、多少無責任さはまぬかれなかったかもしれないという気もするんです」

「しかし、死体からとられたとおなじ指紋がタンポポから発見されたということだが……」

「はあ、それも細工をしようと思えばできないことはないと、その妙なことをいい出したやつがいうんです。なんでもあの晩十時半ごろ、あなたはそのご婦人とここを出てタンポポのほうへいかれたそうですね」

「ああ、そうか」

揮発油でインキに染まった指をふいていた根津は、ふっと渋い微笑をうかべて、

「わかりましたよ、その妙なことをいいだした人物というのが……しかし……」

と、なにか考えをまとめようとするかのように、しばらく首をかしげていたが、

「あの死体の死亡時刻は十時を中心として、その前後約一時間ということになってましたね」

「はあ……」

「それだとすると、あの死体がわたしをたずねてきた女でないことを、証明できる人物がいると思うんですが……」

「だれです、それ?」

「水島浩三画伯です」

志村刑事はハッとあいての顔を見なおした。

その水島浩三画伯なら目下逃走を懸念《けねん》されている人物である。この男はそれをしっていてアリバイの証人に水島画伯の名前をもちだしたのではないか。

「はあ」

「それじゃ、あなたあの晩水島画伯に会ったとでも……?」

「どこで」

「S駅で」

「S駅で……?」

志村刑事はいそいでポケットから手帳を取り出すと、

「あの晩、水島画伯がS駅で下車したのは十二時五十分ということになってますが……」

「時間が正確にわかっていてけっこうでした。そのときわたしどもはS駅の階段をのぼっていたのです。そしたらうえから水島画伯がおりてきてバッタリ出会ったというわけです。水島画伯はつれの女のほうを見てましたから、たぶんおぼえていてくれるでしょう」

「しかし、根津さん」

志村刑事はまだ疑わしそうに、

「あなたがたがここを出られたのは十時三十分ごろのことですね。ここからS駅まで歩いて三、四十分くらいの距離ですが、それを二時間二十分もかかったんですか」

「はあ、わたしはこのとおり足が悪いから人の倍以上はかかるでしょう。それにいろいろこみいった話もあったものですから……じつはあの晩わたしはあの女をバスでかえすつもりだったんです。しかし、女のほうでまだいろいろ話があるというもんだから、それじゃS駅まで歩こう、歩きながら話をしようということになったんですが、あまり長い歩行はわたしにとっては負担なのです。それで途中で休んだりしたもんですから」

「失礼ですがどのへんで……？」

「ここからS駅へいく中間あたりに中学校があります。中学校の付近はいちめんの草っ原になっていてそこにこんもりした丘があります。わたしはここへくるまで帝映のスタジオに住んでたもんですから、あのへんの地理にはくわしいのです。わたしたちはその丘の途中に腰をおろしてながいこと話してました。この団地がよく見え、団地の灯が少しずつ消えていくのが見えましたよ」

根津はできるだけ表面に出さないようにしているが、その話しぶりには一種の苦痛と哀《あい》愁《しゅう》がたたえられているようだ。抑揚とひびきに欠けた声が、この男のもつ孤独感をいっそう忍びがたいものにしている。

それにしてもその晩根津とその女が腰をやすめて話しこんだという丘は、この物語の冒頭でS・Y先生が双眼鏡の男を目撃したあの丘ではあるまいか。

「そのご婦人とはS駅で別れたんですね」

「はあ、改札口のなかへ入るまで見送りました。わたしはこのとおり跛だし、その女はちょっとひとめにつく器量だから、あの晩当番だった改札係りもおぼえていてくれるかもしれません」

「そのご婦人がどういうひとでいまどこにいるか、それはいえないとおっしゃるんで」

「はあ、あの女が多少なりとも事件に関係があるというならともかく、そうでないんですからな」

きびしい孤独のなかを、耐えがたい苦渋の影が走るのを、志村刑事は見落とさなかった。しかし、刑事という職業柄あいての痛いところへも触れねばならぬ。

「ある人物の説によるとその婦人はこちらのお嬢さんに似ていた。だから妙なことをいいだしたやつの説によると、その婦人はお嬢さんのおかあさんである。つまりあなたの奥さんである。あなたの奥さんは死んだということになってるが、じつは生きている……いや、生きてたんだというのがその男の説ですがいかがですか」

根津の顔は怒りのためにいっそうきびしくなった。

「そういう質問には答える必要はないと思いますね。ぜんぜん関係のないことなんだから」

志村刑事もあいての堅く結んだ唇《くちびる》をみると、この質問に関するかぎりサジを投げざるを

えなかった。そこで質問の方向をかえて、

「あなたはS駅へいくとちゅうタンポポのそばを通りませんでしたか」

「通りました。S駅へいくには団地をななめに突っ切ったほうがはやいので、行きもかえりも通ったのです」

「表側を？　裏側を？」

「裏側です」

「じゃ、問題の勝手口のまえを通ったわけですね」

「そうです」

「なにか異常に気がつかなかったですか」

「気がつきませんでした」

キッパリいいきってから考え直して、

「なにしろ連れの女と話しこんでいたもんだから、異常があったとしても気がつかなかったでしょうね」

それ以上のことを聞いても答えられないの一点張りである。けっきょくかんじんの女の身許《みもと》をつきとめることはできなかったが、三太の説にたいする信頼性が薄くなったことだけはたしかであった。

第十一章　池の底から

その日の午後から夕方、夜へかけての太郎池の周囲はたいへんな騒ぎになった。

捜査当局のほうで太郎池の底をさらうに必要な準備万端がととのったのはその日も暮れがたのことだった。なにしろ、とつぜんのことだから多摩川から貸しボートひとつ借りるにも、多くの手間と時間を要したのである。

いっぽう、帝映のスタジオではその夜この池の一部をつかって、夜間撮影を挙行することになっていて、このほうもいそいでいた。出演者のひとりがとつぜんの故障で、その部分だけ撮影がおくれるわけだから、ここで警察のつごうばかりを考えているわけにはいかなかった。

そこで両者のあいだに妥協が成立して、できるだけ撮影の便宜《べんぎ》をはかるかわりに、夜間撮影に使用する照明具を、浚渫《しゅんせつ》のほうに利用するということで話がきまった。

正午過ぎからぞくぞくと撮影班が池のほとりに到着した。太い電線がナワのようにねじれながら池の周辺に張りめぐらされた。あちこちにヤグラが組まれて、そこに照明具がはこばれた。夕方ごろになると、サウンド・カーや起重機みたいなのがやってきた。

これで今夜の撮影に登場する俳優は何人かと聞いてみると、わずか三人なのである。主演女優の町田《まちだ》容子《ようこ》と榎本謙作、それに姫野三太。映画というものがいかに金を食う事業であるか、これだけでもわかりそうである。

こうして撮影班の準備が進行するいっぽう、捜査当局の準備も着々として進められた。多摩川から貸しボートやモーター・ボートが到着して、太郎池の水面にうかんだのは午後六時ごろ。そろそろ薄暗くなりかける時刻だが池の周辺は野次馬で埋まっている。いっぽう報道関係の連中がカメラ・マンとともに待機しているのだから、大げさにいえば戦場のような騒ぎである。

伊丹大輔がその場に駆けつけてきたのもそのころだった。かれは朝から外出していたが、さっきかえって噂《うわさ》をきくと、飯も食わずにとび出してきたのである。イライラしたように雑踏のなかをかきわけて歩いているうちに、ふと順子たちの姿を見つけて足をとめた。

「ああ、須藤さんの奥さん」

と、嚙《か》みつきそうな調子で、

「いったい、この騒ぎはどうしたことじゃな」

伊丹の顔を見たせつな順子の顔は土色になった。

この男もいちどは重大な容疑者と目されていたのだ。それにもかかわらずいままで見のがされてきたのは、じぶんの良人《おっと》がゆくえ不明になっていたからなのだ。もしその良人が池のなかから死体となって出てきたら、いったいどういうことになるのだ。

「どうしたことって見ればわかるじゃないの」

順子にかわってやりかえしたのはタマキである。伊丹に負けず劣らず嚙みつきそうな調子であった。

「警察でこの池の底をさらうことになったのよ」

「そりゃいま聞いた。だけど、池などさらってどうするつもりだ。この池のなかになにがあるというんだ」

「伊丹さん、あんたこの池をさらうことに不服らしいけど、池の底をさらわれたら、ふつごうなことでもあるんじゃない？」

「なにが……？　なにがふつごうだというんだい？」

「だって、池の底から、順子ちゃんの旦那《だんな》さまの死体が出てくるという見込みなのよ」

「タマキ！」

と、そばから金切り声で制したのは加奈子である。

「そんな、そんな……まだそないにハッキリしたことやあらへん。めったなことというもんやないわ。奥さん、堪忍《かんにん》してやっておくれやす。この娘いうたらなんでもポンポンいうてしまいますのン。ほんまに悪い癖やわ」

「この池から死体が……？」

伊丹もさすがに土色になった。かれもこの事件におけるじぶんの立場はよくしっている。いままでは須藤達雄の失踪《しっそう》という事実が防波堤的な役割を果たしてくれたのだが、その防波堤が撤去されたらどういうことになってくるかと、かれははやくも頭のなかで計算している。

「でも、それ、まだ決定的じゃないのよ。ただそんな投書がきただけで、あたしにはそんなこと信じられないわ」

京美はじぶんにいって聞かせるような調子で、うつろな目を池の面へ投げている。

池をさらうといっても水を落としてしまうわけではない。池尻《いけじり》に水門の設備もないではないが、いま一気に水を落とされたら、下流の川が氾濫《はんらん》するおそれもある。いきおいボートのうえから池底をさぐってみるだけのことだが、それ以外に手段はなかった。

多摩川から徴発してきたボートが三隻にモーター・ボートが一隻。水面におろされたのは午後六時。ほかに帝映のスタジオから小道具のボートが二隻。こういう場合映画のスタジオが協力してくれると便利である。突き棒、サスマタ、袖《そで》ガラミ。池の底をつっつくにはくっきょうの小道具である。

モーター・ボートには等々力警部に金田一耕助。山川警部補はべつのボートに乗っていて、陣頭指揮に当たっている。

ひとくちに三百坪というがそれを隅から隅まで探るとなるとそうとう広い。それにこの池は断層下の地表の一部分がさらに大きく陥没したところへ、しぜんに水が溜《た》まってできた池らしく、広さのわりには水が深い。

池のうえには五隻のボートと一隻のモーター・ボートが浮かんでいて、それに乗り組んだ警官や消防団員がてんでに手にしたえもので、一めんに生い茂る水草のしたふかく探っている。ときおり大声でわめきあうかと思うと、またシーンとしずまりかえってしまう。

池の周囲を埋めたひとびとも結果いかにと手に汗にぎっている。

七時になるとライトがついた。この昼をあざむくライトの光に、池全体がうきあがったとき池畔《ちはん》をうずめる群衆から歓声がわきあがった。

のちに世を驚かせたこの作業がつづけられているとき、いっぽうではべつの作業が開始されていた。

安田監督の『波濤の決闘』の撮影がこの池を使って開始されていた。椎《しい》の木のはえている岬のへんからは見えないが、その対岸の小高い断崖《だんがい》のむこうに山小屋のセットが組まれていて、そこから三枚目のチンピラやくざ姫野三太が、ヒロインの町田容子をひきずり出してくる。そこへかけつけてきた榎本謙作が三太を池に叩《たた》きこみ、ヒロインを救うというシーンだ。

ライトがつく少しまえからタマキは京美をひっぱって、そっちのほうへ移動していた。彼女には死体より三太のほうが気になるのだ。

リハーサルはきびしかった。ことに謙作が崖《がけ》のうえから三太を水のなかへ叩きこむシーンのイキが気にくわないと、凝り性の安田監督はなんどもなんどもテストを繰りかえした。謙作のほうはよかったのだが、三太の調子が出なかったのである。

三太の調子が出ないのもむりはない。

いちおうあの怪文書についてのアリバイは成立したとはいうものの、はたして捜査当局が謙作の釈明をうのみにしてくれたかというところに不安がある。しかも、その怪文書のアドバイスにしたがってげんざい目のまえで死体捜索がおこなわれているのだ。もし、ほんとうに死体が出てきたら……？

三太は腹の底に鉛でものんでいるような気もちなのだ。これでは三枚目としての、かるい演技に調子が出ないのもむりはない。

「おい、どうしたんだ。姫野、きのうとてんでちがうじゃないか」

三度目のテストをおえてまだ気に入らない安田監督は、池のうえへせり出したクレーンの突端の腰掛けからイライラした声で怒鳴りつけた。

三太はもう唇《くちびる》まで鉛色になっている。衣装をぬらすわけにはいかないので、テストはパンツ一枚でおこなわれている。十月もおわりの夜ともなれば、もうそろそろ肌寒い。三度も水のなかへくぐらされては、三太が身も心も冷えきってしまうのもむりはない。

「先生、すみません。こんどは大丈夫です」

「どうだかな。おまえすっかり調子を狂わせている。ここで一服するから、おい、エノ」

「はい」

「おまえ姫野とよく打ち合わせしろ。姫野のやつ、気がちってるようだからなんとかしてやれ」

「承知しました」

カメラからはずれた場所で、火を焚《た》いている。三太はそれで体を温めながら、

「エノ、申し訳ない。こんどはきっとうまくやるかンな」

「三ちゃん、おまえ案外気が小せえんだな。あっちのほうを気にしてンだろ」

「だって、オレ……」

「バカ、よしんば死体が出てきたところで、だれがおめえのしわざだなんて思うもんか。うぬぼれんなよ」

「うぬぼれるって？」

「そうじゃねえかよ。おめえそんな含蓄《がんちく》のある犯罪がやれる男か。たかが三枚目じゃねえか。もっともつまんねえことにビクビクして、演技に身の入らねえことなんかも、三枚目の三枚目たるゆえんかもしンねえな」

「おめえ死体が出たらそういってくれるか」

「オレがいわなくてもみんながいわあ。おめえを疑ったりしたらそれこそ物笑いの種だってさ」

「ようし、わかった。オレおまわりにヨワイんだ。おまえだ、おまえだっていわれると、ほんとにじぶんがやったような気になりゃしねえかと思ってさ」

「あっはっは。三ちゃん、おまえにそんな被害妄想癖《もうそうへき》があるとは気がつかなかった。それじゃあんまり気が小さ過ぎるんじゃねえか」

「そうなんだ。オレ小心恐怖症ってやつかもしンねえな。だけどこないだ濡《ぬ》れ衣《ぎぬ》をきせられたまま、サツから逃げまわってるてえサスペンス小説読んだんだ。そいつがグッときちゃって……」

「あっはっは」

謙作はまた咽喉《のど》のおくまでみえそうなほど、大きく口を開いて笑いとばすと、

「三ちゃん、おまえ推理小説を読み過ぎるのとちがうのか。いいかげんにしないか。それでいやに空想癖が発達して小心恐怖症になってンだ」

「そうなんだ。だいたい弟のやつがいけねえんだよ。つぎからつぎへと貸し本屋から推理小説を借りてきやアがる。それをオレがよこどりして……」

「もうおよし、ほら、見ろ。あそこで京美とタマキが心配そうに見てるじゃねえか」

「京美はおめえを見てンのさ」

「どっちだっていいが、あの連中だって三ちゃんが犯人だなんてきいたら腹をかかえて笑いころげるぜ。とにかくおめえは善人だからな」

「アリガタヤ、エノ、どうやら落ち着いてきた」

「いいかい、三ちゃん、チャンスだぜ。おたがいにな」

「大丈夫、なんだかホンワカしてきちゃった」

「ああ、そう、先生、もういいそうです」

「ようし、それじゃもういちどテスト」

こんどのテストは一発でパスした。

「うん、よし、いまのイキを忘れるな。それじゃメーキャップをなおして」

本番も一回でOKになった。謙作に崖《がけ》から叩《たた》きこまれた三太が、カッパのように水草を

頭からいっぱいかぶって池のなかから顔を出すところでこんやの三太の役はあがりである。

「OK」

と、クレーンのうえから安田監督が満足そうに、

「あとよく体を洗ってふいとけ、風邪《かぜ》ひくな、こんどおまえに倒れられるとことだからな。あれ」

安田監督のクレーンの下で、三太がまた池のなかへもぐりこんだので、

「おうい、三ちゃん、どうしたんよう」

謙作もおどろいて崖のうえに這《は》いつくばった。

「おい、死体でも見つけたんじゃないか」

クレーンのうえから安田監督が乗り出したとき、やっと三太の頭が水面にあらわれた。片手に一枚の紙をにぎって差し上げている。

「姫野、なんだいそりゃ？」

「先生、この池の底に外国雑誌がベルトでしばって沈めてあるんです。これモードの雑誌じゃないかな。おうい、タマキ」

と、手にした紙を水面たかく差し上げながら、タマキと京美が立っているほうへ泳いでいくと池からあがって、

「おまえこういう雑誌しらねえか。『ファンシー・ボール』といううんだけど」

「『ファンシー・ボール』ならタンポポにたくさんあるわ。それ、どうしたの？」

「ううん、五、六冊ベルトでしばって池の底に沈んでんだ。京美、これこんどの事件に関係があるんじゃねえか」

「そういえば、あたしいつかその雑誌のことについて、警部さんにきかれたことがあるわ」

　タマキは大声を張りあげた。

「警部さん、金田一先生。こっちへきてぇ。へんなもんが出てきたのよう」

「京美、これ、おまえにまかさあ。オレ寒くてしようがねえから着かえてくる」

　三太が焚《た》き火のほうへ立ち去ったあとへ、モーター・ボートとボートが一隻やってきた。

「いま呼んだのはタマキちゃんかい。へんなものが出てきたってなにが出てきたんだい」

「京美ちゃん、あんたからいって」

　タマキは少々おかんむりである。三太があとを京美にまかせていったのが不服らしいのだ。

「いま三太さんがお池のなかへとびこんだでしょう。そしたら外国雑誌がベルトでしばって沈んでるんですって。姫野さん、表紙をはんぶんちぎってきたんです。これ……」

　京美が差し出す紙片をボートの男が取りあげた。ボートの男は山川警部補である。

　警部補はひとめ紙のうえに目を走らせると、

「警部さん、金田一先生、これ問題の雑誌『ファンシー・ボール』の表紙ですぜ」

　雑誌はベルトでよこにしばられているにちがいない。表紙はうえの半分しかなかったがそれで十分なのだ。そうとう長く水につかっていたのだろうが、ビニールをひいた上質の表紙はまだハッキリと原型をたもっている。

問題の雑誌『ファンシー・ボール』については、事件の直後げんじゅうに調査されたことはいうまでもない。タンポポにはこの雑誌は五冊しかなかったが、その五冊のどれからもＬａｄｉｅｓ　ａｎｄ　Ｇｅｎｔｌｅｍｅｎという文字は切り抜かれていなかった。

丸善《まるぜん》で調べてみるとこの雑誌はそうとうたくさん日本に入ってきているらしい。丸善の取り次ぎでアメリカから直接取り寄せているのもあるし、丸善に入荷してから月極めで購読しているのもある。タンポポのマダム片桐恒子は後者のほうで、彼女はここへ入居して以来の読者であった。

ほかに丸善の洋書部へ月々三十冊はきているが、たいてい売り切れてしまうそうである。丸善だけでもそれだからほかの洋書店で扱う部数を合算すれば、そうとうの数が町に出ているわけである。読者はかならずしも服飾関係者だけではなく、美容関係や婦人雑誌関係、つまり男女のおしゃれに関係のある職にたずさわるひとびとのあいだでかなり広く読まれていることがわかった。

丸善ならびに他の洋書店を調査することによってアメリカから直接取り寄せている人物、ならびに月極め読者の氏名はわかったが、そのなかにはタンポポのマダム以外に日の出団地の関係者はいなかった。

しかし、店頭で買っていくフリーの客、これはどうにも調査のしようがない。しかも、神田あたりの洋書をあつかう古本屋の店頭にもこの雑誌はそうとう出ているのだが、そちらで入手したとしたらなおさら調査困難だ。

こうしていままでこの雑誌に関する捜査は暗礁に乗りあげていたのだが、俄然《がぜん》、いまこの池の底からその一部分があらわれたのだ。金田一耕助や等々力警部、山川警部補の三人が緊張したのもむりはない。

いきおい警部はきびしい声になり、

「京美君、崖《がけ》の下ってどのへんだね」

「いま榎本さんの立っている崖のすぐ足もと。崖から監督さんのクレーンがせり出してるでしょう。あのクレーンの下……。そうだったわねえ、タマキちゃん」

「さあ、あたしよくおぼえてないけど……三ちゃん、こっちへきてよ」

三太は濡《ぬ》れた服をぬぎすてて、裸のうえにローブをまきつけてやってきた。

「警部さん、その雑誌なにかの参考になりますか」

「参考どころか、三太君、これは重大な証拠物件になるんじゃないかと思うんだ。どのへんにこの雑誌沈んでるんだ」

「警部さん、そのボートに乗っけてください、濡れついでにもういちど潜ってもいいんですが、撮影のじゃまになるといけねえから、監督さんに交渉してください」

三太はよい心証をえようとハリキッている。

交渉はすぐに成立した。

「エノ」

と三太はボートのなかから崖を仰いで、

「オレがさっき浮かびあがったなあ、このへんだったな」

「そうだと思うが、三ちゃん、なにを見つけたんだい。外国雑誌が沈んでいるんだって?」

「うん、なんだかだいじな証拠らしいんだ」

三太はローブをぬぎすてると濡れたままのパンツ一枚になって、

「だれかナイフを持ってませんか。ベルト切らなきゃとても持ち運びできねえと思うんです」

「ナイフならここにある」

言下に山川警部補が折りたたみ式のナイフを出してわたした。三太はそれを手にするとしずかにモーター・ボートから水のなかへすべりこんでいった。

「主任さん、ぼくもとびこんでみます。ほかにもなにかあるかわかりませんから」

山川警部補のボートに同乗していた若い警官が、すばやく制服をぬいで三太のあとにつづいた。ふたりの白い裸身がゆらめく水草の底へ沈んでいくのが、流動するテレビの画面のようにうえから望まれた。

「おい、ライトを水面へ」

安田監督の指令でライトの角度が調節されて、水面が真昼のように明るくなった。

「やあ、恐縮ですな」

金田一耕助はモーター・ボートの舷側《げんそく》から身を乗りだして、明るい水面をのぞきこんでいる。青黒くゆらめく水草の奥深く白い裸身のうごめくのが、ときどき視野のなかへ入っては消えた。

一しゅん、二しゅん……まず三太が浮かびあがってきて、

「警部さん、見つかりました」

と、パチッと音をさせてナイフを開いた。

「三太君、ベルトを切るのはいいが、いっしょに持ってきてくれたまえ」

「おっと、承知」

三太がもぐったあとから若い警官が首を出して、

「どうやら見つかったようですな」

水面でひと呼吸すると、また三太のあとを追ってもぐっていった。

三太と若い警官のふたりが、てんでに外国雑誌のひとたばをかかえて浮かびあがってきたのは、それからまもなくのことである。

『ファンシー・ボール』は六冊あった。これを池の底へ沈めた犯人は、むきだしでは明るい色のカバーが、水面から見えるかもしれないという配慮からであろう、青黒いビニール製の風呂敷《ふろしき》にくるみ、それをベルトでとめていた。

三太はテストを重ねているうちに、風呂敷づつみが水草の根もとによこたわっているの

に気がついた。本番がOKになったときかれはもういちど水底にもぐって、この気になるシロモノをたしかめた。風呂敷をほぐすと外国雑誌らしいものが出てきた。いつかタマキにタンポポにある外国雑誌について、警部から質問をうけたと聞いていた三太は、もしやと思って、表紙をはんぶんちぎってきたのが思わぬ手柄になったわけである。

犯人がもし一刻もはやくこの雑誌が、池底で腐熟《ふじゆく》していくことを望むならば、ビニールの風呂敷などでくるむべきではなかったのだ。ビニールの風呂敷にくるまれたうえに、雑誌そのものがおもて表紙もうら表紙もビニールびきでできている。なかのページも上質のアート紙を使ってあるので、六冊の『ファンシー・ボール』は犯人が期待したほど損傷はうけていなかった。

それでも水にぬれてぴったり密着している雑誌を取りあげたとき、等々力警部の息ははずんだ。金田一耕助も注意ぶかくページを繰りはじめた。山川警部補もボートのなかで雑誌の一冊と取り組んでいる。

金田一耕助がひくいうめき声をあげた。

「警部さん、これ……」

等々力警部がふりかえると、鋭利な刃物できられたように雑誌の一葉がなくなっている。

「それ、レディース・エンド・ジェントルメンのページですか」

「ええ、そう、目次を見なくともおぼえてるんです。どの号も一八二ページに組んでありますす」

「一八二ページですね」

等々力警部はハレモノにでもさわるような慎重さで一八二ページを探りあてたが、このほうはページはそのままになっていた。しかし、ハサミがよこに入れてあり、Ｌａｄｉｅｓ ａｎｄ Ｇｅｎｔｌｅｍｅｎの文字が三か所とも切り抜かれている。

「金田一先生、これでもうこの池に沈めたやつが、怪文書のぬしであることにまちがいはありませんね。だけどいったいだれが……？」

山川警部補がボートのほうからけたたましい声をあげたのはそのときである。

「警部さん、金田一先生、これ！」

山川警部補が両手でひろげてみせたのはドーサをひいた薄葉紙で、そこには線の細い密画でタンポポのマダム……いや、いつか捜査当局のもとめに応じて、水島画伯がかいた、タンポポのマダムとそっくりおなじ女の顔がかいてある。しかもこのほうは極彩色《ごくさいしき》だった。

「山川君、それ、どこから……」

「この雑誌のあいだに挟んであったんです」

その紙があまり薄いので雑誌にはさんだ人物は、そのまま忘れていたのかもしれない。またビニールの風呂敷と上質のアート紙に保護されて、そのドーサ紙はまだ原型をたもっていた。

「警部さん、タマキがいつかあの男の部屋でみたという絵はこれじゃありませんか」

「よし、念のためにあの娘にたしかめてみよう」

三太はもう泳いで岸へかえっていた。若い警官はひょっとすると死体もそのへんにあるのではないかと二、三度もぐっていたが、それは徒労に帰したようだ。

ボートをさっきの池畔《ちはん》につけると、京美だけがそこにいてタマキの姿は見えなかった。

「京美君、タマキちゃんは?」

「姫野さんがむこうでたき火にあたってます。タマキちゃんはお召しかえのお手伝いでしょう」

「すまんがちょっとここへ呼んできてくれないか」

すぐにタマキがやってきた。

「タマキちゃん、君がいつか水島先生の部屋で見た、タンポポのマダムの肖像というのこれじゃない」

「ああ、それよ、それだわ。それどこにあったの?」

金田一耕助と等々力警部、山川警部補の三人はおもわず顔を見合わせた。

これで六冊の『ファンシー・ボール』を池底に沈めたのが、水島画伯であることは疑いの余地はない。と、いうことはあの怪文書のぬしが、水島画伯であることを物語っている。それだからこそ水島画伯は、この池がさらわれると聞いて逃走したのだろう。

しかし、これはいったいどういうことになるのか。

タンポポのマダムが殺害された時刻における、水島画伯のアリバイには確固たるものがある。それではこの怪文書の一件と、タンポポのマダム殺害事件とは無関係なのか。

「警部さん！　警部さん！」

そのとき池のむこうが急に騒がしくなった。

日の出団地をシンカンさせたあの恐ろしいものを発見したのは、帝映のスタジオで照明係りをつとめている若者だった。かれはこの土地にうまれて育ったので、幼時からこの池で泳いで、水の深浅などよくしっていた。

この池はあの椎《しい》の木のはえている岬から三メートルほど沖がいちばん深いのである。そこで地層がまたとつぜん陥落していて、ふかさ五メートルばかりの地溝をつくっている。よく子供がそこへ落っこちて底にはえている長い水草にからまれて死ぬことがあった。

照明係りの若者はそのことをよくしっていた。かれはスタジオから持ちこんだボートに乗って、仲間と三人で池の底をつついていたが、死体があるならそこだろうと目星をつけた。しかし、なにしろ深いのでふつうの竿では底までとどかない。

かれはいったんスタジオへ引き返すと長いロープをもってきた。裸になるとそれを体にまきつけて池のなかへもぐりこんだ。水草にからまれたら、ふたりの仲間にロープをひいてもらうはずだった。

若者は潜水に自信をもっていた。おどろおどろともつれあう、水草をかきわけて、池底へ到達するとまもなく、若者はあの恐ろしいものを発見したのである。

「君がそれを発見したんだね」

「はあ」

「で、どんなようすなんだね」

「それが暗くてよくわからないんです。でも手でさわった感じからいうとレーン・コートかなんかでくるんだうえを、ワイヤーのようなものでしばってあるようです。ぼく顔にさわったらしいんですよ」

照明係りの若者は唇《くちびる》まで土色になっていた。

「警部さん、わたしがいちどもぐってみましょう」

さっき三太といっしょにもぐった警官がまた制服をぬぎはじめた。

「おまわりさん、危いですよ。このロープを体にまきつけていらっしゃい。水草がいっぱいからんでいますから」

「ああ、ありがとう」

若い警官はロープを体にまきつけると、水のなかへおりていった。つぎのしゅんかん、ゆらめく水草のなかに見えなくなった。

撮影隊の一行も池畔をうずめた野次馬も、息をのんで水面を見守っている。しばらくして警官があがってきた。

「まちがいありません。たしかに男の死体です」

池の底からあの恐ろしい死体が引き揚げられるまでには、それからタップリ一時間はかかった。

あれ以来二十日も水につかっていたとしたら、死体はそうとう痛んでいるにちがいない。

それ以上の毀損《きそん》は避けねばならぬという配慮から、この作業には綿密な考慮が払われた。その作業に全面的に協力したのが帝映撮影班で、ライトというライトが池のそこへ集中された。

潜水には三人の男があたった。さいしょそれを発見した若いライト・マンと例の警官、それからもうひとり消防団員が志願した。かれらが交互にもたらした報告によると、死体にはコンクリートのかけらが二個結びつけられているそうである。

三太も手伝おうかと思ったがじぶんも容疑者のひとりかもしれないと思うと、出過ぎたまねは控えねばならなかった。そのかわり金田一耕助の依頼によって、京美やタマキとともに順子の保護にあたっていた。

じっさい順子は保護を必要とする状態にあった。死体がそこにあるとわかったとき、彼女は岬の突端で失神しそうになった。加奈子がそばにいて支えてくれなかったら、池のなかへ転落していたかもしれない。加奈子はいったん彼女をじぶんの部屋につれていって、愛用のブランデーをすすめた。そのブランデーの一杯が、いくらか彼女の神経をやすめるのに役立ったようである。

加奈子は彼女に部屋へかえってやすんでいるようにすすめたが、順子は池畔へいくときかなかった。もう一杯のブランデーをすすめたのち、加奈子は順子といっしょに岬へかえった。三太や京美やタマキのほかに岡部も心配してそれとなく彼女のそばにつきそっていた。寿美子もいっしょだった。

この一団から少しはなれたところに伊丹大輔が立っていた。これまた酒でもあおったのか、満面朱《しゅ》をそそいだようである。伊丹からまた少しはなれたところに管理人が立っている。あいかわらず虚脱したような表情で池の面へ目をやっている。

九時ジャスト。——とうとうあの恐ろしいものが水面にうかびあがってきた。

この死体がどのような恐ろしい状態をしめしていたか、それをあまりなまなましく描写するのは、ひかえたほうがよさそうである。それはいたずらに読者諸兄姉をして悪寒《おかん》を催さしめ、ひいては食欲を減殺することになりかねまじいからである。

死体は待機している救急車に収容されるまえに、岬のうえで綿密に調査された。

死体はレーン・コートでくるんだうえをワイヤーでしばってあった。あとでわかったところによるとワイヤーは、この団地の建設現場から徴発されたものであった。ワイヤーをとき、胸のほうからおっかぶせるようにしてあったレーン・コートをとりのぞいたとき、そこに居合わせたひとびとはみないちように息をのみこんだ。

ちょうど心臓の部分にあたるワイシャツのうえに奇妙な木製の棒が突っ立っていた。

「なんだい、ありゃ……?」

等々力警部の声は咽喉《のど》のおくでひっかかった。

「千枚通しの柄じゃありませんか」

志村刑事が手でさわってみて答えた。

「根もとまでぐっさり……これじゃひとたまりもありませんや」

犯人がしっていてそうしたのか不明だが、千枚通しを抜かなかったのがよかったのだ。抜いていたらもっと多量の血が、あの部屋に流されていたにちがいない。抜かなかったがために一種の栓《せん》の作用をして、血はほとんど外部に流されていなかった。

等々力警部がうしろをふりかえった。

「須藤さんの奥さん、お気の毒ですがちょっとこっちへきてください」

順子にとっては、それは世にも残酷な試練だった。

こうなっているのではないかという、ばく然たる疑惑や懸念《けねん》はもっていたとしても、それがハッキリとした形となって現われてくるとまた話がちがってくる。

彼女は泣いてはいなかった。彼女の目は乾いていた。順子はむしろ腹を立てていた。だれだってあんなお人好しを、故意に殺そうと思うものはないであろう。良人《おっと》はマダム殺しのとばっちりを食っただけのことなのだ。マダム殺しの現場へいきあわせて、ハケついでに殺されたのにちがいない。なんという間の抜けた話だろう。体ばかり大きなくせに。

順子のエゴイズムは良人の死体をまえにして彼女を悲しませるどころか、反対に立腹させているのである。順子はそういうじぶんを冷酷な女だと思った。われながら情けないとも反省している。しかし、そういう腹立たしさは、やはり良人にたいする愛情から発しているのではないか。わが児の怪我《けが》にたいして立腹する、母親の心理とおなじことだと順子もいつか気がつくだろう。

順子は正視にたえぬそのものをよく正視した。大きく変容しているけれど、順子はそれをまちがいもなく良人であると認めた。洋服やレーン・コートも良人のものだった。靴もあの朝はいて出た靴である。

「主人にちがいございません」

「まちがいありませんね」

等々力警部が念をおしたのは、三太のフィクションにこりているからであろう。

「まちがいございません。妻のあたしがいうのですから、でも、念のために、どなたか主人をしってるかたに見ていただいたら……」

三太がその役を買って出た。三太もそれを須藤達雄であると認めた。順子とおなじ階に住んでいて、勇気にとんだ人物が二、三人順子と三太の証言を裏書きした。

どうやらこれでこんどこそ三太のフィクションも乗ずるすきがなさそうだ。

「警部さん、警部さん」

さいごにひとつ残ったコンクリートのおもしを取るために、潜水していた若い警官と消防団員が水面に浮かんできたのはそのときだ。

「警部さん、ここにおもしろいものがくっついてますよ。これで犯人が割り出せるんじゃないですか」

二個のコンクリートはワイヤーで十文字にからげてあって、死体をしばったワイヤーに結びつけてあり、それがおもしの役目をしていた。死体を引き揚げるために、それらのおもしは水底でいったん取りはずされたが、いまふたりの作業員が引き揚げてきたのは二個目のコンクリートである。

このコンクリートにもワイヤーが十文字にかかっていたが、その底部にあたるところに、軍手がひとつひっかかっていた。

コンクリートをしばったワイヤーは底部のところで少しほぐれて、針金の一本が突起している。軍手はその針金にひっかかっているのであった。軍手は左の片方だった。しかも、その軍手には点々としてタール様のものがついている。

「死体を沈めるとき犯人は軍手をはめていた。それがこの針金のささくれにひっかかって、あっというまに脱げたんですね」

「そうです、そうです、金田一先生」

温厚な山川警部補もめずらしく興奮して、

「犯人もしまったと思ったでしょうがおそかった。あっというまにこの針金が軍手をひっかけたまま水の底へ沈んでいったんですね」

「ここにこうして点々とタールがついているところをみると、マダム殺しの犯人とおなじやつのしわざにちがいないな」

等々力警部の興奮もそうとうなものだった。

「この軍手はいちおう科学検査所で調べていただくんですね。タール以外になにか付着しているかもしれない」

金田一耕助はなにか思案をするように呟《つぶや》いた。

こうして死体発見とともに、はじめてこの事件における物的証拠が、しかも三点まで発見されたのだ。

『ファンシー・ボール』と千枚通し、それからさらにこの軍手と。……

第十二章　暴露

あやうく迷宮入りかと思われた日の出団地殺人事件の、この新しい進展に世間が驚倒している十月三十一日、月曜日の夜、金田一耕助は日疋恭助氏に会っていた。

きのう順子から日疋氏の伝言をきいた金田一耕助は、その日の昼過ぎ、金王町にあるクイーン製薬会社へ電話をかけてみた。順子への伝言があったとはいえ、いざとなったら、なかなか会えないのではないかと思っていたら、案に相違して、こんやにでも会いたいという返事だったのは、須藤達雄の怪死のせいだろう。

それでも日疋氏は念を押すことを忘れなかった。会うことは会うが、この会見は警察へは秘密にしてほしいということ、また会見のさい、なにを聞いてもじぶんが許可するまでは、ぜったいに他へもらさぬこと、このふたつだけはぜひ守ってほしいという、強い要請があり、それが金田一耕助の興味を刺激した。

じつをいうと順子から伝言をきいても、金田一耕助はこの好色な紳士に、それほど大きな期待はもっていなかったのだが、この電話で、強い関心をそそられずにはいられなかった。

金田一耕助が秘密を厳守するむねを伝えると、会見の場所として赤坂山王町にある『ポン・ヌフ』（新しい橋）というナイト・クラブを指定した。そこの正面玄関でなく、背後にある従業員の入り口で、じぶんの名をいえばわかるように取り計らっておく、時間はカッキリ六時ということであった。

金田一耕助は電話をきると、さっそく紳士録をひらいて、日疋恭助のところを調べたが、とくべつにこれといって、目をひくような発見もなかった。過去の経歴からいって、この事件につよく結びついているのではないかと、思われるようなふしもなかった。

かれがこの事件に関係があるとすれば、けっきょく、順子との情事からであろうと思っていたのに、いったいなにをしっているというのであろう。

金田一耕助はふと思いついて、毎朝新聞社へ電話をかけてみた。そこの社会部にいる宇《う》津《つ》木《ぎ》慎策《しんさく》という男と懇意にしていて、ときおり特種を提供するかわりに、そこの調査部を利用することがちょくちょくあった。

宇津木がいたら、日疋恭助氏についての資料を調べてもらうつもりだったが、あいにく留守だった。

留守でよかったかもしれぬと、金田一耕助は思いなおした。いま、じぶんが日疋恭助氏に、強い関心をもっていることを他にしられるということは、日疋氏との約束を破ることになるかもしれないと、金田一耕助は考えなおした。

かれはそれからS署へ電話をかけてみた。解剖の結果をたしかめてみようと思ったのである。

S署には等々力警部がいあわせて、電話のむこうへ出たが、なぜか声がはずんでいた。

「金田一先生、あなたいまどちらに……?」

「ぼく、いま緑ヶ丘のアパートですが、解剖の結果がどうなったかと思って、ちょっとお電話してみたんです」

「ああ、それ、それがハッキリするのはこんやの十時ごろになるそうです」

「ああ、そう、それじゃまだ……?」

「はあ、そのほうはまだですが、金田一先生、あなたすぐこちらへいらっしゃいませんか。いまちょっとおもしろい発見があったんですがね」

金田一耕助は腕時計に目をやった。

時刻は四時になんなんとしている。日疋恭助氏との約束は六時ジャストである。これからS署へ出向いて、手間取っていたら約束の時間にまにあわない。

「せっかくですが、警部さん、それがちょっと都合がつかないんです。これから出掛けるところなんで。こんや八時ごろならおうかがいできるかもしれないですが……」

「金田一先生、そちらのほうにもなにかあるんじゃ……?」

警部の声がちょっと改まった。

「いや、いや、それはこの事件とはぜんぜん関係のないことなんですが……」

心苦しくとも日疋氏との約束のてまえ、金田一耕助は嘘をつかざるをえなかった。

「どうだかな、あなたにはゆだんがならないんだから」

「いや、いや、ほんとうですよ。警部さん、ぼくだってこの件にかかりきりじゃ、オマンマの食いあげですからね。ハルミちゃんじゃゼニにゃならない」

「あっはっは、それもそうかもしれんですが」

「それより、警部さん、いまおっしゃったおもしろい発見たあどんなことですか」

「それそれ、あなたずるいよ。じぶんの手のうちは見せないで、こっちの手のうちをしろうとなさる」

「警部さん、だいぶんゴキゲンじゃありませんか。なにかよっぽど重大な発見だったんですな」

「それそれ、そのとおりあなたはゆだんがならない。あっはっは、まあ、いい。それじゃ教えてあげますがね。ほら、あの軍手ですね」

「はあ、はあ、きのう池の底から発見された……？」

「ええ、そうそう、あれに黒い斑点《はんてん》が点々とついていたでしょう。あの斑点から妙なものが発見されたんです」

「妙なものとおっしゃると……？」

「あの斑点のなかに、トーシャ版用のインキがまじっているんですよ」

金田一耕助は受話器を握りしめたまま、しばらくシーンとしずまりかえっていた。

「金田一先生、金田一先生」

電話のむこうから等々力警部に声をかけられて、

「ああ、いや、失礼いたしました」

と、金田一耕助はもう落ち着きを取り戻していた。

「それじゃ持ち主が確認されたというわけですか」

「いや、そこまではまだ……いまその線にそって調査をすすめているところですが、きょうじゅうにはなんとかハッキリさせたいと思っています」

「で、あれ、全部あれ用のインキだったんですか」

「いや、それがそうじゃなくタールもまじっているんです。だからいっそうおもしろいわけですね」

「しかし……」

と、金田一耕助は考えたのち、

「あの人物ならアリバイがあるわけでしょう」

「だけど、それ、あの男のいっぽう的な話だけではね。問題の女でも出てくれれば話はべつですが……」

「しかし、そういう女性が実在することはたしかですね。ああして若いひとがふたりまで、その婦人を目撃しているんですから」

「ええ、ですからこんどはドロを吐かせますよ。あの男も、こういう重大な容疑のもとにおかれたら、おそらく洗いざらい申し立てるでしょうよ」

「ひとつ慎重にやってください」

「先生はなにかあの男に……」

「いや、いや」

と金田一耕助はあわてて打ち消すと、

「ところで伊丹氏のほうはどうなりました。あの狼先生は……？」

「いや、じつはそのことなんですがね。きょうここへ喚問しようかと思っていたんです。ところがそのやさきに軍手の線が出てきたもんだから、さっきあなたがおっしゃったように、いちおう慎重を期して見送ろうということになったんです。まあ、なんといっても管理人のほうがさきということになりましょうな」

「ああ、なるほど。ところであのエカキ先生はどうなりました。団地へかえってきましたか」

「いや、それがまだなんです。一度部屋ん中を調べてみようと思うんだが怪文書の件だけじゃねえ。金品でもユスっていたという疑いでもあればともかく……」

「しかし、いまもってかえらんところをみれば、いちおう逃走とみてよろしいんじゃないでしょうか」

等々力警部は軍手の線が出てきたので、水島画伯の失そうのほうをあまり重く見てないようだが、金田一耕助にはそれが気になっている。

「ええ、ですからいちおう手配はしてあります。だけど金田一先生、あの怪文書とこんどの事件と、なにか密接な関係があるんでしょうかねえ。もっとも」

と、等々力警部はあわてて言葉を付け加えると、

「ああして死体のありかを教えてきたところをみると、なにかあるんでしょうが、それにしても水島が怪文書のぬしなら、さいごのああいう怪文書を順子のところへよこすのはおかしいですね。怪文書をよこしておいて、池がさらわれそうになったというので逃げ出していく。これ、矛盾してると思うんですよ」

「あの七通の怪文書は綿密に比較検討してみる必要がありますね」

「そこからなにか出るとお思いですか」

「これはヤマカンかもしれませんが、わたしにはやっぱりなにか出そうな気がするんですよ」

「この殺人事件に関連して……？」

「はあ、どこかで結びついてるんじゃないかって気がするんです。それについて」

と、金田一耕助は思い出したように、

「白井寿美子女史の兄さんの白井直也氏が、さいしょの怪文書について調査を依頼したという、A紙の佐々照久という人物に、当たってごらんになりましたか」

「ああ、それはいまいってるはずです。まもなく結果がわかりましょう」

「ああ、そう」

金田一耕助はちょっとためらったのち、

「いずれにしても、八時ごろにはそちらへいけると思うんですが、ここでちょっと、警部さんにご注意申し上げときたいことがあるんですが……」

「はあ、はあ、どういうことでしょうか」

「順子ちゃんはきのう、根津氏を尾行した理由についてこんなことをいってましたね。京美君を自殺にかりたてたあの怪文書、あれをなぜ、じぶんの部屋で直接あたしにわたさなかったのか、なぜあとになって、由起子ちゃんにタンポポのほうへとどけさせたのか、そこにもひとつの疑惑をかんじたと……」

「はあ、はあ、それがなにか……？」

「根津氏はそのとき順子ちゃんのまえで……いや、順子ちゃんのみならずだれのまえでも、怪文書を取り出せない事情があったんじゃないかと思うんです」

「と、おっしゃるのは……？」

「いや、これもわたしのヤマカンですけれどね、根津氏はその部屋、すなわち順子ちゃんを通した六畳に秘密のかくし場所、つまりかくし金庫のようなものをもっていて、そのなかにあの怪文書をしまっていたのじゃないか、だから順子ちゃんの見てるまえでは、取り出せなかったんじゃないかと思うんです」

「先生！」

電話のむこうで等々力警部の声がはずんで、

「先生はどうしてそうお考えなんですか。なにかそれには論理的な根拠がおありなんでしょうな」

「いや、論理的は大げさですが」

と、金田一耕助は多少テレ気味で、

「警部さんは根津氏が、タバコを吸っているところを、ごらんになったことがありますか」

「いえ、それがなにか……?」

「ぼくは二度見ましたがね。あのひといつも、エントツみたいにタバコをおっ立てて吸ってるらしいんです。ぼくを見るとすぐ姿勢を改めましたがね」

「金田一先生! そ、それじゃ、あの男、麻薬常用者だとおっしゃるんですか」

「じゃないかと思うんです。ヘロインですね。ヘロインの常用者はよくそれをタバコのうえにのっけて、そういう姿勢で吸ってますね。ぼく、まえにも見たことがあるんですが……それに、ねえ、警部さん」

「はあ、はあ」

警部は咽喉《のど》がヒリつきそうな声である。

「榎本君は気がついてるんじゃないかと思うんです。だからあんなにハラハラしてたんじゃないかと……」

「先生、それじゃこれは麻薬中毒患者の幻想からくる犯罪だと……?」

「まさか……いや、いや、多少はそういう傾向もあるかもしれませんね」

「そうすると、先生、財源が問題ですね。一回の使用量を〇・〇二グラムとしても、いま六百円から千円ぐらいの相場がしてますからね」

「そのほうもひとつ追求してごらんになるんですね。池袋方面に密売人がいるんじゃないですか」

「わかりました。それで由起子という娘の目にふれぬよう、あの六畳に、秘密のかくし場所をもってるという推理なんですね。いや、いや、先生、ありがとうございました。ほかになにか……？」

「いや、それだけです。それじゃまたのちほど」

電話を切ったあとしばらく、金田一耕助は悩ましげな目をして、ボンヤリそこにすわっていた。こんなとき、かれの心はいつも痛むのだ。


「やあ、しばらくでした」

「あっはっは、しばらく」

六時ジャスト。赤坂のナイト・クラブ『ポン・ヌフ』の二階特別室で、金田一耕助とむかいあった日疋恭助氏はいつもの温顔をくずさなかった。ニコニコと眼尻《めじり》にシワをきざんであいてのようすを見まもりながら、

「あいかわらずですね、先生は」

「はあ？　あいかわらずとおっしゃいますと？」

「いや、そのおみなりですよ。和服にハカマ……なんでも聞くところによると先生はアメリカの占領下にあるころ、占領軍にたいするレジスタンスとして、きもので押し通される決心をなすったんですって？」

「まさか！　だれにそんなことをお聞きになったのかしりませんが、そりゃフィクションですよ」

フィクションという言葉を口に出して、金田一耕助はおかしくなった。きのうムキになってフィクションを強調していた、三太の顔を思い出したからである。

「あなたこそ当時とちっともお変わりになりませんね」

「そうそう、先生はわたしをおぼえていてくだすったそうですな。ハルミを張ってスリーXへ通っていたころのわたしを……」

「はあ、お目当てはあのひとだとは聞いてましたが、その後よろしくやられたということは、こんど久しぶりにあって、告白を聞くまでしりませんでした」

「さぞあきれたでしょう。としがいもないやつだと」

「とんでもない。お盛んなことだと羨望《せんぼう》にたえません」

「どうです、一本」

「はあ、どうも」

金田一耕助は日疋氏のすすめる外国タバコを一本取った。日疋氏はライターを鳴らして

火をつけてやると、じぶんも一本とって火をつけながら、急に改まって、

「先生、じつはきょうここへお運び願ったのはほかでもない。たぶんハルミからお聞きくだすったでしょうが、こんどの事件の捜査について、ぜひ先生にお願い申し上げたいと思ってるんですが」

「はあ、それはハルミちゃんからも聞きました」

「お引き受けくださるでしょうね」

「それはお話を伺ってからですね」

「と、いうことはわたしがこんどの事件で、なにか法にふれるようなことをやってるんじゃないか、それならうっかり引き受けられないと、そういう意味ですね」

「まあ、そういうことですね。それにだいいちこんどの事件では、わたしははじめから警察に協力しておりましょう。だからもしあなたがこの事件の捜査上、有力なデータを提供してくださるとする。それをあたしが握りつぶすというのは拙《まず》いと思うのです」

「ああ、なるほど」

　日疋氏はおだやかにうなずいて、

「金田一先生、さっきの電話を誤解なさらないでください。わたしはこれから申し上げることを、あくまで秘密にしてほしいというのではないのです。わたしはこのことが、こんどの事件に関係があるのかないのかよくわからないのです。もし関係がないのなら、みだりに他に迷惑をかけたくない。しかし、関係があるとすれば警察へとどけてくだすって結

構です。だからそこをあなたに調査していただいて、このことがこんどの事件に関係がないならば、あるいはこのことを暴露するまでもなく、事件が解決されるだろうという見込みが成立つならば……わたしはぜひそうあってほしいのですが……このことを伏せておいていただきたいと、そういう意味なのです。それからこんどの事件に関するかぎり、わたしはぜったい関係はありません。ただ、ハルミのことでひっかかっているだけなのです」

「なるほど、わかりました」

金田一耕助は素直にうなずいて、

「それじゃとにかくお話を聞かせてください」

「金田一先生」

と、日疋氏はソファから体を起こすと、

「第一の事件の直後、刑事がわたしをたずねてきたとき、わたしは十日の夜、すなわち事件の夜における、じぶんのアリバイを提供することを拒否したんですが、警察ではそれをどう見てるんですか」

「いや、警察ではあなたのアリバイ調べを完了してますよ。十日の夜あなたは八時ごろから十一時ごろまで、日比谷の三光ビル内のクラブ和合にいらしった」

クラブ和合というのは一種の社交団体で、主として戦後派の政治家、実業家、財界人などによって組織されており、その本拠を日比谷の三光ビル内にもっている。

「そう、警察のほうでクラブを調べたそうですね。しかし、ねえ、金田一先生」

と、日疋氏はちょっと体を浮かして、

「そうして警察のほうで調べれば、すぐわかることを、なぜ打ち明けるのにちゅうちょしたか、そのことについて警察はどう見てるでしょう」

「それはおそらく業務上の取り引きかなんかで、他にしられたくない人物と会見なすったと……」

「ところが、金田一先生」

と、日疋氏はおもしろそうに口もとをほころばせて、

「わたしはあの晩だれとも会見しませんでしたよ。サロンで備えつけの雑誌をひっくりかえしたり、バーへいってカクテルをあおったり、ノラリクラリと時間をつぶしただけのことなんですがね」

金田一耕助はハッとしてあいての顔を見直した。しばらく無言のまま顔を見守っていたが、

「わかりました。それじゃあなたはだれかを監視していたんですね。そして、あなたに監視されていた人物にたいしてあなたは疑惑をもっていらっしゃる。こんどの事件に関係があるのではないかと……」

日疋氏はほほえんで、

「その場合、金田一先生ならどうなさる」

「それはぞうさありません。あの晩クラブへ出入りした人物を調べあげて……あそこは万

事伝票制度のようですから、伝票を調べればあの晩やってきた人物がわかりますね。それを片っ端から調べていって、こんどの事件に関係がありそうな人間を捜し出せばよいわけです」

「なるほど」

「しかし、ここであなたからその人物の名前と、なぜまたあなたが疑惑をもたれたか、その理由を打ち明けていただければ、それだけ手数がはぶけるというものです」

金田一耕助はそっけなくいった。

「いや、どうも失礼いたしました」

日疋氏は頭をさげて、

「思わせぶりな切り出しかたをして、気を悪くなさらんでくださいよ。じつはね、金田一先生、世の中には妙な偶然があるもんですね」

「と、おっしゃると……？」

「十月三日にわたしがハルミをつれて、横浜のホテルへいったことはあなたも聞いてらっしゃるでしょう」

「はあ、伺っております」

「そのときハルミがタンポポのマダムの姿を見かけたんですね。タンポポのマダムは男といっしょだった。しかし、ハルミはマダムに気をとられて男の顔は見なかった。いや、見たとしてもそれがだれだかしらなかったでしょう。ところが……」

「ところが……？」

金田一耕助にもようやく相手のいわんとするところがわかってきた。目をすぼめるようにして鋭く相手を凝視している。

「はあ、ところがわたくしは反対にマダムのほうはしらなかった。しかし、その男をどこかで見たような……と、とっさにそういう気がしたのです。しかし、そのときにはそれがだれだか思い出せなかった。だから部屋へ落ち着いたとき、ハルミがタンポポのマダムのことを切り出さなかったら、それっきり男のことを忘れていたかもしれない。ところがハルミがそれを切り出したもんだから、さて、それではあの男は……？　と考えているうちに思い出したんです。クラブで二、三度会ったことのある人物だと……」

「なるほど、なるほど」

金田一耕助の目はいよいよ細くなってきた。

「しかし、会員ではなかった。会員ならすぐ思い出せたはずですからね。あそこは原則として、会員以外は出入りができないことになっているんですが、会員の紹介なり、あるいは会員といっしょだった場合はいいことになってるんですが、さて、だれといっしょだったか……と、考えてるうちに、まずその男をつれてきた人物を思い出したんです。その人物の名前もついでにここで申し上げておきましょうか」

「どうぞ、必要のない限り絶対他にもらさないことにしますから」

「及ぶかぎりそうしてください。みだりにひとに迷惑をかけたくありませんからね」

「承知しました。それでまず紹介者の名前は？」

「あなた東邦石油の立花隆治って人物をご存じでしょうね。ちかごろ売り出しの男です」

「名前はもちろん存じております」

「その男なんです。紹介者は。と、ここまで思い出したら当の人物も思い出しました。民民党の代議士だった一柳忠彦という人物です」

この事件の捜査進行上おそらくいまこのときこそ、もっとも決定的瞬間だったろう。臨海荘ホテルにおけるマダムの同伴者について、捜査当局が徹底的に、追求したことはいうまでもない。ホテルへくるまえ、かれらはどこかで待ち合わせたらしく、手をたずさえてやってきたのだった。午後零時半ごろのことだった。ただし部屋を借りたのではなく、食事にやってきたのだった。食堂へは入らなかった。ホテルの一部に商談などをするための特別室が設けてある。そこへ食事を運ばせた。ボーイの言葉によると食事のあと、一時間ほど閉じこもっていたが、べつにいかがわしい行為はなかったように思うとのことだった。


それだけに、かえって、捜査当局ではその男の存在を重視した。おりあたかも、マダムは伊丹大輔に脅迫をうけはじめていた形跡がある。そのことについて男が相談にのったのだとしたら、その男こそマダムの前身をしっているにちがいない。

ホテルにおける男は、大きなべっ甲ぶちの眼鏡をかけていたという。もちろん変装用だろうが、なまじいかがわしい振舞がなかっただけに、ボーイの印象もうすかった。ボーイはその女を自動車のセールス・ウーマンだと思ったそうだ。そう思わせるような会話のやりとりだったらしい。

一時半ごろふたりはいっしょにホテルを出て、それきりゆくえがわからない。ホテルを出るとすぐに別れたらしいが、タクシーに乗った形跡はなかった。市電や国電を利用したとすると、調べようがない。ボーイがハッキリ人相をおぼえていなかっただけに。

こうして今日までその男は都会の渦にのみこまれて、ゆくえがわからなくなっていた。それがいまとつぜん民々党代議士として姿を現わしたのである。

「日疋さん、わたしは寡聞《かぶん》にして一柳忠彦という代議士をしらないんですが、そのひとはいま……？」

「郷里から立候補しているようです」

「郷里はどちら？」

「神戸のようですね。立花氏が兵庫県出身ですし、兵庫県の第一区から名乗りをあげているようです。しかし、金田一先生がご存じなかったのもむりはない。このまえの総選挙ではじめて出てきたものらしい。まあ、こういっちゃ失礼だが陣笠《じんがさ》ってとこじゃないですか。わたしも立花氏がクラブへつれてくるまで、そういう代議士がいることをしらなかったんですよ。しかし、どちらにしても目下選挙戦たけなわの最中だけにねえ」

日疋氏は重っくるしい溜《た》め息を吐き出した。

金田一耕助にもようやく、日疋氏の苦衷《くちゅう》がわかってきた。このひとは敏腕家であり色好みでもあるが、人間は悪くはないのだ。この暴露が一柳代議士の選挙戦にどうひびくか、それを心配しているのだ。

「わかりました。日疋さん、つまりあなたはわたしに一柳のことを調査させて、マダムとの関係がただゆきずりのものだったら、このまま握りつぶしてほしい。しかし、もしふたりの関係がもっと深刻なものだったら、しかも、そのことがこんどの事件につながっているようだったら、暴露もやむをえないと、そういうお考えなんですね」

「そうです、そうです。あなたのおっしゃるとおりなんです。じつは……」

と、日疋氏は暗い顔をしかめて、

「一昨日あなたにこの事件の調査を依頼しようと考えたときには、わたしもここまで打ち明けるつもりはなかった。ただなんとなく十日の晩、クラブに出入りした人物に、あなたの注意をむけるようにしたらどうか、そしてあなたがあの人物を突きとめられたら、あのひとに運がないのだ。万事は金田一先生の手腕しだいということにしたらどうか……と、そんなふうな考えかただったんです。ところがきのうのあれでしょう。それじゃあんまりハルミがみじめです。いかに心柄《こころがら》とはいえね。いや、わたしのほうが責任重大なわけです。あれの弱身につけこんで口説《くど》いたんですからな」

日疋氏はそこでまた暗い溜め息をついた。溜め息をつきながら金田一耕助を見て微笑した。まったく弱りきっているという微笑だった。

「しかし、日疋さん、十日の晩クラブで一柳氏を監視なすったというのは？」

「いや、それはこういうわけです」

日疋氏はまたぐったりソファにもたれて、

「タンポポのマダムといっしょだったのが一柳氏だとわかっても、わたしはべつに気にもとめなかった。武士は相身たがいというわけじゃなく、他人の情事に好奇心をもつということはいやしいことですからね。ところが十日の午後、ハルミのご亭主がわたしのところへ怒鳴りこんできた。これは刑事さんにもいったんだが、あのお人好しの須藤君、それほどわたしたちにたいして立腹してはいなかった。むしろじぶんの意気地なさを恥じていたくらいだった。では、なにに腹を立てていたかというと、ああいう怪文書をよこした人物にたいして立腹していたんですね。だれか心当たりはないかというので、わたしつい、タンポポのマダムなる女性について口をすべらせてしまったんです」

「はあ、そのことは志村刑事から聞きました」

「いまから思えば汗顔もんで、わたしも軽率なことをしたもんです。ところが須藤君のほうではなにか思い当たるところがあったのか、あいつだ、あいつだ、あいつにちがいないと口走りながら、応接室をとび出してしまった。しまった。こりゃえらいことになったと思ったが、あとの祭り。まさかこんな、一大事になろうたあ思いませんでしたが、いやな予感みたいなものがあったわけです。それでいちおうこのことを、一柳氏の耳に入れておく必要があるんじゃないかと思ったんだが、さて、そうなるとあれが一柳氏だったと、ハッキリいいきる自信はまだなかった。そこでなにかが起こった場合に備えて、いちおう確かめておく必要があるんじゃないかと考えたんですね」

「なるほど」

と、金田一耕助はうなずいて、

「それでどういう方法をとられたんですか」

「いや、それがね」

と、日疋氏は色艶《いろつや》のよい顔にちょっと朱を走らせて、

「あのひとにゃ悪かったが、電話をかけてみたんだ。一柳氏は在京中、芝白金町《しばしろかね》の白金会館という高級アパートに住んでるようです。これは電話帳でしったんです。そこでこころみに電話をしたら一柳氏がいたんだね。そこでこっちはわざと名前を名乗らず、いついつかあなたを横浜の、これこれこういうホテルで見かけたものである。そのときあなたといっしょだった婦人を、わたしはよくしっている。そのことについて話しあいたいが、こんや八時に日比谷三光ビル内にあるクラブ和合へきてもらえないか。膝《ひざ》をまじえて話をしよう。なお念のためにいっとくが、いままでだれにもこのことをもらしていないから、その点はご安心あれ、というようなことをベラベラしゃべって電話を切ってしまったんです」

「なるほど」

と、金田一耕助はほほえんで、

「それで、一柳氏が日比谷へやってきたら本物だというわけですね」

「そうです、そうです。一柳氏はおそらくわたしを脅迫者だと思ったでしょうな。わざとそんな口のききかたをしたんです」

日疋氏はそこでまたちょっと赤くなった。

「それで一柳氏はやってきたんですね」

「やってきました。わたしは七時にむこうで食事をとったんだが、カッキリ八時にやってきました」

「あなた、なにかお話を……？」

「いいえ、それがね、ことしだいによってはこちらの恥も打ち明けて、そのうえで、注意してあげてもいいと思っていたんだが……」

「結局、ご注意なさらなかったんですか」

「できなかったんです。あの顔色をみると」

「あの顔色とおっしゃると……？」

「そうですねえ」

と日疋氏は困ったように顎《あご》をなでながら、

「苦りきってるといおうか、弱りきってるといおうか、とにかく険悪なんですね、その顔色が。だからこりゃおなじ色事にしても、われわれのようなノンキな沙汰《さた》じゃないらしいと思ったら、はからずも、その秘密をのぞいてしまったことが悪いような気がしましてねえ、とうとう言葉をかけそびれてしまったんです」

「一柳氏は何時ごろまでクラブにいました？」

「十一時までいました」

「日疋さん、それ、間違いないでしょうね」

「間違いありません。あのひとが立ち去るのを見て、わたしもそこを出たんですから」

「一柳氏はずっとそこにいましたか。途中でどこかへ出掛けたようすは？」

「それは絶対になかったと申し上げてよろしいでしょう。わたしも終始一貫あのひとを見張ってたわけじゃありません。打ち明けるのをあきらめると、さっきも申し上げたとおりビリヤード・ルームへいったり、バーへ出向いていったりしましたが、あの人も落ち着かないのかイライラと玉突き場をのぞいたり、わたしがバーにいるとき入ってきて、ブランデーをオン・ザ・ロックにして飲んでいました。しきりに入り口のほうを気にしているので、だれかお待ちですかと声をかけました」

「なんと返事しました」

「立花君とここで会う約束なんだがといってました。口をききあったのはただそれだけです。金田一先生はそのあいだに、日の出団地へ出向いていったのではないかとお考えかもしれませんが、とてもそんなひまはなかったでしょう。わたしまだあそこへいったことはないんですが、バスで渋谷まで二十分はかかるそうですね」

「二十分ならはやいほうです」

「それじゃ日比谷からだと、どんなに自動車をとばしても、片道四十分はかかるでしょう。往復で八十分、一時間二十分ですか。そんなに長く留守にしたってこと、これは絶対にありません。それはわたしが保証します」

「一柳氏は自動車を持ってるんでしょうね」

「じぶんで運転もするようです。その晩もじぶんで運転してきたようでした」

「クラブから電話をかけたようすは？」

「わたしのしっている限りではなかったですね。わたしのしらぬまにかけたかもしれませんが、タンポポには電話があるんですか」

タンポポには電話がなかった。各アパートにもないのである。

つぎからつぎへと容疑者があらわれる。さいしょが須藤達雄だったが、これは死体となって発見された。つぎが伊丹大輔である。水島浩三が怪文書の製作者であることはほぼ間違いがない。須藤達雄の死体を池の底へ沈めたのは、根津管理人ではないかといわれている。さらに捜査当局が、もっとも強い関心を示していた、臨海荘におけるマダムの同伴者がいまここに、前代議士というかたちになって現われてきた。

「ときに、金田一先生、ひとつだけおたずねしたいことがあるのですが……」

「はあ、どういうことでしょうか」

「ハルミのご亭主を殺した凶器は、タンポポの千枚通しだということですが、その千枚通しが紛失していたことに、警察では気がついてなかったのですか」

「気がついてなかったんです。あそこには、四本おなじ千枚通しがあったんですね。だからだれも、一本紛失していることに気がつかなかったというわけです」

「軍手が出てきたということですが……」

「ですから、いま持ち主を追求中のようですね」

「いずれにしても一柳氏じゃありませんな。あのご仁《じん》は軍手を使用するような人柄じゃない」

第十三章　死体運搬人

金田一耕助が日疋恭助氏とわかれて、『ポン・ヌフ』を出たのは、七時ちょっとまえのことだった。

日疋氏は用談のあとで食事をともにすることをすすめたが、それを断わって外へ出るとタクシーを拾った。渋谷へ出て、恋文横町《こいぶみよこちょう》のちかくにあるレストランへ立ち寄ると、ビールの小瓶《こびん》を一本のんだ。それから、スープにパンにチキン・パイ、コーヒーに果物といったごく簡単な食事をとった。

食事のあとでレストランの電話をかりて、毎朝新聞へかけてみると、こんどは宇津木慎策がつかまった。

「ああ、金田一先生。あなたいまどこにいらっしゃるんです。さっき緑ヶ丘のほうへお電話したんです」

「ああ、そう、なにか用事があったの？」

「ああ、いや」

と、宇津木はなぜか言葉をにごして、

「きょう昼間お電話をくだすったという話でしたから」

「ああ、そう、いや、じつは君にちょっと頼みたいことがあるんだが」

「どういうことですか」

「いや、そりゃ、君、電話ではいえないよ」

「ああ、そう、先生はいまどちらに？　なんでしたらぼくのほうから駆けつけてもいいんですが」

「ありがとう。だけど今夜はつごうが悪いんだ。これから出向いていかなきゃならないところがあるんでね」

「そうそう、それはそうと先生は日の出団地の二重殺人事件に関係していらっしゃるんでしょう」

「ええ、ちょっと首をつっこんでる」

「それについて、ぼく、今夜のうちに先生にお目にかかりたいんだがな」

「なにかあったのかね」

「あれ、それじゃ先生はまだご存じないんですか」

「なにを？」

「だって、ついさっき犯人がつかまったってことを」

金田一耕助は受話器を握りしめたまま、しばらく黙りこんでいた。なにかしら切迫したものが身内をつめたくするようだ。

「先生、先生」

「やあ、失敬した。電話、聞いているよ。それでその……」

と、金田一耕助はあたりをはばかって、

「だれだねそりゃ」

「管理人の根津伍市という男だそうです。先生はご存じですか」

「ああ、しっている」

とうとうやったかと、金田一耕助の心は鉛をのんだように重くなる。いまこの段階で根津を逮捕するということに、一まつの不安をかんじずにはいられなかった。

「いまニュースが入ったばかりです。手袋から足がついたんだそうです。先生はご存じなかったんですか」

「いや、だいたいのことは聞いていた。それで、これから出向くつもりなんだが、それについてあしたにでも、君に会って頼みたいことがあるんだが」

「承知しました。時間と場所をいってください」

「時間は正午、いつもの場所はどう？」

「結構です」

「食事でもしながら話をしよう。いうまでもないが……」

と、金田一耕助はあたりを見まわして声をひそめた。

「絶対極秘裏にだよ」

絶対極秘裏ということばがあいてを刺激したらしく、しばらく言葉がなかったが、

「承知しました」

と、沈着な返事が金田一耕助を安心させた。

「先生、なにか大きなおみやげがありそうですね」

「まあ、こととしだいによってはだね。だけどいっとくがぼくを出し抜いちゃいけない」

「それはもちろん、紳士協約ですからね」

「それを聞いて安心した。じゃ、あした」

電話を切ると金田一耕助はレストランをとび出してタクシーを拾った。S署へ駆け着けたのが八時。署のまえは黒山のようなひとだかりである。

金田一耕助が自動車をおりると、

「ああ、金田一先生」

と、声をかけて小走りによってきたのは榎本謙作である。そばに由起子が寄り添っているのをみて、金田一耕助はふいと胸が熱くなってきた。

「榎本君、ここではなにも話せないよ」

「いいえ、金田一先生、そのことではありません。ぼくちょっと根津さんにことづけたいことがあるんです」

「どういうこと？」

「由起子ちゃんはわれわれ親子があずかりますから、ご心配なくと根津さんに申し上げてくださいませんか」

「ああ、そう、じゃそういっとく」

報道関係の連中がごったがえしている署内をかきわけていくと、志村刑事がいそがしそうにやってきた。

「ああ、金田一先生、ちょうどよいところへ」

「ああ、志村さん、どうです、例のは？」

「いや、これから取り調べを開始するところです。どうぞこちらへ」

口々に声をかけてくる報道関係者を、肩でかきわけるようにして、志村刑事は金田一耕助を取り調べ室へ引っ張りこんだ。殺風景な取り調べ室では、等々力警部ただひとりポツンとして控えている。

「やあ、金田一先生」

金田一耕助の姿を見ると、警部は緊張にこわばった顔をいくらかほころばせて、

「さきほどはご注意ありがとうございました」

「どうでした。家宅捜索をなさいましたか」

「やっぱりあなたのご注意のとおりでした。これ」

金田一耕助もデスクのうえにあるそのものに気がついた。それは鉄製の手提げ金庫である。

「六畳の押し入れのなかに細工して、かくしてあったんですよ。開けてごらんなさい」

金庫のなかには小さなプラスチックの容器がただひとつ。白い粉が入っている。

「ねえ、金田一先生」

と、等々力警部は身を乗りだして、

「白と黒とはこのことじゃないですかな。白がこれで阿片が黒」

「さあ」

と、金田一耕助は首をかしげて、

「そうすると、タンポポのマダムも麻薬常用者ということになるんですか」

しかし、死体検案書にはそういう症状は報告されていないのである。また、タンポポの内部はげんじゅうに捜索されたが、麻薬らしいものは発見されていない。

「それはそうと当人は？」

「いやね、ちょうど薬の切れ目だったとみえて、こちらへつれてくるとまもなく禁断症状を起こして、苦しみだしたので、いまむこうへ先生がきて鎮静剤の注射をしてもらっているところです。もうまもなくこっちへやってくるでしょう」

「それでどうでした。逮捕されたときの状態は？」

「それが案外神妙でしたよ。手袋をつきつけたらあっさりじぶんのものだと認めたんです。令状を示して、家宅捜索をやったらこれが出てきたわけです」

「あのひと、死体を池から引き揚げるところを見ていたんですね。コンクリートのかけらにくっついて、手袋があがったところも見ているはずです。だから、もう逮捕は覚悟のまえだったんですね」

「もしあの男がこの二重殺人事件の真犯人だとしたら、ひどく往生際のよい犯人ですな」

そこへ山川警部補をせんとうに、三浦、江馬の両刑事に左右から腕をとられた根津伍市が入ってきた。

鎮静剤がきいているとはいえ、根津の禁断症状の苦痛は治まっているわけではない。両腕を江馬、三浦両刑事にささえられた根津は、ぶらさがるような格好で部屋へ入ってきた。膝頭《ひざがしら》がけいれんし、こめかみからつめたい汗が吹き出している。

「さあ、そこへお掛けなさい」

等々力警部の正面の席へ江馬刑事が、こわれものでもおくようにソーッと坐《すわ》らせると、根津はガックリとデスクのうえに突っ伏した。肩が、腕が、両脚が木の葉のようにふるえている。

日頃は元軍人らしく姿勢のただしい、一種の威厳をもった男だのに、こうしているところをみると、まるでボロでも叩《たた》きつけたようにみじめである。これがかつては部下思いの名部隊長とうたわれた人物なのかと思うと、いまさらのように麻薬の恐ろしさが身にしみる。

おそらくあらゆる希望をうしなった元軍人の、未来のない孤独の切なさが、この男をかって麻薬常用者たらしめたのであろう。

「苦しいですか」

等々力警部がいたわりをこめた声をかけると、

「いや」

と、根津は鋭く声を区切って、

「じ、自業自得です」

肉体をむしばむ苦痛とたたかっているのであろう。歯を食いしばった顔はおそろしくひんまがっている。そこには不健全でタイハイ的で、生理的に悪寒を誘うような醜悪無残なものさえ感じられる。

根津もそれを意識しているのか、おのれを恥じて目を伏せると、

「す、すみませんでした」

と、ノドの奥からしぼり出すような声で、

「お騒がせいたしまして……」

等々力警部はちょっと深呼吸をするように胸を張ると、それからぐっとデスクのうえに身を乗り出して、

「根津さん、騒がせてすまなかったとおっしゃるところをみると、タンポポのマダムや、須藤達雄を殺害したのは、じぶんだということなのでしょうね」

「いや！　そ、それはちがいます。あのふたりを殺したのはわたしではありません」

「それではだれです」

「しりません。だれがあのふたりを殺したのか、それはわたしのしらないことです」

等々力警部の顔にふいと侮《ぶ》べつの色がうかんだ。目つきが急にけわしくなったが、言葉だけはおだやかに、

「しかし根津さん」

と、デスク越しにタールとトーシャ版用のインキによごれた軍手をつきつけると、

「この手袋はあなたのものなのでしょう。あなたはこれをじぶんのものだと認めたというが……」

「はっ、それはわたしのものです。わたしの手袋にちがいありません」

「根津さん！」

等々力警部はいくらか声をはげまして、

「この手袋がどこから発見されたかあなたもご存知のはずだ。これは死体につけてあったおもしにくっついて、池の底からあがってきたもんですよ。またこの手袋にはタールの跡がついている。それでもふたりを殺したのは、じぶんではないとおっしゃるのか」

「わたしは……わたしは……」

肉体と精神をむしばむ苦痛を、根津は歯を食いしばってこらえながら、一句一句ノドの奥からしぼり出すような声で、

「ただ死体を運んだだけのことです。わたしがタンポポの二階をのぞいたときには、ふたりとももう死んでいました。殺されていたんです」

等々力警部と山川警部補は、唖然《あぜん》とした顔を見合わせたが、やがて警部が憤然とした調子で、

「それをあなたがあんなふうに始末したというのかね」

「ああ、ちょっと、警部さん」

そばから金田一耕助がとりなすように、

「ここはひとつ、根津さんの話しいいように話を進めていただいたら……？　根津さんがなぜまたタンポポの二階へあがっていかれたのか……そういうところからはじめていただいたら……？」

「金田一先生、ありがとうございます。そうさせてもらったら、わたしも話しいいと思うんだが……」

「ああ、そう、それじゃひとつあなたの好きなように話してください」

等々力警部の目くばせを待つまでもなく、江馬、三浦の両刑事が供述書をとる用意をしている。

根津はしばらく目をつむっていた。目をつむるとやつれの目立つ顔である。ひっきりなしにけいれんがおそってきて、額から流れるような汗である。

「あの晩わたしは例によってトーシャ版を刷《す》っていました。由起子はもう四畳半のほうで寝ていたのです。そしたら十時五分ごろ、玄関のブザーが鳴ったので出てみたら、あの女が立っていたのです」

「それはどういう女性なのです。もうこうなったらいってくださってもいいでしょう」

「いや！」

根津はまた鋭くいって、

「警部さん、それは聞かないでください。そのかわり神に誓って断言します。その女は絶対にこんどの事件とは関係がないのです」

等々力警部は相談するように金田一耕助のほうを見た。金田一耕助が無言のままうなずきかえすのを見て、

「ああ、そう、それじゃあなたのお好きなように……」

「はっ、ありがとうございます」

根津は肩で息をしながら話をつづける。

「わたしはその女を六畳へ通して、しばらく話をしていましたが、由起子が起きるとまずいので、まもなく外へ女をひっぱり出しました。それが何時ごろだったかハッキリしませんが、たぶん十時半前後だったでしょう。女がまだいろいろ話があるというので、S駅までおくることになり、その途中タンポポの勝手口のまえを通ったわけです。ところが……」

と、そこで根津は頭をさげると、

「きのうは失礼しました。あの時勝手口に異常があったかなかったか、話に夢中になっていたので気がつかなかったと申し上げましたが、じつは木戸が十五センチほど開いている

ことに気がついたのです。しかし、そのときはべつに気にもとめず、ただ何気なく二階をふりかえると、窓から明かりがもれているのが見えました。しかし、いまもいったとおりまだ時間が時間ですから、ぜんぜん気にもとめずに、そのままそこを通りすぎたのです。ところがそれからよほどたってのことでした。かえりにまたあの勝手口のまえを通りかかると……」

「あの勝手口のまえを通りかかると……？」

「依然として木戸が十五センチほど開いていたのです。二階を見ると、さっきとおなじように窓から明かりがもれています。すべてが十時三十分ごろ、通ったときとおなじ状態でした。しかも、時計を見たら一時四十分。これじゃだれだって妙に思うじゃありませんか」

「ごもっとも。それでどうしたのですか。あなたは？」

「まず声をかけてみました。もちろん返事はなかったのです。わたしは胸騒ぎをかんじました。あのマダムがひとりずまいだってことくらいはしっていましたからね。泥棒でも入ったのではないかと、声をかけながらなかへ入ってみました。階下はまっくらでしたが、二階の明かりをたよりにあがっていきました。そしたら……」

「そしたら……？」

根津の顔は苦痛にゆがみ、汗がデスクに滴り落ちる。

「はっ」

根津は滴り落ちる汗を横撫《よこな》でにしながら、

「階段のうえに男がうつぶせに倒れていました、上半身は部屋のなかに、下半身はせまい廊下にはみ出していたのです。そのためにふすまがしまらず、開いたままになっていました。わたしはひとめで部屋のなかを見わたすことができたのです」

根津が顔をしかめて言葉を切ったのは、かならずしも肉体的な苦痛ばかりでなかったろう。そのときの部屋のようすがかれの心を刺すにちがいない。

「うむ、うむ。それで……？」

等々力警部にうながされて、

「はっ、ベッドのうえにあの女……マダムが倒れていたのです」

根津は早口にいってまた言葉を切った。多くを語りたくないらしいことが顔色にあらわれている。根津がいい渋るのを見て、そばから金田一耕助が言葉をかけた。

「根津さん、そのときのマダムのようすをくわしく聞かせてくださいませんか。このことは捜査当局にとっても大事なことなんですから。マダムはどんな姿でベッドのうえに倒れていたんですか」

根津はちらと金田一耕助のほうへ目を走らせた。苦痛にゆがんだ顔ながら、血の気がかすかにのぼってきたのは、なにかかれを、しゅう恥感におとしいれるようなものがそこにあったのだろう。

一同は好奇の目を光らせてその顔を見守っている。

「マダムは一糸まとわぬ全裸で、仰向けにベッドのうえに倒れていたのです」

根津は不快なものでも吐き出すような早口で、

「マダムの首にはナイロンの靴下がまきついていました。マダムの股《また》はひらいていましたが……」

根津がそこでまた赤くなって言葉を切ったので、

「マダムの股は開いていたが……どうしたんですか」

等々力警部はもどかしそうである。

「はっ！　マダムのあそこには……マダムの股間《こかん》には、わずかながらも情欲にぬれた痕跡《こんせき》がのこっていました」

「するとマダムは男と寝た形跡があるというんですか」

「さあ、それはわかりません。男のあれ……精液がそこにあるとは見えませんでした」

そのことは解剖の結果からでも報告されている。マダムは殺害直前に男に犯された形跡はなかった。しかし、いくらか子宮が充血していたらしい痕跡が認められるというのである。

「それであなたの観察ではどうでした。少し股が開いていたとおっしゃいましたが、そのポーズから判断して、だれかといっしょに寝ていたというようには……？」

この質問は金田一耕助である。

「それは、女がひとり寝るのに、なにもかも脱ぎ捨てて寝るとは思えないし、それにポーズからしてもだれかと寝ていて、ことを行なっているさいちゅうに絞殺されたんじゃないかと、そんなふうには見えました」

「なるほど」

金田一耕助がうなずいてそのまま引っ込んだので、等々力警部がまた乗り出した。

「それであなたどうしました」

「マダムの脈をとって、すでに絶望であることをたしかめると、こんどは男の体を抱き起こしました。それではじめて、須藤さんのご主人だということに気がつきました。千枚通しがふかぶかと心臓に突っ立っていて、これまた手のほどこしようがないことをしりました。わたしは血をこぼさないように、ソーッと死体を仰向けに寝かせました。そして……」

「そして……？」

「ズボンのボタンをはずして股間を調べてみたのです」

一同は思わず息をのんで、根津の顔を見なおした。

「それで、結果は？」

「マダムがだれかと寝たとしても、それは須藤さんではなかったようです」

「それからどうしました」

「そのときはいったんそこを出てアパートへかえりました。由起子がよく寝ていたので麻薬タバコを一本吸いました。そのうちに奇妙な幻想がわいてきたのです」

「奇妙な幻想とは……？」

「あのふたつの死体をそれぞれ奇抜な方法で、しまつをつけるということですね。あっはっは」

根津はノドの奥で薄気味悪く笑うのである。

「奇抜な方法でしまつをつけるというのは、マダムの死体をダスター・シュートの底にねかせ、タールの釜《かま》に孔《あな》をあけ、マダムの顔をメチャメチャにするいっぽう、須藤達雄の死体を池の底に沈めるということですね」

等々力警部は鋭くあいての顔を凝視しながら、一句一句に力がこもった。

根津は苦痛に顔を、いや、顔のみならず全身をよじるようにしながら、鼻白んだように低く答えた。

「はあ」

「しかし、なぜまたあんなまねを……？」

「だから、麻薬中毒患者の奇妙な幻想だと思ってください。いまとなっては、じぶんでもなぜあんなバカなまねをしたのかわからない」

「根津さん」

等々力警部は語気をあらくして、

「これが麻薬中毒患者の幻想ですむと思うんですか。あなたも帝国陸軍の中佐までいったひとです、いかに麻薬にむしばまれたからといって、理由もないのにあんなまねをするはずがない。理由はなんですか。なぜマダムの顔をメチャメチャにする必要があったんですか」

根津は答えなかった。

苦痛が……それは麻薬による苦痛だけではなく、ある精神的な苦痛がかれの顔をイビツにした。しかし、かれは答えなかった。

「あなたはタンポポのマダム、片桐恒子という女をごぞんじなんでしょう。だから、あの女の死に顔が新聞やなんかに出たら困る。それからひいてマダムの前身がしれては一大事だ。というのであんなトリックを弄《ろう》して、マダムの顔をメチャメチャにしたんですね」

警部の調子は切り込むような鋭さである。

根津は顔をゆがめたまま頑固に黙りこんでいる。そこにはどんなことがあっても口を割るまいという、決意のほどがうかがわれた。

「根津さん、お答え願えませんか」

「警部さん、そのご質問にはお答えできません。なんどおたずねがあってもむだだと思ってください。そのかわり……」

と、肩で息をするようにして、

「あの晩、わたしがやったことならなんでも正直にお答えします、金田一先生」

「はあ」

「わたしは意志が弱いのです。意志が弱いから麻薬の誘惑を退けることができなかったのです。しかも、ひとたび麻薬の味をおぼえてしまうと、禁断症状の苦痛と恐怖におびえて、さらに麻薬をかさねることになってしまうのです。わたしは死体を遺棄しました。損壊しました。わたしは刑務所へいくでしょう。それしかわたしを麻薬から救うみちはないのです」

根津の両眼からとつぜん熱涙がしたたりおちた。

この男は刑務所いきを覚悟している。しかしこれを悪く推量すれば、死体損壊と遺棄罪だけで、のがれようとしているのではないか。それによって、殺人罪のほうは、お眼こぼし願いたいというハラではないか。そうは問屋が卸《おろ》さないと、等々力警部がデスクの上から乗り出そうとするのを、金田一耕助が眼でとめると、

「警部さん、根津さんがなぜあんなまねをなすったのか、動機はまたあとで伺うとして、とりあえずここでは、あの晩なすったことを、順を追ってきかせていただくとしようじゃありませんか。そのほうが時間がはぶけていいんじゃありませんか」

警部が納得すると、根津は金田一耕助に感謝の眼をむけて、あの夜の恐ろしい体験を語りはじめた。

「わたしはともかくあのマダムが、外出中に通り魔かなんかに首をしめられた、というかたちにしておきたかった。そしてなんらかの偶然で、顔がメチャメチャになってしまった、というふうにこしらえておきたかったのです。わたしは麻薬タバコを吸いながら、その手段方法を考えました。頭が熱したので、テラスにむかったガラス戸を開きました。すると、

どこからともなくタールの匂《にお》いがしてきたのです。いまから思えば、じっさいにタールの匂いがしたのか、わたしの頭にやどっていた、麻薬という悪魔が匂わせたのか、それはハッキリわからないのですが。たしかにタールの匂いをかいだような気がしたのです。すると、こつ然として、あの奇想天外な方法がわたしの頭にうかんできたのです。それというのが……」

と、根津はそこでひと息いれると、

「この団地ができるとき、わたしはときどき帝映のスタジオから進行状態を見にきました。すると第何号館か忘れたが屋上をタールで塗装するとき、釜の底に穴があいていて、タールがダスター・シュートに流れこんだという騒ぎがまえにあったのです。その時はすぐ気がついたのでたいしたことにならなかったが、そういう方法を用いたらどうかと思いついたのです。わたしはその日の夕方タールの樽《たる》や釜が第二十号館の屋上へ、運びあげられるのを見ていたので、それもあって、そういう方法を思いついたのかもしれません。わたしは軍手をはめて部屋を出ました。由起子はよく寝ていたのです。わたしはタガネと栓に使うボロ切れとを用意していきました。わたしが第二十号館の屋上へのぼると、よいあんばいに、タールを煮る釜があのダスター・シュートのそばにありました。ほんのちょっと動かせばよかったのです。わたしはその釜の底に穴をあけ、ボロ切れをつめ、釜の底に残っていたタールでうまくゴマ化しました。それからまっすぐにタンポポへむかったのです」

根津はそこで言葉を切った。滴り落ちる汗をぬぐうと、また恐ろしい話をつづけた。顔が苦痛に歪《ゆが》んでいた。

「こんどは軍手をはめていたので、指紋を残す心配はありません。いや、まえにきたとき、残したかもしれない指紋を消しながら、二階へあがっていったのです。わたしはマダムに洋服を着せたのですが、金田一先生、わたしの着せかたにミスがあったそうですね」

「はあ、パンティがうしろまえだったんですよ」

　根津は苦痛にゆがんだ顔にホロ苦い微笑をうかべて、

「それはまた致命的なエラーでしたな」

「洋服を着せてそれからどうしたんですか」

　等々力警部のたたみこむような質問である。

「はあ、それから死体をかつぎ出して、あのダスター・シュートのところへもっていき、頭のほうから突っ込んだんです。念のため申し上げておきますが、あのダスター・シュートが須藤さんの部屋の鼻先だったのは、偶然タールを煮る釜があのうえにあったからです。べつに須藤さんに罪をきせようなどという、深い考えがあってのことではありません」

　根津はそこで言葉を切ってひと息いれると、また恐ろしい話をつづけた。

「それからわたしは須藤さんの死体を池の底へ沈めるつもりで、まずコンクリートのかけらを捜しにいきました。そしたらよいものが見つかったのです。猫車《ねこぐるま》です」

　猫車というのは一輪の手押し車である。

「ああ、ちょっと」

と、金田一耕助がさえぎって、

「須藤氏の死体を池の底へ沈めようというのは、どういうお考えからですか」

「それはもちろんあそこが……タンポポの二階が、犯罪現場であることをしられたくなかったからです。わたしはあくまで、マダムはちかごろはやりの通り魔にやられたものと、仕組んでおきたかったのです。須藤さんの死体を消すことによって、あのひとに罪を転嫁しようなどという考えはなかったのです。金田一先生」

「はあ」

「麻薬に犯されてモーローとした頭では、とてもそこまでこまかく分別はまわらないものなんですよ。いまから思えばおろかしいことをやったもんだと、須藤さんの奥さんにもあいすまないと思っております」

麻薬に狂った元軍人は愁然《しゅうぜん》として頭を垂れた。

「猫車を見つけて？　それから？」

等々力警部にうながされて、

「はあ、猫車でコンクリートのかけらをふたつ、池のはたへ運んでおきました。それから作業小屋へいってワイヤーを持ち出したのです。おあつらえむきにワイヤーを切る鋏《はさみ》もあったので、池のはたへ用意しておいて、須藤さんの死体を運び出しにいったのです。猫車を押していったのですが、タンポポのそばまで押していって、跡がのこっても困ると思ったので、猫車は第二十号館の南側へおいてきました。それからタンポポへいったのですが、わたしも元軍人、多くの負傷者をあつかった経験がありますから、千枚通しを抜けば血が出ることはしっていました。だから千枚通しを抜かぬように死体を猫車のそばまで運んでいくのが骨だったのです。マダムとちがって須藤氏はそうとう重かったですからね」

根津はそこで渋い微笑をうかべてひと息いれると、すぐまたあとをつづけて、

「さいわい、千枚通しが根元まで突っ立っていたので、どうやらぶじに猫車まで運んでいくことができました。それから池のはたまで運んでいったのですが、あとはあなたがたのごらんになったとおり、なにせ不自由な体ですから、さいごのドタン場になって、軍手の片方をワイヤーに取られて、あっというまに、池の底へひきずりこまれたのは千慮の一失、完全犯罪というものはなかなかむずかしいものですな」

根津はひとごとのような調子である。

「あとは申し上げるまでもありますまい。猫車を掃除し、鋏とともに作業小屋へかえしてきました。それからもういちどタンポポへいき、乱れたベッドのしまつをし、なにも証拠を残さぬように、注意をしたつもりだったんですが、ジュータンの保護色にだまされて、たった一滴の血痕《けっこん》を見落としていたというのは、これまた千慮の一失というべきでしょうな」

語りおわって根津はガックリ肩を落とした。鎮静剤のききめがしだいにうすれていくのか、全身をおそうけいれんが顕著になっていく。

等々力警部は憐愍《れんびん》と嫌悪のまじった眼差《まなざ》しで、ふるえる根津の肩を見ていたが、やがて

声をはげまして、

「根津さん、あなたはそのときその部屋で、活字の切り抜きでできた怪文書を発見し、それをズタズタに引き裂いて捨てたのじゃありませんか」

「怪文書？」

根津はいぶかしそうに顔をあげて、

「あそこにも怪文書があったんですか」

警部は疑わしそうに、

「あなたほんとにご存じないですか」

「いいえ、しりません。そういう気配があったとしたら犯人がやったことでしょう。しかし、いったいどんなことが書いてあったんです。なにかマダムの秘密でも」

根津の眉間《みけん》にはありありと危惧《きぐ》の色がうかんでいる。

怪文書はいつも被害者の秘密にふれ、それを摘発してくるのだ。マダムがそういう怪文書を受け取ったとしたら、だれかマダムの秘密を嗅《か》ぎつけたものがあるにちがいない。それが根津を驚かせたのだろう。

「根津さん」

金田一耕助がそばから、

「あなた『白と黒』という言葉になにか思い当たるところはありませんか。マダムの秘密に関連して」

「白と黒？」

けげんそうに目を見張った顔色から、かれに心当たりのないことがうかがわれる。

「いや、お心当たりがなければけっこうです」

白と黒。――金田一耕助には妙にこの言葉が気になるのだ。

悪魔のようなこの怪文書の製作者は、じつにえげつない言葉であいての秘密をついてくる。京美を自殺においやった『処女膜を調べろ』という言葉がそれだ。タンポポのマダムの場合『白と黒』という言葉が、それに匹敵しているのではないか。

「根津さん」

等々力警部は鋭くあいてを凝視して、

「あなたはだれかをかばってるんですね。だれをかばっているのか、いっていただくわけには……？」

「警部さん」

根津は苦痛に体をねじりながらも、キッパリと、

「あなたのおっしゃるのが、この事件の犯人という意見ならちがいます。わたし自身だれがふたりを殺したのかしらないのです。それだけは断言しておきます。しかし、それ以外のことは、どんなにおたずねになっても申し上げるわけにはまいりません」

そのころから根津の禁断症状はふたたび顕著になってきて、それ以上の取り調べは不可能になってきた。

第十四章　その後の経過

根津を留置場へさげたのち、一同は改めて、いまの供述について検討を加えた。

「あいつ、あれでほんとのことといってるのかな。死体遺棄だけでお茶を濁そうというんじゃねえのか」

志村刑事はだいぶんご不満のようである。

「金田一先生、あなたどうお考えになりますか」

「さあ、だいたい信用していいのじゃありませんか。不完全ながらもアリバイがあるようですから」

「正体不明の女といっしょだったということですか」

志村刑事が挑戦するように目をむいた。

「いや、根津氏じしんの供述はさておき、榎本君がその婦人に会っておりましょう。そのとき婦人はまだ生きている須藤君といっしょだった。須藤君はそれからタンポポへ出向いたんですが、婦人は榎本君とともに、根津氏のところへいっている。それから約半時間ののち根津氏がそれとおぼしい婦人と第十八号館を出たところを、こんどは姫野君が目撃している。凶行がそのあいだに演じられたとすれば、不完全ながらもアリバイがあるように思われるんです」

「なるほど。しかし、金田一先生、あの男はあきらかにタンポポのマダムをしってるんでしょうね」

「それはもちろんそうでしょう」

金田一耕助の脳裏には、民々党の代議士一柳忠彦氏の名前がうかんだが、それはここでは発言すべきではなかった。根津も一柳氏とともに兵庫県人である。

「さっき警部さんがおっしゃったように、マダムの死顔が新聞に発表されると、なにか困る事情があるので、ああいうとっぴなことをやってのけたんでしょうね」

「その事情とはなにか？　マダムの前身は……？」

「それを根津氏の口から吐かせるのは困難でしょうな、あの顔色では」

金田一耕助は悩ましげな目をして溜《た》め息をついた。

「とにかくだれかをかばっていることはたしかですな。さっきの根津の言葉によると、かばっているのは犯人ではなく、マダムの前身がしれると困る事情がある人物を、かばっているようにとれるんですが」

「警部さん、そいつが犯人かもしれない。と、するとけっきょく犯人をかばっているということになる」

志村刑事はあくまで懐疑派である。

金田一耕助は思い出したように、

「それはそうと、水島浩三画伯の行くえはまだ……？」

金田一耕助には水島画伯の失踪《しっそう》が、妙に気になっていた。

あの怪文書のぬしが水島画伯だとすると、画伯は「白と黒」のいわれをしっているはずである、そういう意味でも、金田一耕助は水島画伯に会いたかったのだ。

「ときに、A紙の佐々照久という人物に、どなたかお会いになりましたか」

「ああ、そうそう、それはわたしが会ってきました」

と、膝《ひざ》を乗りだしたのは江馬刑事である。

「これは先生のご推察どおり、佐々はあの怪文書について他にもらしてます。しかも、日の出団地の住人に」

「日の出団地の住人というと？」

「いや、日の出団地の第十五号館に、おなじA紙の調査部にいる細田《ほそだ》敏三《としぞう》という男が住んでるんです。六月のはじめごろ、佐々は細田夫婦に怪文書のことを話し、調査を依頼したことがあるそうです。ところが……」

江馬刑事はニヤニヤ笑って、

「その細田敏三の細君アイ子というのが、ひところ、水島画伯としきりに往復してたそうです。のちになにか気まずいことでもあったかして、ぴったりいききがとだえたそうですがね」

「そのアイ子なる女性について、当たってごらんになりましたか」

「もちろん、ところが、剣もホロロのごあいさつとはあのことで、水島のミの字も聞きたくないといらんです。水島先生、なにかよほど失礼なことをやらかしたんですね。しかし、アイ子の顔色からして、水島にもらしたらしいことはほぼ想像できますね」

山川警部補はデスクのひきだしから紙挟みを取り出すと、なかから六通の怪文書を取り出した。各怪文書には貼紙《はりがみ》がしてあって、それぞれナンバーがついている。

NO・1　白井直也が受け取ったもの。

NO・2　姫野三太が受け取り京美を自殺に追いやったもの。

NO・3　須藤達雄が受け取ったもの。

NO・4　タンポポのマダムの寝室から出てきた断片。

NO・5　タマキの父宮本寅吉が受け取ったもの。

NO・6　須藤達雄の死体のありかを暗示したどん栗コロコロ。

「金田一先生」

「はあ」

「この怪文書第一号と第二号以下では、印刷された活字の切り抜きをもってつづるということ、それから封筒の表書きが定規で引いたように、規格正しい文字になっているということ、そういう形式的な面では共通しているとはいうものの、文体はまるでちがっておりますね」

「はあ」

「金田一先生のお考えでは」

と、山川警部補はシンシな面持ちで、

「怪文書第一号の筆者は、第二号以下の筆者とちがっている。つまり、最初だれかが岡部泰蔵と白井寿美子の縁談をこわすために、怪文書第一号を寿美子の兄に送った。それを水島浩三が、いま江馬君のいった、細田敏三の細君のアイ子から聞いて模倣《もほう》をはじめた、と、こう金田一先生は考えていらっしゃるんですね」

「はあ」

「しかし、金田一先生」

そばから等々力警部が、

「水島浩三はいい年齢をして、なんだってそんなバカなことをやったんです」

「警部さん、それはわかってまさあ」

と、志村刑事が巻き舌で、

「あの男、欲求不満型というやつですぜ。この団地だけでも、ずいぶん手をひろげていたようだが、けっきょくものになったのはひとりもねえんじゃねえのかな。タマキのおふくろの話でもわかるとおり、さいごのドタン場になってスッポカされる。それでしぜんに生理的に欲求不満となり、妙に他人の色事が気にかかり、それをぶっこわそうというえげつない病気が持ちあがった、と、いうんじゃねえんですかね」

「わたしも志村さんの説に賛成ですね」

「しかし、金田一先生」

等々力警部は怪文書第五号を指さして、

「これはどういうんですか。それじゃじぶんでじぶんを告発したというわけですか」

「いや、これはいつかも話が出たとおり、水島画伯のことはあの団地でもそうとう評判なんですから、じぶんに関する怪文書が一通も出ないのでは怪しまれる。しかも、その怪文書を受け取ったひとりが殺害されたんだから、怪文書の製作者にも捜査の手がのびるかもしれない。そこでこんなことをやったんでしょうな。これは事件のあとで製作されてるんですから」

「この怪文書の冒頭がレディース・エンド・ジェントルメンじゃなく、東西東西になっているのは、そのときすでに水島は雑誌を池のなかへ沈めていたんですね」

山川警部補がうなった。

「しかし金田一先生、さいごのやつはどういうんでしょう。まさかこれは水島じゃ……」

金田一耕助がつと立って一同にむかって最敬礼した。

「金田一先生、どうかなすったんですか」

山川警部補がふしぎそうにひとのいい質問を発したとき、等々力警部はなにかを感得したらしく、

「チキショウ！」

ひと声鋭く叫んだのち、

「いや、どうも失礼、しかし、金田一先生」

と、あきれたように相手の顔を見直して、

「それじゃどん栗コロコロはあなただったんですか」

「な、な、なんですって？」

一同はさっと気色ばんで、金田一耕助に視線を集めた。金田一耕助は大テレにテレながら、

「いや、ど、どうも。失礼はこちらこそ。わたしにゃ水島先生みたいな文才がないんですね。ついどん栗さんというアダ名から思いついて、あの有名な童謡の一節を借用したんですが、人間の知恵ってだれもおんなじだとみえて、姫野君がおなじ童謡を引用して、みなさんの疑惑を招いたときにゃ冷や汗もんでした」

一同が啞然《あぜん》として金田一耕助を見守るなかに、志村刑事は憤然として、

「先生、あんた、そんな手間をかけるヒマにゃなぜもっとハッキリとわれわれに……？」

「いや、いや志村君」

いったんの驚きからさめると、山川警部補はもちまえの温厚さを取り戻して、

「先生はずいぶん忠告してくだすったんだ。あの池をさらうようにって。われわれにその踏ン切りがつかなかったので、おそらく業をにやされたんだろう」

「それにね、志村さん」

金田一耕助はまだたぶんにテレ気味で、

「わたしにも、もうひとつ強い確信がなかったんです。あそこに死体があるという……」

「しかし、疑惑はもっていられたんですね」

志村刑事はまだいまいましそうである。

「はあ、それというのが事件が発見された直後、われわれは第二十号館の屋上へのぼっていったでしょう。あのとき警部さんと池のほうを見ていたところ、椎《しい》のある岬の突端の湿った土が、いやに踏みあらされてるのに気がついたんですよ。ワダチの跡らしいものにも気がつきました。それを後日思い出したもんですからね」

「しかし、それだったら」

と、三浦刑事が恐縮したように首をちぢめて、

「わたしも気がついていなければいけなかったんですね。あの日の夕方、水島が椎の木の下でスケッチ・ブックを開いているところへ、わたしが話しかけてるんですからね。いまから思えば、水島は池のどのへんへ〝ファンシー・ボール〟を沈めようかと偵察にいったんでしょうが、池のはたにそんな踏みあらされた形跡があったなんて、ぜんぜん気がつきませんでした」

「いや、まあ、それはいいとして」

と、等々力警部が手で制しながら、

「金田一先生、これはいったいどういうことになるんです。じっさいに手を下して、タンポポのマダムと須藤達雄のふたりを殺害した犯人と、その死体のしまつをつけた人物とは別人であった。さらにまた団地を騒がせた怪文書のぬしは違っている……と、こういうこ

とになるんですか」

「そういうことになってきましたねえ」

金田一耕助は悩ましそうな目をしてため息ついた。

「しかし、金田一先生」

と、山川警部補は当惑しきった表情で、

「いま警部さんのおっしゃった三者のあいだにゃ、打ち合わせでもあったんでしょうか。じぶんはこれこれしかじかのことをやるから、あとは頼むというような」

「つまり山川さんのおっしゃるのは、意識的な共犯関係という意味ですね」

「はあ」

「それだったら、今後の捜査もかんたんにいくわけです。根津氏が犯人をしっていてかくしている……また、水島画伯が犯人をしっていてゆくえをくらました……しかし、そうでない場合も考えられますね」

「と、すると偶然三つのことが重なったと？」

「と、いう場合も考えられるわけです。そしてそのことが、この事件をいやにこんがらがらせてしまったんじゃないでしょうか。水島画伯があんな怪文書を製作しなかったら、また根津氏があんな小刀細工をやらなかったら、事件はもっと単純なものじゃなかったか……」

「先生のおっしゃるのは伊丹大輔のことですね」

と、志村刑事が気色ばんだ。

「そうそう、警部さん」

と、金田一耕助は思い出したように、

「伊丹氏はタンポポのマダムと関係があったことを認めたそうですね」

「はあ、こちらのほうであの男が、府中にある『花いかだ』という小料理屋の離れ座敷で、タンポポのマダムとおぼしい女と、三回密会していることを突きとめたもんですからね。やっこさん仕方なしに泥を吐いたんですが、それについて妙なことをいってる」

「妙なこととおっしゃると？」

「それがねえ」

等々力警部は微笑をつくって、

「あの男のいうのに、伊丹がいかに秘術をつくしても、マダムのほうでは絶対に本音を吐かない。ただ人形のように男のなすがままにまかせているきりである。そのうちに伊丹のほうが根負けしてことが終わってしまう。いつもそうだった。だからあの女は男の精気を吸いとるだけで、じぶんは絶対に本音を吐かない。金毛九尾のキツネみたいな女だというんです」

このことは金田一耕助も初耳だったとみえて、ちょっと異常なまでの興味を示して、

「そうすると、片桐恒子という女は生理的に不感症だというわけですか」

「いや、わたしもそこをついたんです。しかし、伊丹のいうのにそうは思えない。ある程

度の反応は示すというんです。しかし、さいごのエクスタシーまでいきつかない。そのまえに男のほうが根負けしてことが終わってしまう。つまり非常な意志の強さで自己を制しているらしいんですな」

「しかし……」

金田一耕助は悩ましげな目を窓外にむけて、

「女体の生理としてそんなことが可能でしょうかねえ。伊丹はなんどマダムと密会しているんですか」

「三度『花いかだ』で会ってます」

「それじゃ、さいしょのときはともかくとして、二度目からはマダムをエクスタシーにみちびこうとして、いろいろ秘術をつくしたんじゃないですか」

「それはもちろんやったそうです。こうなったら意地でも本音を吐かせて、力いっぱい武者振りつかせにゃ男が立たぬと、ずいぶんえげつないことをやってるんです。しかし、いつでも伊丹のほうがさきに降参してしまう。マダムは涼しい顔をしている。なんど繰り返してもおなじである。伊丹もいまとなってはマダムの体に興味をうしなった、なんの未練もないといっているんです」

「しかし、そりゃウソですぜ。警部さん」

そばからいきまいたのは志村刑事だ。

「男というものは惚《ほ》れた女につめたくされりゃ、されるほどのぼせあがるもんでさあ。それもひと月ふた月同棲《どうせい》していて、毎晩その調子じゃ諦《あきら》めもしようが、二度や三度そうだったからって、それで興味を失ったというのはうなずけない」

「さっきの根津の話じゃマダムはあきらかに男と寝ていたんですね」

と、山川警部補がおだやかに発言した。

「男と寝ていたとすれば伊丹よりほかにないわけです。伊丹はマダムとことを行なっていた。しかし、例によってマダムが本音を吐きそうにないので、ついいらだって殺してしまった。と、こう考えたらいかがでしょう」

「可愛《かわい》さあまって憎さが百倍、思わずマダムを殺したが、あとでこわくなって、じぶんはさいごまで到達できずに逃げ出してしまった。……警部さん、金田一先生、いま主任さんのいったとおりに解釈すれば、なにもかも辻《つじ》つまがあうじゃありませんか」

志村刑事はすぐにでも伊丹を逮捕しそうな意気込みである。

伊丹にかかる殺人容疑はガゼン濃厚になってきた。

マダムが殺害されたとおぼしい時刻に、かれはタンポポを訪問している。この事件の関係者でアリバイのないただひとりである。

伊丹はそのとき勝手口はなかからしまっていたといっている。そして、マダムの名前を呼んでいるうちに、二階の灯が消えたので諦めてかえったといっているが、それが事実であるという証明はどこにもない。

それにもかかわらず伊丹がいままで、逮捕をまぬかれてきたのは、須藤達雄の失踪《しっそう》という、目かくしがあったせいである。

　そして、こんども また、志村刑事の意気込みにもかかわらず、捜査当局が逮捕に踏み切れなかったのは、根津の供述のすべてが、真実であるかどうかに疑惑がもたれたからである。

　根津がじぶんの供述に、真実の裏付けをしようと思うならば、十日の晩、かれを訪問した婦人の身許《みもと》を明らかにしなければならない。その婦人の証言があってこそ、初めてかれの供述の真実性が認められるのである。それにもかかわらず、根津は頑強にそれを拒んだ。そこに、かれの供述の真実性にたいする疑惑がもたれるゆえんがあり、またそれゆえにこそ、捜査当局をして伊丹大輔逮捕に踏み切らせない理由があった。

　犯人は伊丹なのか根津なのか？

　こうした、疑惑のうちにカレンダーは一枚めくれて十一月になった。

　そのさいしょの日、伊丹は任意出頭の形式でS署へ喚問された。しかし、伊丹の申し立ては少しもかわるところはなく、マダムとの関係がなかば強制的なものであったことを、認めたくらいが進歩であった。

　ちょうどそのころ金田一耕助は都内の某所で、毎朝新聞の宇津木慎策と会食していた。

　金田一耕助はときどきこの宇津木慎策という青年と、かれを通して毎朝新聞の調査部を利用する。その代償として宇津木慎策は、ときおりすばらしい特種を、金田一耕助から提供されることになっている。

ちかごろの新聞記者は身だしなみがいい。ことに若い連中はおしゃれだ。宇津木慎策は三十前後、入社試験をパスして七、八年というところで、いまが働きざかりである。瞳《ひとみ》のきれいなお坊っちゃんタイプの男だが、さすがに態度や言葉つきには歯切れのいいものがある。

「二、三日あるいはそれよりもっと長く無断欠勤をしてもらわねばならんのだが……」

「承知しました。ぼくが無断欠勤すると、金田一先生のご用命ってことになってますから、部長はかえってよろこびますぜ。日の出団地の一件でしょうね」

「宇津木君」

金田一耕助はむずかしい顔をして、

「そういう質問は許さないよ。それに……」

と、にわかに頰《ほお》をほころばせると、

「おれがいかにはやらない私立探偵だって、日の出団地の事件にばかりかかずらってはいられないよ。飯の食い上げじゃないか」

「いや、立ち入った質問をして失礼しました。それでご用件は？」

「この男について調査してきてほしいんだ。おたくの調査部にも資料がそろっていると思うが、直接現地へおもむいて調べてきてもらいたい。いうまでもないが、あいてに覚られぬようにだね」

金田一耕助に渡されたメモに目をやって、宇津木の顔には驚きの色が走った。

「この男ならいま、兵庫県の第一区から、立候補してるはずですが……」

「だから、選挙の妨害にならぬよう気をつけてもらいたいね。その人物のためにもね」

宇津木は澄んだ目で金田一耕助を正視しながら、

「で、おもにどういう方面を調査してくればいいんですか。たいていのことなら、うちの資料部にそろっていると思いますがね」

「それはわかっている。だがぼくの調査してきてもらいたいのは婦人関係なんだ。有名人だから、わりにかんたんだと思うがね」

「承知しました。そしてぼくがなにをつかんでも、先生の許可なしにはスクープできないということですね」

宇津木もすでになにか気づいたもようである。

それから一時間ののち、宇津木は『第二こだま』に乗っていた。

金田一耕助はその足で日本橋へ出てSデパートへ入った。八階でフランス近代絵画の展覧会が、開かれていることを新聞でしっていたからである。

近代絵画は金田一耕助の理解をこえていた。しかし、なかには色彩の配合の美しいものがあって、それはそれなりに楽しかった。一時間ほどそこですごして、事件のことをすっかり忘れることができた。

三時ごろそこを出てタクシーを拾った。途中交通マヒにひっかかったりしたので、S署へついたのは四時半を過ぎていた。入ろうとすると、なかから榎本謙作の母の民子が、由起子といっしょに出てきた。差し入れにでも来たのだろう。由起子は目を泣きはらしていた。

民子は五十前後の、結城《ゆうき》つむぎのよく似合う婦人である。いきずりに金田一耕助に頭をさげた。由起子がなにかを訴えるような目で金田一耕助を見た。金田一耕助は胸が熱くなった。

署内は依然として報道関係の連中でごったがえしていた。それをかきわけて取り調べ室へ入っていくと、等々力警部と山川警部補が、むずかしい顔をして、打ち合わせをしているところであった。

「やあ、金田一先生、いま伊丹をかえしたところです」

「どうでした、なにか新しい線でも？」

「いやあ、べつに。ただマダムとの関係が合意のうえのものではなくて、強制的なものであったことを認めましたがね」

「あいつがいちばんクロイと思うんですが……時間的にいっても動機からいっても」

しかし、金田一耕助は反対だった。マダムが本音を吐かぬからといって絞め殺すというのでは、動機が弱いようである。殺人狂的な発作をもった人物ならともかく。

「ときに、根津氏はどうしてます」

「鎮静剤や強心剤を打ってますが、見ちゃいられませんな、あの苦しみようは。自業自得とはいいながら」

山川警部補が暗然としてつぶやいた。

「水島画伯のほうは？」

「いまンところ皆目。逃亡したのが日曜日ですから、金の引き出しようもなく、財布はあんまりゆたかでないと思うんですが……いま雑誌社やなんか当たってます」

「金田一先生は、水島がなにかを、握ってるとお考えですか」

金田一耕助がなにかいおうとしたとき、志村刑事が目をかがやかせて入ってきた。

「警部さん、この女が、こんどの事件の係りのかたにお目にかかりたいって」

名刺を見ると、
辻村《つじむら》あき子
住所は兵庫県の芦屋《あしや》になっている。

取り調べ室へ入ってきたその女を見たしゅんかん、金田一耕助は一種の戦りつのようなものをおぼえた。

あまりにも美しい女だったからだ。艶レイという言葉がぴったりだろう。年齢は三十五、六というところか。あるいはもっといっているのを、美貌《びぼう》が年齢をかくしているのかもしれない。しかも、この女の面影にはどこか由起子に似たところがある。

「さあ、どうぞ、こちらへお入りください」

女がとまどいしたようにドアのところで立ちすくんでいるのを見て、等々力警部は腰をうかした。

「なにかこんどの事件についてお話がおありだそうで」

警部はすばやい視線で女の服装を観察している。それはかなり豪奢《ごうしゃ》なものであった。芦屋に住んでいるところからみても、そうとうゼイタクな暮らしをしているのだろう。顔も顔だがすらりと姿のよい女であった。

「はあ、あの……あなたがこの事件を担当していらっしゃるかたでございますか」

「はあ、等々力警部と申します。どうぞこちらへおかけください」

「はあ」

女はよろめくような足どりで、警部のまえの椅子へきて腰をおろした。そうとう疲れているようである。

「あたし、けさの新聞を見て大阪を立ちました。根津はどこにいます」

「あなたは根津さんのなにに？」

「別れた妻でございます、由起子には死んだことになっているようですけれど」

女はしいて作り笑いをしたが、その笑いかたには悲痛なものがあった。女はすぐにその作り笑いをもみ消すと、そわそわとあたりを見まわしながら、

「根津はこちらの留置場にいるんでしょう。あのひと、禁断症状で苦しんでるんじゃないかと思って……」

等々力警部はあいての顔を見なおすと、

「奥さん、それじゃあなたは、根津氏が麻薬常用者だということをしっていらっしゃった

のです」

出団地へ根津をたずねたとき、またあのひとが麻薬をやっているらしいことに気がついた

「でも、その後よくなったと聞いておりましたのに、このあいだ、先月の十日の晩、日の

女は悲痛という字をちりばめたような目で、等々力警部を正視しながら、

「はあ、それが別れる原因になったのですから」

んですか」

そこにいる一同は思わず顔を見合わせた。

これでどうやら三太のフィクションは、根本からくずれ落ちたようである。

「あなた、先月十日の晩、日の出団地へ根津氏を訪ねられたのですか」

「はあ、上京するついでがあったものですから」

「どういうご用件で？」

「べつに用事というのではなく、由起子がこの春から引き取られていると聞いていたもの

ですから、どんな生活をしているのかと、見ておきたかったのです」

「あなたが根津氏を訪問されたのは何時ごろ？」

「十時……夜の十時過ぎ、十時十分ごろのことじゃなかったでしょうか」

「それにしても、妙な時刻に訪問されたものですな。夜の十時過ぎとは……？」

あき子はしばらく黙っていた。だが、すぐ決心したように、キラキラとうるみをおびた

眼をあげると、

「なにもかも申し上げてしまいましょう。あたしいま芦屋のほうで同棲《どうせい》しているひとがあります。台湾系の中国人です。そのひとが嫉妬《しっと》ぶかくて、あたしが上京するといつも監督つきなんです。その監督の眼を盗んで抜け出したものですから、そんな時刻になったのです」

なるほど中国人の妾《めかけ》なのかと等々力警部は改めて、あいての豪奢な服装に眼をやった。

「じゃ、その晩のことを詳しく話していただきましょうか。あなたはバスでこられたそうですね」

「はあ、大阪を立つとき、日の出団地前という停留場があることを聞いていたもんですから、タクシーでくるよりわかりいいんじゃないかと思って……」

「バスのなかで須藤達雄という男に、根津氏のことを聞かれたとか」

「じゃ、やっぱりあのかたが……」

あき子はひとみをすえて息をのんだ。

「いいえ、お名前は存じませんでしたけれど、三十前後の体格のよいかたでした」

「それで……？」

「そのかた、根津という名をご存じでいらっしゃりながら、思い出せないふうでした。バスを降りて団地へ入ると、若い背の高いかたに声をかけて、根津のことを尋ねてくださいました。そしたらそのかたが根津を知っていてくだすって、ご案内してくださいました」

「それが十時十分ごろのことだったんですね」

「はあ、たぶんそんなところだったと思います。バスを降りるとき時計を見たら十時五分でしたから」

「それから？」

「根津はあたしを見るととても驚きましたが、あたしもひとめ根津の顔を見たとたん、絶望にうちのめされたのです」

「絶望にうちのめされたとは？」

「あたしまえに苦しい経験をしておりますから、ひとめ見て麻薬をやっていることに気がついたのです。麻薬に耽溺《たんでき》するとあらゆることに興味をうしなってしまいます。あたしはいまの生活に満足しておりません。だからこととしだいによっては、いまの生活を清算し、親子三人貧しくとも、平和な生活を送りたいと、虫のよい考えをもっていたのです。それだけに、あたしの絶望は大きかったのです」

「なるほど。それであなたは何時ごろまでそこにいたんですか」

等々力警部はわれながら、同情のないそのききかたに自己嫌悪をおぼえた。警部にとっては女の苦悩よりも、根津のアリバイのほうがだいじなのだ。

「あのひともあたしを追っ払うわけにはいかなかった。あたしがわめきでもして、由起子にかくしてあることを、しられるのをおそれたのでしょう。六畳の部屋へあたしを通しました。由起子は隣の部屋で、起きてたらしいのですけれど、とうとう会わせようとはしませんでした。十五分か二十分くらいいたでしょうか。根津が追い立てるようにしてアパートを出たのです」

「すると十時半ごろのことですね、それは」

「はあ、いちいち時計は見ませんでしたけれど、だいたいそんなところだったでしょう」

「それから？」

「根津はそのままあたしをバスで、送りかえしたかったらしいのですけれど、あたしが食い下がってはなれないものですから、S駅まで歩きながら話そうと、団地をななめに突っ切ったのです。それから……」

「ああ、ちょっと」

と、警部がさえぎって、

「あなたはこんどの事件についてご存じでしたか、タンポポのマダム殺しについて」

「それはもちろん」

「あなたがたはタンポポのそばを通ってるんですが、それについてなにか気づいたことは？」

「いいえ、いっこうに。あたしじぶんのことでいっぱいでしたから……どういうところを通ったのか、それさえ記憶しておりません」

「なるほど、それから」

「あたしたちはまもなく、帝映のスタジオのまえを通りました。するとそのまえに広い草っ原がございましたので、あたしむりやりにせがんで、あのひとを草っ原のなかへ引っ張りこんだのです」

きめのこまかいあき子の頰《ほお》に紅の色がのぼってきた。

「その草っ原のなかに、こんもりと盛りあがった丘がありました」

あき子は依然として頰を染めたまま、瞳《ひとみ》をかるくうるませて、

「あたしたちはその丘の中腹に、ひとめを避けて腰をおろしました。話をしているうちに、あたしたちは抱き合ったまま、草のうえに倒れたのです。いいえ」

と、あき子はいそいで言葉をついで、

「抱き合ったまま、草のうえに倒れたといえば、誤解があるでしょう。あたしがあのひとを草のうえに押し倒したのです。あたしは……」

と、ちょっと絶句したのちに、

「もちろん体ももえていました。あの人に愛してもらいたかったのです。しかし、それ以上にあのひとに男であってほしかった。そうされると、女を愛さずにいられない男であってもらいたかった。でも、だめでした」

あき子は投げ出すようにいって顔をおおうた。やがてしずかなすすり泣きの声がもれ始め、涙が細い指のあいだからあふれて流れた。

「麻薬があのひとの体をむしばみ、セックスに対する興味をうばっていたのです。あのひとと別にいやがりはしませんでした、あたしのするがままにまかせていたのです。なにをしてもだめだよと、つぶやきながら。ほんとうにあのひとのいうとおりでした。そのことは、

まえに同棲《どうせい》していたときの経験でもわかっていながら、なんとかしてあのひとから男をひきだそうとして、ずいぶんいろんなことを試みました。でも、二度ともあたしのほうが燃えつきたのに、あのひとはなんの感興ももよおさなかったのです。二度目がおわったとき、あたしはあのひとにすがりついて泣きました。あのひとの不幸はあたしの不幸です。あのひとはただ黙って、あたしの背中をなでていました。あたしは長いあいだ泣いていました。やがてあのひとがいいました。じぶんはもう、廃人同様なのだからあきらめてほしいと。終電車に間にあわなくなるといけないからいこうと。あたしは絶望の思いを抱いて立ちあがりました。あたしたちがS駅についたのは一時ちかくでした」

あき子は涙を拭《ぬぐ》うと、紅味がひいて、そそけ立ってさえいる顔を、真正面から警部にむけて、

「あたしはそのことを申し上げるために、大阪からやってきたのです。あのひとはなんといっているかしりません。しかし、あたしが根津のことを聞いたひとが須藤さんだったとしたら、時間的にいって、あのひとは須藤さんを殺すことは不可能です。新聞によると、片桐恒子さんというかたを殺した犯人も、須藤さんを殺した犯人も、おなじだということになっているようです。そうすると、あのひとはどちらの事件でも、無罪ということになるのではないでしょうか」

これで根津の供述に裏付けができたようだ。三太のほうは夜目遠目で、ハッキリしなかったとしても、謙作はこの女をおぼえているだろう。その謙作から十日の晩、根津のとこ

ろへ案内したのは、この女にちがいないという証言をえられれば、根津のアリバイは完全になるわけである。なぜかれがあんなトリックをろうしてまで、タンポポのマダムの顔を損壊しなければならなかったか、という問題はあとに残るとしても。

「ときに奥さん」

「はあ」

「根津氏が以前にも、麻薬を常用していたとしたら、あなたは麻薬というものが、どんなに高価なものかご存知のはずですね」

「はあ、そのために、夫婦別れをしなければならなかったくらいですから」

「それじゃ根津氏はその財源を、どこからあおいでいたんでしょう。あのひと財産をもっているんですか」

「以前はもっていました。あのひとは豪農の次男にうまれたんですけれど、そうとうの財産はわけてもらっていたんです。でもご存知の戦後のあれで、畑や田地はだめになってしまいました。でも、山林はそうとう残ったのです。その山林も麻薬にかわってしまいました」

「そうすると、さいきんの根津氏は麻薬を手に入れる財源を、どこにあおいでいたんでしょう」

「えっ？」

あき子ははじめてそこに気がついたのか、はっとしたように警部の顔を見た。

「あのひとそれを申しませんの」

「いわないのです。いくらたずねても」

「でも」

あき子はさぐるように、警部の顔を見ていたが、やがて強い調子で、

「あのひとには悪いことはできません。あのひとはいつも正しいひとです。思いやりのふかい、義俠心《ぎきょうしん》のあついひとです。戦争中も部下思いの部隊長で通っていました。あまり心が正しくきれいなので、戦後の社会に絶望したのです。それがあのひとを麻薬に追いやったのです。あのひとが麻薬さえおぼえなかったら！」

「ひとを脅喝するようなことは？」

あき子は警部の顔を見直すと、怒りに瞳を震わせて、

「とんでもない。脅喝というのはひとの弱味につけこむことでしょう。絶対に！　絶対に！　根津は人殺しはできても、ひとさまの弱味につけこむなんて、そんな卑劣なまねはできないひとです。絶対に！」

「奥さん」

しばらく沈黙がつづいた後金田一耕助が口を出した。

「あなたはどうして根津氏とわかれたのですか。麻薬のために夫婦別れをしたとおっしゃったが、あなたのほうから愛想をつかしたのですか」

あき子の顔がとつぜん沈痛なものになった。悲惨な目で金田一耕助の顔を見ていたが、

やがてうめくように、

「どなたか存じませんが、よく聞いてくださいました。それはだいたいこうなのです」

と、あき子はひと息いれると、

「あのひとは中支《ちゆうし》にいたものですから、わりにはやく復員して、二十一年の秋にわたしと結婚したのです。どちらも初婚でした。あたしはすぐに妊娠して、二十二年の秋由起子をうみました。そのころからあのひとがいけなくなったのです。あたしどもの郷里は兵庫県の宍粟《しそう》郡なのですが、そのころ、あのひとは一週間に一度くらい、神戸へ出向いていました。職でも捜しにいってるのだろうと思っていたら、あにはからんや、その間に麻薬の味をおぼえて、それを仕入れにいっていたのです」

あき子はそこで溜《た》め息をつくと、

「あたしは必死になって、麻薬の誘惑からあのひとを守ろうとしました。でも、いつも禁断症状の苦悶《くもん》の示す恐ろしさに、あたしのほうが負けたのです。まもなくわずかに残ったものさえ失ってしまいました。誰かが働かなければならなくなりました。あたしはおろかにもじぶんさえしっかりしていれば、誘惑に負けることはあるまいと、あのひとの反対を押し切って神戸へ出たのです。でも、ひと月もたたないうちに、あのひとのもとへかえれなくなってしまいました」

「かえれなくなったとは？」

「世の中には女の力では防ぎきれない、男の暴力というものがあります。当時、神戸のヤミ市を支配していた、中国人のボスに犯されたのです。あのひとはあたしを責めようとはしませんでした。麻薬におかされたじぶんが、長いことかまってやらなかったのが悪かったと、かえってあやまったくらいです。そんな体になっては別れるほかなかったのです。それが昭和二十四年、由起子がかぞえで三つのときでした。それ以来、中国人のあいだを転々と、渡り歩いているあたしなのです」

あき子は両手で顔をおおうてさめざめと泣いた。戦後の日本の女がたどった淪落《りんらく》への道の、ひとつの典型的な例であろう。

あき子が落ち着くのを待って、等々力警部は根津の供述の大要を語って聞かせた。あき子はあきれたように警部の話を聞いていたが、やがて物問いたげな目で一同の顔を見渡し、さいごにその視線を警部にもどすと、

「でも、警部さま、あのひとはなんだってそんなバカなまねをしたんです」

「それをわれわれはしりたいのです。根津氏は死体遺棄と損壊は、率直に認めているのですが、なぜそんなバカなまねをやったのかという点になると、頑強に口をカンして語らないのです。奥さんになにかお心当たりは？」

「いいえ、ぜんぜん」

「片桐恒子なる女性についてなにか……？」

「いいえ、存じません。あたしたちは長いあいだべつべつに暮らしてきたのですし、あの晩もそんな話は出なかったのです。しかし……」

「しかし……？」

「もしあのひとがなんらかの意味で、タンポポのマダムと関係があったとしても、それはふつうの男女関係、肉体関係ではございませんわねえ。あのひと女はぜんぜんだめですから」

「いや、われわれも、そういう関係があったとは思っておりません。タンポポのマダムの身元がわかると困る人物があり、そのひとをかばってやったんじゃないかと思うんですが、なにかお心当たりは？」

　あき子にはなかった。しかし、それならば、あのひとのやりかねないことかもしれないとうなずいて、

「すると罪はまぬかれませんのねえ」

　と、悲しそうに溜め息をついた。

「ところがねえ、奥さん」

　そばから金田一耕助が口を出して、

「根津氏はそれを望んでるんですよ。刑務所入りを」

「どうしてでございましょうか」

「この機会に、麻薬と縁を切ってしまいたいというのが、根津氏の希望のようです。そういう意味では、刑務所は理想的な場所ですからね。ということは、さいきん根津氏を強く動かし、麻薬と縁を切り、もとの男にかえりたいという、衝動を起こさせるなにかがあっ

たということに、なるんじゃないでしょうかねえ」

あき子は無言のまま、金田一耕助を見つめていたが、やがてその視線を警部のほうへ戻した。警部がはげますようにうなずくと、あき子の目がまたしっとりとぬれてきた。だれにともなく深く頭をたれると、

「ありがとうございます、根津に会わせてください。あのひとにその覚悟ができているなら、あたしも一日もはやく、いまの生活を清算しなければなりません」

そのまえに榎本謙作に面通しをされた。榎本謙作の、あの夜の女にちがいないという証言があったので、根津のアリバイは成立した。

その翌日、伊丹大輔が逮捕された。

第十五章　カラス

由起子はきょうでもう、四日学校を休んでいる。父が逮捕されたのは十月三十一日、月曜日の晩だった。十一月一日の朝刊には、そのことがデカデカと報じられ、あたかもかれが、日の出団地の二重殺人事件の、犯人であるかのごとく書き立てられていた。由起子を引き取った榎本謙作の母の民子は、傷心の由起子をいたわって、当分学校を休ませることにした。

火曜日の夜、謙作が女のひとをつれて、かえってきた。由起子はそのひとを見るとハッ

とした。十月十日の事件の夜、父を訪ねてきたひとだった。

あの夜、由起子は寝床のなかへ入っていたのだけれど、襖越《ふすまご》しにきこえるヒソヒソ話の中に、ときどき、由起子という名前が出るのを聞いて、思わず耳をそばだてた。女のひとのすすり泣く声も気になった。まもなく父は、女のひとをつれてアパートを出ていった。ふたりが玄関を出るとき、由起子はそっと、襖のすきから女のひとの横顔を見て、なんというきれいなひとだろうと思った。その夜、由起子は十二時ごろまで父を待ったが、待ちきれなくなって眠ってしまった。

翌朝、父からなにか話があるかと思ったが、父は一言も語らなかった。由起子のほうからも聞かなかった。聞きたいにも、聞けない父と娘なのである。幼いときから伯父《おじ》のもとに預けられ、この春手元に引き取られたばかりの父と娘のあいだには、なにかしら、しっくりいかないものがあった。

火曜日の夜、その女のひとが謙作につれられて、民子を訪ねてきたのである。由起子はそのひとにまともに見られたとき、血が騒ぎ、顔があからむのをおぼえた。女のひとの眼に涙がたまっていたようだ。しかし、謙作にタバコを買いにやらされたので、由起子には、そのひとがなんの用事できたのかわからなかった。大急ぎでタバコを買ってきたのに、女のひとの姿は見えなかった。民子も謙作もなにも語らなかった。

十一月二日の午後、伊丹大輔が日の出団地の殺人容疑で、逮捕されたという噂《うわさ》を耳にした。これで父の疑いも晴れ、かえってくると思っていたのに、いっこうそのようすもないので、由起子はひとりで気をもんだ。

十一月三日の朝刊に犯人は伊丹らしいが、死体をしまつしたのは、父であるという記事が出ているのを読んで、由起子にはなにがなにやらわからなくなった。民子や謙作は沈黙を守っていて、なにも聞かせてくれなかった。

十一月四日、金曜日の朝九時ごろ、由起子はカラスのジョーに餌《えさ》をやりにいった。ジョーはいまでも、十八号館の一八〇一号室にいる。きれい好きの民子にたいしてジョーまで引き取ってほしいとはいえなかった。由起子のほうから、一日に何回か、餌をやりにいくのである。

一八〇一号室の鉄のドアに鍵《かぎ》をさしこんで、由起子がガチャガチャいわせはじめると、部屋のなかでカラスのジョーが、ガアガアと、けたたましくわめきはじめた。ドアを開くと、檻《おり》のなかで気が狂ったように羽ばたきながら、ガアガアとものねだりするのである。慣れないものには不吉な鳥だが、この春以来なじんできた由起子には、子供のようにかわいいのだ。

「まあ、せわしない子ねえ。待ってちょうだい。そこらを開けなきゃ、臭くてしようがないじゃないの」

カーテンを開け、ガラス戸を開くと、十一月の朝の空気が流れこんできて、やっと大きな息がつける。

まず水をかえてやり、煮干とパンのかけらを手のひらにのせて差し出すと、ジョーはまず煮干をくわえた。またたくまにそれを飲み込むと、パンのかけらを突っついていたが、すぐそれをやめて、不平そうに首をかしげて由起子を見る。

「うっふっふ、ゼイタク屋さん、やっぱり煮干のほうがいいの。少しは倹約ということをしるものよ」
二、三尾の煮干を手のひらにのせてやると、曲がったくちばしでつぎからつぎへとくわえこんで、パンのかけらには見向きもしなかった。満腹したとみえて、ピチャピチャと水を飲みはじめる。
「のんきねえ、ジョーは。パパがいなくなったのに、ちっとも寂しそうじゃないの。恩しらず」

ジョーは羽づくろいをしていたが、恩しらずという、鋭い由起子の舌打ちをきくと、小首をかしげて、まじまじと由起子の顔を見上げている。

「あら、少しは身にしみてわかったのかしら」

由起子は小さな円い腰掛けに腰をおろして、ジョーの青い目を見ているうちに、しだいにそれが涙でぼやけた。両手を膝《ひざ》に突っ張って、うなだれたまま、涙が頬《ほお》を伝うにまかせている。クシュン、クシュンという忍び泣きの音が、由起子の鼻からもれはじめる。

とつぜん腹立たしそうな、ジョーのわめき声と羽ばたきの音に、由起子の忍び泣きは破られた。由起子はゆっくりと涙を拭《ぬぐ》うと、

「恩しらず。おまえはじぶんのことだけしか考えないんだ。お姉さまの気持ちなんか、ち

っともわかってくれないのね。いいわよ、いまつれてってあげるわよ」

檻を開くとジョーがよちよち肩にはいあがった。

由起子はちかごろ、ひとに会うことを極端におそれる。じぶんに注がれるだれの目にも、非情な好奇心がとがっているのを感ずるからだ。

由起子はこわごわ一八〇一号のドアを開いた。さいわい人影はなかった。彼女はいそいで第十八号館の角を曲がると、切り通しのほうへ足を急がせた。だが、すぐその場に釘づけになってしまった。

「由起ちゃん、由起ちゃん」

背後からわめく声は三太のようだ。ジョーを肩にのっけたまま、由起子は仕方なさそうに振りかえった。三太が自転車で近づいてきた。第十五号館の角にタマキの母が立っている。

「由起ちゃん、おまえタマキをしらないか」

「タマキちゃん？」

由起子はゆっくりと首を左右にふった。

「ゆうべタマキを見かけなかったかい」

「ううん」

由起子はまた、ゆっくりと首を左右にふった。

「チェッ！」

三太は自転車にとびのって、大きな臀《しり》をふりながら、第十五号館のほうへかえっていった。

「タマキちゃん、どうかしたのかしら？」

口のうちで呟《つぶや》きながら、三太の顔がこわばっていたのを思い出した。瞳《ひとみ》もすわっていたようである。

だが、由起子はすぐそのことを忘れてしまった。太郎池へおりてくるとさいわいだれもいなかった。由起子は肩からジョーを放した。ジョーはガアガア啼《な》きながら空へまいあがっていく。

由起子は椎《しい》の木の根元に腰をおろした。しばらくジョーのゆくえを見守っていた。ジョーはいつものくせで、第二十号館の胸壁へいってとまった。

由起子は両手で膝《ひざ》をかかえこむと、腕のなかに顔を埋めた。涙が溢《あふ》れてスカートをぬらした。由起子はべつに、悲しいことを考えているのではない。ただ空漠《くうばく》たる孤独感が幼い心をむしばむのだ。こればかりは、民子や謙作の心づくしも、救いようのないものである。

霧のようなこまかい雨が落ちはじめた。しかし椎の葉かげにいる由起子は、それに気づかないのか、おなじ姿勢をくずさなかった。

半時間ほどたって、彼女はふっと顔をあげた。

ゆうべ九時ごろ民子が歯痛を訴えた。謙作はスタジオからかえっていなかった。団地の商店街に薬局はなかった。由起子はバス通りを越えて歯痛止めの薬を買いにいった。かえりに団地の公衆電話のまえを通りかかると、真っ赤なセーターを着た女が電話をかけていた。

「あれ、タマキちゃんじゃなかったかしら?」

たしかにタマキであったと、由起子はそのときの印象を思い出していた。ぽってりとした体つきは、さっき第十五号館の角に立っていた加奈子譲りだ。真っ赤なセーターはタマキの好みである。

「タマキちゃんがどうかしたのかしら?」

由起子は目をあげて、池のむこうの雑木林を見た。ジョーがいつのまにか、第二十号館の胸壁から場所をうつして、雑木林で啼《な》いている。

由起子はなにか考えをまとめようとして、こまかく降る雨を見ていたが、なんの考えもまとまらぬうちに、また腕のなかに顔を埋めた。

雨が大粒になったかして、バラバラと椎の葉をうつ音がきこえた。つめたい滴が頰をうち、襟足《えりあし》にすべりこんだ。しかし、由起子は身動きをしなかった。

彼女はもう泣いているのではない。涙は涸《か》れてしまっているのだ。彼女は力一杯膝にしがみつき、そのなかへ深く首を押しこんで、こういう姿勢のまま、だんだん小さくなっていって、ケシ粒みたいなじぶんになってしまいたいと願っている。いや、いっそこのままこの世から、消えてしまいたいとさえ考える。

とつぜん由起子は腕のなかから顔をあげた。切り通しを降りてくる足音と、話し声を聞いたからである。

その先頭に金田一耕助がいるのを見て、由起子の目に怯《おび》えの色が走った。金田一耕助のそばに三太がいて、自転車をおしている。加奈子もいた。京美もいた。順子もいた。謙作の姿は見えないかと目で捜したが、見当たらなかった。みんなの血相がかわっているのを見て、由起子は怯えて椎の根元から立ちあがった。

京美がいちばんにダラダラ坂を駆け降りてきて、

「由起ちゃん、こんなところでなにしてんの」

京美の目はとがめるようにきびしかった。

「あんたこんなところによくひとりでおれるわね。ここ、こないだ死体が出てきたとこじゃないの」

だが、由起子はその京美を無視して、背後にいる三太に話しかけた。

「姫野さん、あたしゆうべタマキちゃん見たわ」

「え？　どこで？」

突っかかるように聞いたのは、三太ではなく京美である。加奈子も傘をかたむけてまえへ出てきた。

「由起子ちゃん、あんたどこでタマキを見やはったン？」

由起子はさっき思い出したことを語ってきかせた。

「由起子ちゃん、それ何時ごろのこと？」

「九時十五分か、二十分ごろじゃないかしら。アパートを出るとき九時だったのよ。おばさま、もう薬局、しまってるかもしれないとおっしゃったわ」

「金田一先生」

加奈子は鼻のつまったようなオロオロ声で、

「タマキは先生のとこへ電話かけていたんやわ。なにか証拠をつかんだいうて」

「由起子ちゃん」

順子も怯えの色をふかくして、

「そのとき電話のボックスのそばにだれかいやあしなかった？　だれか怪しい人影が？」

おとなたちの真剣な顔色が、幼い由起子をおびえさせた。彼女はベソをかくような顔をして、おとなたちから一歩うしろへ退いた。

「ああ、いや、順子君」

金田一耕助がすばやくさえぎって、

「そんなこと聞くもんじゃない、由起子ちゃん、なにかをしっていても、こんなところで答えちゃいけない」

「姫野さん」

由起子はうわめづかいにオドオドと、

「どうしたのよう、タマキちゃんどうかしたの」

「ゆうべからかえンないんだよう。九時ごろどこかへ電話をかけにいくって、アパートを出たきりかえってこないんだってよう」

　三太の声はいまにも泣き出しそうである。

「だから、また殺されたんじゃないかっていってンの。殺されてまたこの池のなかに……」

　京美の瞳《ひとみ》は池の暗さをうつして陰ウツである。

「由起子ちゃん」

　加奈子がヒステリーの発作を起こしたように、はげしく由起子の肩をゆすぶった。

「あんたほんとにタマキがどうしたかしらんのン。タマキが電話ボックスを出て、どっちゃへいたかしらはらへんのン？」

　肩をつかまれてゆすぶられる由起子の首は、ガクンガクンと折れるようである。

「およしなさい、奥さん、タマキちゃんはまだ殺されたと、きまったわけじゃない」

「そやけど、そやけど、先生」

　加奈子の鼻筋を大粒の涙がつたってこぼれた。

「それやったら、なんでタマキはかえってけえしまへんのン。先生のところへ電話をかけたきりなんでかえってけえしまへんのン」

　金田一耕助はそれには答えず、気になるふうに池のかなたの雑木林の空を見ている。こまやかな雨にぬれながら、ジョーが不吉な声を立てている。

　三太も金田一耕助の視線のゆくえに気がついた。ジャンパーの襟《えり》を立てているけれど、無帽の三太のボサボサの毛は、しっとり湿りをおびている。三太はそれにかまわず、カラスの行動に目をそそいでいるうちに、ハンドルを握った手にしだいに力がこもってきた。

「先生……」

と、順子の声はノドにつまった。彼女もまた、カラスの円行運動に気がついたのである。

「奥さま……」

と、あえぐような声で加奈子の注意をうながした。

加奈子と京美が気がついて、雑木林のほうをふりかえった。加奈子の手から解放された幼い由起子が、痛そうに肩をもみながら、池のむこうへ目をやった。

雑木林のうえにこまかな雨がけぶっている。朝の十時だというのにあたりは夕方のようにほの暗い。

ガア、ガア
カラスのジョーがひと声ふた声、不吉な声を立ててひとびとの肝《きも》をおびやかした。

「せ、先生」

加奈子の顔がベソをかくようにゆがんでふるえた。

ジョーがとつぜん雑木林のなかに舞いおりて、一同の視界から消えてしまった。どこかの木の枝にとまったのだろう。

ガア、ガア、ガア
カラスの声が一同の心を、不吉の思いにふるわせた。

「先生、ぼく、ちょっといってみます」

三太が自転車にとびのって、池尻《いけじり》のほうへまわっていった。サドルのうえで、大きくゆれる三太の尻を見送っているうちに、京美も決心がついたのか、

「三ちゃん、待って、あたしもいくわ」

「京美ちゃん、あたしも……」

いきかける加奈子を金田一耕助が引きもどした。

「奥さん、あなたはここで待ってらっしゃい。順子君、奥さんに気をつけてあげて」

「はい」

「先生、ジョーがどうかしたんですの」

由起子はあどけない目を見張ったが、瞳がふるえているところをみると、不安の原因をしっているのだ。

池尻は沢になっていて自転車には乗れない。自転車をひっさげて、水門をわたった三太と京美の姿は、池のむこうの雑木林へ消えていった。

ガア、ガア、ガア
けたたましくなきながらジョーが林からとびたった。

しばらくシーンとした静けさののち、

「先生、金田一先生、来てください。タマキちゃんが……タマキちゃんが……」

林のなかからけたたましい三太の声だ。

タマキは雑木林の草のなかで、仰向けに倒れていた。すがれはじめた草のなかに、真っ赤なセーターが目に痛かった。それは由起子がきのう、電話のボックスのなかで見たものである。なにか紐様《ひもよう》のもので絞められたらしく、のけぞるようにあらわに見せたノドのまわりに、紫色の痕跡《こんせき》がどくどくしい。

それにしても、犯人はなんという凶暴なやつだろう。タマキの額は柘榴《ざくろ》のように大きく弾けて、そこからゾッとするようなものがはみ出している。コンクリートの手ごろのかけらが、血と毛髪の二、三本と、ドロドロとしたものにまみれてころがっていた。

格闘したようすはなかった。犯人は死体のうえから力一杯、コンクリートのかけらを叩きつけたにちがいない。このことは解剖の結果立証されている。

犯人はなぜ、そんな凶暴なまねをやらなければならなかったのか。人相のみわけもつかぬほど、変わっているわけでもないのだから、タンポポのマダムの場合のように、被害者の身元をくらますために、やったことではないことはたしかである。

タマキにたいして、よほど大きな憎悪をもっていたのか。それともノドを絞めただけでは、息を吹きかえすおそれがあると思ったので、コンクリートのかけらで額をぶちわっていったのではないか。

スカートの裾《すそ》が乱れて、むっちりとした白い脚がコンパスのように開いている。しかし暴行された形跡はなく、苦しまぎれにそういうポーズになったらしい。このことも解剖の結果立証された。セーターにもスカートにもこれといった破損はなく、大したよごれもないところをみると、タマキは不意をつかれたのである。

そのことは電話ボックスから、こんなさびしいところまで、やってきたことからでもうかがわれる。電話ボックスからタマキをここへつれてきたのは、顔見知りの人物にちがいない。不意をつかれたのも、その人物に心を許していたからだろう。

こうして日の出団地はまたしても大きな恐怖の渦のなかに叩《たた》きこまれたのであった。


「そうすると、先生」

志村刑事は興奮して、小兵《こひょう》な体をせかせかとゆすぶっている。あいつぐ惨劇に、一刻もじっとしておれないというかっこうだ、場所はタンポポの仕事場、ここはこんどの事件の捜査本部の前線基地になったようだ。

「ゆうべ九時ごろ、タマキはこの団地の公衆電話から、電話をかけてきたというんですね」

「はあ、由起子が団地の電話ボックスのなかにいる、タマキの姿を、通りすがりに見ているんですね。九時十分ごろというんですから、時刻からいっても、わたしのところへかけていたんでしょう。わたしはつい、どこからかけているのか聞きもらしたが」

「先生のところへなんといってかけてきたんです」

「問題はそれです。こんどの事件について、なにか重大なことに気がついたというんだが、ああいう年頃の娘の常として、前置きが長いんです。もっとも、わたしのところへ話をもちこむ依頼人は、たいていそれですから、わたしも気長に切り出すのを待っていたんです。今から思えばそれがいけなかった」

金田一耕助が眉《まゆ》をくもらすのを見て、等々力警部が物問いたげな目で、

「と、いうと？」

「タマキはたしかに興奮していました。同時に楽しんでもいたようです。わたしをじらすということに。したがって、そうとう長い電話になったんです。そこを犯人に気づかれたんじゃないかと思うんです」

「なるほど」

警部のそばから志村刑事がじれったそうに、

「先生、それより結論はなんなんです。タマキはけっきょく用件を切り出したんでしょう」

「ああ、そう、そういうふうに短兵急に攻めるべきでした。さんざんわたしをじらしたあとで、タマキがやっと切り出したのは、いつかわたしがたずねた言葉について、いま思いついたことがあるというんです」

「先生がたずねた言葉というと……？」

「白と黒」

「白と黒……？」

一同は金田一耕助の顔を見直した。

「金田一先生」

と、等々力警部は裁ち台のうえから乗り出して、

「それはどういう意味だったんですか。『白と黒』というのは……？」

「いや、それがねえ」

と、金田一耕助は悩ましげな目をして、

「とうとう聞かずじまいでした。いわないんですね。電話ではいえないというんだが、それもすぐいってしまうのが惜しいらしいんです。クックッ笑ってたところをみると、その言葉がおかしかったのか、それとも、それに気がつかないのがおかしかったのか、わたしには両方のようにとれたんですが……」

「クックッ笑ってたんですって……」

山川警部補は気味悪そうに眉をひそめた。

「それじゃ、犯人の秘密を知ったことを、怖がってるふうはなかったんですね」

「電話ですからよくわかりませんが、『白と黒』という言葉が、直接犯人に関係があるとは思っていないふうでした。とてもコッケイなことらしく、はじめからしまいまで笑いどおしだったんです」

「白と黒……？」

志村刑事はイライラと髪の毛をかきむしりながら、

「いったいそれにゃどんな意味があるというんだ。われわれのあいだではあいつはシロイ

だのクロイだのいいますね。わたしゃそのほかいろいろ考えてみましたよ。白星と黒星だの、碁石《ごいし》の白石に黒石だの……しまいにゃ目を白黒させながら……なんてことまで考えたんです」

「わたしゃ水島画伯のことからして白黒絵なんてのを考えてみましたがね」

温厚な山川警部補は苦笑した。

「それで、金田一先生、けっきょくその電話はどうなったんです」

「いや、つまり電話ではいえないから、会いたいというんです。それで今夜すぐにかと聞いたら、今夜でなくともいい、あしたでもいいといったところをみると、そんなに事態が切迫してるとは思わなかったんでしょう。それにしても、いまどこからかけてるんだと聞こうとしたら、そのまえにガチャンと切ってしまったんです。その間約十分、犯人にかぎつけられる余裕は十分あったわけですね」

金田一耕助は沈痛な顔をして口をつぐんだ。

さっきから口笛を吹く音がきこえている。曲は「オールド・ブラック・ジョー」。金田一耕助は宇津木慎策がきていることに気がついていた。

検死の医師と救急車が到着したので、日の出団地はまたわっとケイレンした。きょうはウィーク・デーなので、須藤達雄の死体が発見された日曜日ほど、人出は多くなかったが、団地の住人がうけたショックは、あのときの比ではなかった。

須藤の場合は、死体の発見がおくれただけで、犯行はタンポポのマダムと同時である。

死体が発見されたときから逆算して、二十日もまえに演じられた事件であった。だから、犯人はもう遠くへ逃亡しているかもしれぬという気休めがあった。

しかし、こんどの場合はちがっている。

宮本タマキはきのうの夜九時ごろまで、この団地で生存していたのだ。それがけさ無残な死体となって発見されたということは、犯人はまだこの団地の付近にひそんでいるということである。しかも、それは根津伍市でもなければ伊丹大輔でもない。かれらはいまS署の留置場のなかにいるのだから。

おそらく今夜の夕刊はいっせいに、攻撃のほこさきをむけてくるだろう。等々力警部はもうその記事の内容まで想像されて、頭が痛いことおびただしい。

「チキショウ!」

検死医といっしょに、そぼ降る雨をついて、現場の雑木林へむかう途中である。等々力警部がなにかいおうとして振り返ると、金田一耕助がいなかった。

「おい、金田一先生は?」

「金田一先生なら、さっき新聞記者にとっつかまって、往生してらしったようですよ。むこうで食いさがられてるんじゃないんですか」

山川警部補は気にもとめぬふうである。

「ああ、そう」

等々力警部はいまいましそうに舌打ちしたが、そのまま池をまわって雑木林へ入っていった。

ちょうどそのころ、金田一耕助は団地を少しはずれた空き地のなかの、掘立小屋に雨を避けながら、毎朝新聞の宇津木慎策とむかいあっていた。

この空き地にも近日なにか建つのだろう。木ごしらえをした材木が山のように積んであるる。その材木のかげで、ひとめを避けて金田一耕助が目を通しているのは、いま宇津木慎策からわたされた、前民々党代議士、一柳忠彦氏に関する調査メモである。

「これで見ると、一柳忠彦氏は終戦のとき中支にいたんだね」

「ええ、そう。しかも、そこにも書いてあるとおり、そのときの部隊長がすなわち根津伍市中佐なんです」

「で、婦人関係は？」

「この写真をちょっと……」

宇津木慎策が取り出した、三枚の写真を見くらべているうちに、金田一耕助はおもわず息が弾んだ。

写真はいずれも三十二、三か四、五の婦人の、胸からうえの写真だったが、いずれも地味な髪かたちをしていて、いかにももの堅い中流家庭の奥さまといったよそおいだった。

三枚とも胸からうえの写真なので、姿はよくわからないが、どこか水島画伯えがくところの、タンポポのマダムの肖像に似通ったところがあるのではないか。たとえ水島画伯の肖像ではふた皮瞼《かわまぶた》になっているのに、この肖像のぬしはひと皮瞼であるにしても。

「この写真だれ？」

「いまから三年まえに死亡した……いや、死亡したということになっている、一柳忠彦の前夫人、洋子という女です。やっとそれだけ手に入れたんですけれどね」

「死亡したということになっているとは？」

「ちょっとこれを……」

宇津木慎策が鞄《かばん》のなかから、取り出したのは古新聞の一枚で、その社会面に大きく朱の枠をつくっているところへ、金田一耕助の目がとびついた。

弁護士夫人ヨットで遭難
死体はフカの
餌食になったか？

昭和三十二年七月二十六日付の、大阪毎朝新聞の神戸版の記事である。

記事の内容はいたって簡単なものだった。おそらく、この記事を書いた記者は、この事件が後日遠くはなれた東京の一隅で、三重殺人事件となって発展していくであろうなどとは、夢想だにしなかったにちがいない。

弁護士一柳忠彦氏（当時はまだ代議士になっていなかった。代議士になっていたら、この事件ももっと大きく取り扱われていたかもしれない）は須磨に別荘をもっていた。

昭和三十二年七月二十五日の夕方五時ごろ、当時須磨の別荘に避暑にきていた一柳夫人の洋子は、ふたりの女友達とヨットを走らせていたが、とつぜんヨットに故障が起こって、須磨の沖合いはるかのところで顚覆《てんぷく》した。ふたりの女友達は無事救助されたが、洋子夫人だけは発見されず、あのへんはフカの多いところであるから、あるいはその餌食《えじき》になったのではないかと、関係者を憂慮させている、云々というのである。

「それで、一柳夫人は生死ともについに発見されなかったんだね」

「そうです、そうです。その後の記事がこれらの新聞にのってますが、どれも大したことはありません。しかし、こんどむこうの支局の連中に聞いたところでは、問題はヨットの故障ですね。それについていちおう疑惑がもたれたんです。だれかの作為がはたらいているのではないかと。だれかの作為がはたらいているとすると、それは一柳氏ではないかともいわれていたそうです」

「夫婦仲が円満じゃなかったのかね」

「いや、不和というほどではなかったそうですが、洋子夫人は健康がすぐれないというのを理由に、須磨の別荘に閉じこもることが多く、すなわち夫婦別居していることが多かったそうです」

「夫婦の仲に子供は？」

「昭和十七年に女の子がうまれています。勝子といってひとりっ子です。この娘がうまれてまもなく、一柳氏は応召して終戦までかえらなかったんです」

「昭和十七年うまれとすると……」

　金田一耕助は指折りかぞえて、

「かぞえどしでことし十九歳、事件のあったときは十六歳だね」

「そうなりますか。しかし、それがなにか……?」

「いいや、ちょっと訊《たず》ねてみただけだ。それで一柳氏に疑惑がかかったんだね」

「はあ、だけど一柳氏にとってラッキーだったのは、それより三日ほどまえに上京していて、東京における行動もハッキリしていたんです」

「アリバイが成立したというわけだね」

「そういうことです。で、けっきょく、災難ということでケリがついて、今日に及んでいるわけです」

「すると、ことしの七月二十五日をもって、洋子夫人は法的に死亡を認定されたということになるわけだね」

「ええ、そうなんです。それで、やっと洋子夫人のほうがラチがあいたので、ことしの九月に再婚しているんです。あいては兵庫県の政界のボスといわれる、渥美俊政《あつみとしまさ》の娘繁子というんです」

　渥美俊政なら金田一耕助もしっている。兵庫県の政界を牛耳《ぎゅうじ》るボスだけにとどまらず、戦後政界の表面から引退しているが、いまでも民々党の黒幕的存在として、隠然たる勢力をもっている男である。

「一柳忠彦がこのまえの選挙戦で、初名乗りをあげながら見事金的を射止めたのも、渥美の地盤を譲られたせいなんですね。その時分から、繁子と関係があったんじゃないかと、取り沙汰《ざた》されているようです」

「繁子というのは初婚かね」

「もちろん二度目ですよ。まえの亭主も渥美のこぶんだったそうですが、酒癖が悪くて別れたんだそうです。それでおやじの秘書みたいなことをやってるうちに、一柳とできたらしいんです」

「洋子というのも兵庫県の出身なのかね」

「はあ、須磨の大地主の娘で、神戸の女学校を出たあと東京のM女子専門を出てるんです。だから学生時代、東京に三年いたわけですね」

と、金田一耕助の顔色を探るように見ながら、

「結婚したのは昭和十六年の春。学校を三月に出て神戸へかえり四月に結婚してるんです。その翌年勝子がうまれ、それからまもなく亭主が応召したわけですね」

「すると年齢はいくつだろう」

「大正八年うまれですから、かぞえで四十二、満でいうと四十と何か月というところでしょう」

タンポポのマダムはだいたい、三十五、六か七、八と見られている。美人だから四つや五つ若く見られたのかもしれない。

「ねえ、金田一先生、この一柳洋子というのがタンポポのマダムにちがいありませんぜ。どんなにうまく化けてたって、この三枚の写真を関係者に見せれば、化けの皮がはげると思うんですが、どうでしょう」

「宇津木君」

金田一耕助はきびしい顔をして、

「そのことをだれにもしゃべりゃしないだろうね」

「もちろん、だけど、先生」

「わかってるよ。他社よりさきにスクープさせる」

日疋恭助氏の思いやりも水の泡のようである。

第十六章　白と黒

昭和三十五年十一月五日、土曜日の毎朝新聞の夕刊は、日の出団地三重殺人事件の、重要参考人として前代議士、一柳忠彦氏が召喚されるであろうことをスクープして、他社をはじめ世間のひとたちを驚かせた。

宇津木慎策が神戸からもたらした三枚の写真は、まず順子によって鑑定された。そして髪かたち、よそおいなどはちがっているものの、タンポポのマダムにちがいなしという証言をえて、つぎに京美の鑑定をうけた。

三枚の写真を見せられたときの、京美の衝撃は大きかった。それでもタンポポのマダムであるように思うと、よわよわしい声で証言した。

さいごにそれを見た河村松江は、しさいらしく三枚の写真を点検したのち、マダムにちがいないと断言した。

金田一耕助は日疋恭助氏を訪問した。日疋氏もやむをえずとみて金田一耕助の分別に一任した。かくてこの事実は、金田一耕助から等々力警部に報告されたのであった。

日の出団地の三重殺人の重要参考人として、ここに新しく登場した民々党の前代議士一柳忠彦氏が、神戸まで出張していた志村刑事にともなわれて、捜査本部になっているS署へ出頭したのは、十一月六日の午後三時ごろのことだった。

この新人物の登場がいかに、マスコミを興奮させたか、いかに世間を騒がせたかということは、ここには一切省略するとして、S署へ出頭したときの一柳忠彦氏はさすがに顔面蒼白《そうはく》、沈痛の色がふかかった。

のちに一柳氏が側近に洩《も》らしたところによると、根津が逮捕されたというニュースを読んだときから、一柳氏は立候補取り下げを決意したという。

「一柳忠彦さんですね」

この取り調べにはじきじき等々力警部があたった。

警部は一柳氏の沈痛な面持ちをみたしゅんかん、一種の同情のようなものを禁ずることができなかった。

警部はもっと尊大で、横柄な人物を予想していた。ところが警部のまえに着席した一柳忠彦氏は、謙虚で真摯《しんし》な人柄を思わせて落ち着いていた。政治家というより大学教授といった風貌《ふうぼう》である。

「はあ」

一柳氏はかるくうなずくと、

「このたびはいろいろとご迷惑をおかけして恐縮でした。こうなるまえに名乗って出るべきでした。それが周囲の事情もあり、なかなかじぶんの思いどおりにはいかなかったものですから……でも、こんなこと言い訳にはならないでしょうね」

「いや、ごもっとも。しかし、そうするとあなたはタンポポのマダム、片桐恒子と名乗っていた婦人が、三年まえに須磨の沖から、失踪《しっそう》した前夫人、洋子さんであることをお認めになるんですね」

「はあ、それは根津氏のいうとおりです。十月十日の晩、日の出団地で殺害されたのが、タンポポという洋裁店を経営していた片桐恒子だったとすると、それはわたしのまえの家内、洋子にちがいございません」

等々力警部はちらっと金田一耕助のほうに目をやると、いおうかいうまいかと躊躇《ちゅうちょ》しているようだったが、やがて思いきって、

「いや、ところが根津氏はまだそれを認めていないんですよ。あのひとは死体を遺棄し損壊したことは認めても、それがだれであるかまだいってないんです」

一柳氏はハッとしたように警部の顔を見直したが、すぐ白い歯を出してにっこり笑うと、

「ああ、そう、それを聞いて安心しました。根津氏は信義を守ってくれたんですね。それならなおのこと、わたしがもっとはやく名乗って出るべきでした」

「あなたは奥さんが生きていらっしゃることをご存じでしたか」

一柳氏はしばらく無言でいたのちに、

「しっていました。いや、しっていたというよりも、須磨の沖のあの出来事は、わたしも納得のうえの芝居だったんです」

「あなたも納得のうえで……？」

部屋のなかがいちじにピーンと緊張した。

山川警部補は驚きの色を露骨に見せて、この前代議士を見守っている。メモをとっていた三浦刑事も、ギョッとしたように筆をやすめた。椅子《いす》にふんぞりかえっていた志村刑事も、脚を組みかえて身を乗り出した。

金田一耕助はなにを考えているのか、一柳氏の横顔を見守りながら、なんとなく悩ましそうである。

「一柳さん」

等々力警部はさすがに声をきびしくして、

「それじゃ須磨の沖の遭難は偶然ではなく、夫婦なれあいのうえでおこなわれた、計画的なお芝居だったとおっしゃるんですか」

「はあ」

「しかし、それはどういう意味です。なんでまた、そんなムチャなことをやらねばならなかったんです」

「理由はかんたんです。われわれはどうしてもそれ以上、夫婦としてやっていくことができないという、結論に到達したからです」

「しかし、それなら離婚という手があるんじゃないですか」

「もちろんわたしもそれを主張しました。しかし洋子は離婚を承知しなかったんです。勝子……というのがわたしども夫婦のあいだにうまれた、ひとり娘なんですが、その勝子のためにも離婚された母であるよりも、死亡した母でありたいと主張して譲らなかったんです」

「しかし、それは……ちょっとふつうの常識ではうなずけない話ですが……」

「ごもっとも」

と、一柳氏もすなおにうなずくと、

「あなたがそうおっしゃるのも、決してむりとは思いません。しかし、洋子というのは、たぶんにエキセントリックなところのある女でして、ふだんはしごくおとなしやかな性質なんですが、なにか思いつめると我を通さねばおかぬという性分でした。まあ、世間体《せけんてい》ということもあり、離婚ということを極端におそれたのだと思ってください」

「いかに世間体をはばかったといったところで……いったい原因はなんなんです。そうまでして夫婦別れをしようというのには、なにかよほど重大な原因があったわけでしょう」

「まあ、性格の相違……と、いうよりほかはないでしょう。それ以外とくべつの理由はなかったんです」

「そ、そんな」

と等々力警部は満面に朱《しゅ》を走らせて、

「性格の相違というだけで、そんな思いきった、そんなメチャな……」

「いや、あの、ちょっと警部さん」

そばから声をかけたのは金田一耕助である。

「原因なり理由なりについては、あとでお伺いするとして、まずご夫婦で決行された具体的な事実を、さきに聞かせていただこうじゃありませんか」

金田一耕助の目の色を、しばらくじっと見返していた等々力警部は、

「ああ、そう、それじゃ一柳さん、どうぞ」

と、素っ気なく一柳氏のほうへむきなおった。

一柳氏は気になるふうで、金田一耕助のようすを見守っていたが、それでも、

「承知しました」

と、うなずくとやがてボツボツ話しはじめた。

「わたしたちはさんざん討論し、検討しあった結果、結局、あれのいいなりになるよりほかはないという、結論に到達したのです。ただし、そういうまわしい計画に、わたしじ

しん力を貸すことはまっぴらだったし、彼女もそれははじめから期待していなかったのです。あれのいうのに、あなたの力を借りようとは思わない。ただ見ぬふりをしていてくれさえすればいいというので、わたしはあれの勝手にさせておきました。洋子はまず財産を隠しはじめたようです。あれはわたしの援助なしでも、やっていけるくらいの財産はもっていました。その財産はあれの実家からきたものなんですが、その実家が完全につぶれているのも、洋子の計画にとってつごうがよかったようです。この財産を隠すという仕事に、半年くらいかかったようです。どういうふうにやったのかわたしも聞かず、あれも話そうとしなかったので、詳しいことはしりません。やがて準備万端ととのったのでしょう、あなたにつまらない疑いがかかってはいけないから、なにか用事をこさえて、東京へでもいっていてほしいというので、わたしが上京したのが昭和三十二年七月二十三日、その二日のちに洋子があれを決行したのです」

なんともはや妙な話である。疑えばいくらでも疑いたくなるような話なのである。それでいながら一同がシーンと耳をかたむけているというのは、この奇妙な告白のなかに、一脈の真実性を認めているせいではないか。

順子や京美の話でもわかるとおり、タンポポのマダムという女は、表面おとなしやかに見えていて、そのじつなにをやらかすかわからぬという、無気味さというか、妖気《ようき》というか、そういうものをもっていた女のようである。そのことは伊丹大輔の告白によっても裏書きされている。いま一柳氏の話に出てくる洋子という女が、おなじ無気味さとおなじ妖気を感じさせるではないか。

「七月二十五日夜おそく、東京のホテルへ神戸から電話がかかってきました。わたしはやったなと思うと、さすがにその夜は眠れなかったのです。しかし、その翌日帰神したときにはもう平静にもどっていました。そういう場合にそなえて、わたしはいつかじぶんの神経をきたえておいたものとみえます。わたしは不慮の災難で妻をうしなった、不幸な良人《おっと》の芝居をしていればよかったのです。それはだいたいうまくいきました。警察ではいちおうわたしを疑ったようでしたが、アリバイもハッキリしていましたし、それにわたしには悪い評判もなかったのです。じぶんの口からいうのも変なもんですが、わたしはいたって評判のよい男でした。婦人関係もきれいだったのです」

宇津木慎策のメモによると一柳氏はクリスチャンだそうである。

「なにもかもがうまくいきました。わたしが予想したよりもことは簡単に運んだのです。世間ではすっかり洋子を死亡したものと信じてくれたようです。洋子のアタマのよいのに感心しました。わたしはいまさらのように、洋子のアタマのよいのに感心しました。わたしじしんもしばらくは洋子の計画が失敗して、ほんとに死んだのではないかと思ったくらいです。しかし、一か月ほどして、洋子のかくした財産の一部がほかへ移されたことをしって、彼女が生存していることを覚ったのでした」

「ああ、ちょっと」

と、等々力警部がさえぎって、

「奥さんのおさとは完全につぶれたとおっしゃったが、それでも奥さんが財産をもっていることを、しってるものはそうとうあったのでしょう」

「はあ」

「その財産がいつのまにやらなくなっているということになると、だれか疑うものがあってしかるべきではないですか。生涯やっていけるくらいの財産といえばそうとうのものだし、しかも、その財産の一部はお嬢さんにいくべきものなんでしょうから」

一柳氏は渋い微笑をうかべて、

「そこに抜かりのある洋子じゃありません。あれは財産の一部を残しておいたのです。世間でよくいいますが、ありそうに見えて案外ないのは財産である。死んで見ると、思ったより少なかったわいというていどに」

「それでどういう約束になっていたのですか。死亡をよそおうたあとの奥さんとは？」

等々力警部はウサン臭そうな顔色だ。

「じぶんのことは一切心配しないでほしい。じぶんの面倒はじぶんで見ていくから、じぶんをほんとうに死亡したものと思っていてほしい。じぶんも生涯あなたに迷惑をかけることはないであろう。もしじぶんに万一のこと……なにかの災難で死ぬようなことがあっても、かつての一柳忠彦の妻洋子であったとは、決してわからぬような死にかたをしてみせる、とまでいっていました。だから三年たってじぶんの死亡が法的に認められたら、好きなひとと結婚してほしいというのです。そういう点ではわたしはあれを信頼していました。

まえにもいったようにあれは表面おとなしやかな女でしたが、とてもシンの強いほうでした。いわゆるシンネリ強いというほうなのでしょう」

「いったいどうしてそうまでして……？」

等々力警部はいいかけた言葉を、不愉快そうにのみこんだ。その点に関する限り、満足すべき解答がえられそうにないことを、一柳氏の顔色から察したからだ。

等々力警部は質問の方向をかえて、

「奥さんが失踪《しっそう》なすってから、あなたがはじめてその消息をしられたのは？」

「この六月でした。根津氏が東京の宿舎へ訪ねてこられて、たしかに奥さんと思われる婦人が、日の出団地にいるといってきたのです」

「すると根津氏は奥さんをしっていられたんですね」

「しっていました」

一柳氏はしずかにうなずいて、

「あのひとは兵庫県の宍粟《しそう》郡なのです。しかも戦争中わたしの属していた部隊の隊長でした。戦後……昭和二十二、三年のことですが、よく神戸へやってこられ、こられるとうちへ立ち寄られたのです。いちじ就職口の世話を依頼され、わたしも戦争中いろいろお世話になった関係上、なんとかしなければならぬと思っていたんですが、そのうちに……」

と、一柳氏は暗い顔をして、

「悪いことをおぼえてしまわれたのです」

「ヘロインですね」

「はあ、そのためにせっかくあった就職口もダメになりました。しかし、そういういきさつがあったので、根津氏は洋子をよくしっていられたのです」

「昭和三十二年七月下旬、奥さんが須磨の沖で遭難されて、それ以来失踪していられるということを根津氏はご存じでしたか」

これは金田一耕助の質問である。

一柳氏はまた気になるように、金田一耕助のほうへ目をやったが、すぐ素直にうなずいて、

「根津氏はそれよりまえに上京していたんですが、洋子の遭難事件のあった昭和三十二年七月下旬、墓参かなんかで郷里へかえっていたんです。新聞で読んで、うちへ悔みにきたのをおぼえております」

「根津氏があなたの奥さんとしての、洋子さんにさいごに会ったのは？」

「いや、それがあの事件のあった直前だそうです。これはわたしも忘れてたんですが、昭和三十二年七月に帰省したとき、郷里へかえるまえに神戸のわたしのところへ寄ってるんです。そのとき洋子に会ってるわけで、それから一週間目が遭難ですから、根津氏もおどろいて悔みにきたわけです」

「と、するとわりに最近の奥さんを、根津氏はしってたわけですね」

「はあ、ですから日の出団地で洋子を見かけて、すぐにそれとわかったわけです」

「あなたがたご夫婦は、根津氏が帝映のスタジオにいるということを、お聞きにならなかったんですか」

「いや、根津氏はいわなかったんですね。ただ東京にいるとしか。だからことしの六月に白金会館へたずねてくるまで、昔の戦友渡辺氏の世話になって、帝映のスタジオにいたなんてこと、てんでしらなかったんです。洋子もそれをしってたら、あそこへ落ち着こうとはしなかったでしょうね」

「いや、ありがとうございました。それでは警部さん、どうぞ」

「はあ、いや、それで……」

と、ちょっと考えたのち、

「根津はまさかそれを、ユスリの種にしようとしたんじゃないでしょうな」

「いや、そんなことは絶対にありません」

一柳氏は語気を強めて、

「根津氏はただ親切ごころから、わたしに注意にきてくれたのです。それがわたしにとって、致命的な有難迷惑だということに、根津氏は気がつかなかったんです。そのときのわたしのショックをご想像ください。あの遭難事件がお芝居だとしても、洋子の消息をぜんぜん聞かなければ、ほんとにどこかで死んでいるんじゃないかと、わたしにも気休めができます。そうするとことしの七月二十五日をもって、わたしは法的に、洋子の良人たるべき地位から解放されるわけです。その直前に生きている洋子の消息がわかったのですから」

「良人たるべき地位から解放されるのを待って、渥美俊政氏の令嬢と結婚する約束になっていたんですね」

「はあ」

「もう関係ができてたんじゃねえンですか」

志村刑事のこのぶしつけな質問に、さっと怒りの色が一柳氏の面上をかすめた。

さすがに一柳氏は人柄で、すぐにその怒りをおさえると、持ちまえの沈痛な冷静さを取り戻して、

「わたしはこれでもクリスチャンです。それに繁子もそんな女ではありません。しかし、洋子の失踪後三年たって、法的に死亡が認められたら結婚しようという約束は、まえからできておりました。また、その約束を前提として、繁子の父の渥美俊政から政治的援助をうけていたことも事実です。だからいまこちらがいわれたような疑惑をもたれてもやむをえないかもしれないが、それでは繁子にすまないと思っています」

「いまの奥さんは、須磨の沖の遭難事件が、夫婦なれあいの芝居だったとはご存じなかったんですね」

「もちろん。それをしっていたらわたしと婚約するはずがありません」

話題がいまの夫人にふれると、一柳氏の声はいっそうしめりがちになる。

「それでは話題をもとに戻して、六月に根津氏があなたの宿舎へやってきた。しかも、ま

えの奥さんが日の出団地にいることを報告してきた。それで……？」

「根津氏はわたしの顔色から、すぐになにかがあると察したようです。そう、申し忘れましたが三十二年にうちへたずねて来たときには、ヘロインとは縁が切れていたようです。この六月にたずねてきたときもおなじでした。麻薬に犯されていないときのあのひとは、アタマのよいひとです。周章狼狽《ろうばい》するわたしを見て、あのひとは気の毒がってすぐ立ち去ろうとしました。わたしとしては必死でした。あとひと月で繁子と結婚する資格が、獲得できようというそのやさきですからね。わたしはとうとうあのひとといっしょに日の出団地へ出かけました。そしてひそかにタンポポのマダムなる女性、すなわち片桐恒子と名乗っている女をかいま見て、それが洋子にちがいないということを認めたのでした」

一柳氏はそこではじめて両手で頭をかかえて、嗚咽《おえつ》してはいなかったが、嗚咽しているかのごとき印象をひとにあたえた。そのときの動揺と良心の苛責《かしゃく》が、痛烈に心をむしばむのであろう。

まもなく悲痛にゆがんだ顔をあげると、

「身勝手なようですが、失踪《しっそう》後約三年、どこからも消息がきこえてこないところをみると、洋子はもうすでに死亡しているのではないか、どこかの果てでひとしれず無縁仏にでもなっているのではないか……わたしにとってはそれは悪夢にも似た苛責だったのですが、それと同時に正直にいってそれがいちるの希望でもあったわけです。タンポポのマダムなる女性を見て、その希望が無残にもうちくだかれてしまったのでした」

一柳氏はそこでまた頭をかかえこんだが、すぐまた顔をあげると、一気呵成《かせい》にしゃべりはじめた。

「ちかくにひかえた、繁子との結婚という問題があるだけに、わたしの打撃は大きかったのです。わたしはこの結婚に公私ともに未来を賭《か》けていました。わたしの受けたショックを見て、根津氏はじぶんの出過ぎたまねを後悔したようです。べつに何も聞こうとはしなかったのです。それを打ち明けたのはわたしのほうでした。あの人とわたしとでは、年齢的にはいくらも違わないのですが、部隊長としてのあのひとはいつも立派だったのです。わたしがあのひとに一切を打ち明けたというのも、昔の部下思いの部隊長とその部下という、親近感と甘えごころがそうさせたのだと思います。根津氏はもちろん驚きました。しかし、批判がましい言葉はひとことも吐かなかったのです。これは身勝手な想像かもしれませんが、あのひとも奥さんに逃げられたひとです。わたしの立場に同情してくれたのではないでしょうか。あのひとはこういいました。そういう秘密をしったことは、自分にとって心の重荷である。と、いってじぶんの口から、この秘密がもれるようなことはないから安心してほしいと」

「なるほど、それで……？」

「根津氏が秘密を守ると約束してくれれば、わたしは安心してよかったのです。わたしはその代償として、月々五万円ずつ提供することを申し出ました。誓って申しますが、これは根津氏のほうから要求したのではありません。根津氏はむしろその申し出にたいして、不快の色を見せたくらいです。しかし、わたしとしては洋子の消息がわかった以上、かげながらあれを守り、いざとなったとき、力になってやってくれる人物がほしかったのです。わたしはそれを根津氏に依頼しました。根津氏はそれでもよい返事をしなかったのですが、わたしはむりやりに五万円おいてかえったのです。それがあのひとをして、また麻薬常用者に追いやる財源になろうとは、ゆめにも思いませんでした」

のちに根津氏が告白したところによると、じぶんは一柳氏を脅迫するつもりはなかった。しかし、結果からいうと脅迫したのもおなじことになってしまった。その心苦しさがじぶんをまた麻薬に走らせたのであると。人世というものはむずかしい。

「それであなたは九月に結婚したんですね」

「九月の十六日でした」

「九月といやあ解散必至という気構えだったから、それに備えて、結婚しとく必要があったんでしょうな」

志村刑事の口には毒がある。一柳氏はちょっといやな顔をしたが、べつに語気もかえずに、

「人間、いや、男と女の愛情といえども、それだけ切り離して存在するものではないでしょう。われわれは霞《かすみ》を食って生きているのではないのだから。どこかで利害打算と結びついていても、必ずしも不純とはいえないと思うが、その利害打算だけを取り上げて、ことさらにものごとを卑しく考えようとすると、いまこの刑事さんのいったとおりでしょう

ね」

志村刑事はピシャッと鼻っ柱を叩かれたような顔をしたが、そのままニヤッと笑って口をつぐんだ。いまに尻っ尾をおさえてやるぞという顔色なのだ。

「なるほど、それで……？」

等々力警部にうながされて、

「それはあわただしい結婚式でした。また大きなシコリを抱いた式でもあったのです。式のあと三日間の旅行をしてわたしは上京してきました。すると、十日ばかりたった十月一日の夕方、とつぜん洋子から電話がかかってきたのです。至急会いたいと」

一柳氏は熱い物でものみくだすような表情をすると、

「わたしにとって、大きなショックだったことはいうまでもない。おそらくシドロモドロだったでしょう。それでは約束がちがう、じぶんは最近結婚したばかりであるから、いま君に会うことは困るといったのですが、あなたがだれと結婚しようとわたしの関知したことではない。しかし、わたしはいま危険にさらされているし、その危険は、あなたやあなたの奥さんに及ぶかもしれない。だからあなたが奥さんをかわいいと思うなら、あたしに会う必要があるだろうと」

「まるで脅迫ですね」

山川警部補が苦々しげに呟《つぶや》くのを聞きとがめて、

「いや、脅迫というほどではないのですが、日頃おとなしやかなくせに、いざとなると高飛車に出る女でした」

「なにしろ金毛九尾《きんもうきゅうび》のキツネだからね」

志村刑事がせせら笑うのを一柳氏は眉《まゆ》をひそめて、

「なんです。それ？」

「いや、いや、いいんです、いいんです。志村君、だまっていたまえ、それで……？」

ここが追い込みどころと等々力警部はやっきである。

「はあ、それで会見の場所と時間をきめてほしいというんです。例によって高飛車で、こっちのいうことなど聞いちゃくれません。わたしも心配になりましたが、といってこれというういうまい場所も思いあたりません。そこであしたもういちど電話をかけてくるよう、それまでに考えておこうといって、そのときは電話をきったんです。そのあとでそれとなく友人に聞いておいて、翌二日の朝方電話をかけてきたとき、横浜の臨海荘というホテルを指定し、あした昼ご飯を食べながら話を聞こうということにしたんです」

「なるほど、それで約束どおり十月三日、臨海荘ホテルで奥さんに会われたんですね」

「ホテルのまえでタクシーを降りたら、ちょうどそこへやってきたので、いっしょにホテルへいったんです」

「久しぶりに奥さんに会われたご感想はどうでした」

だしぬけに金田一耕助に突っ込まれて、一柳氏はギョッとしたようにそのほうを振り返った。しばらく不安そうにあいての顔を見ていたが、できるだけ感情を抑制したような声

で、

「わたしはまえに日の出団地で見ておりましたから……でも、なんとなくかわいそうだとは思いました」

「そぞろ哀れを催されたというわけですね。いや、どうも失礼。では警部さん、どうぞ」

等々力警部はうさん臭そうな目でふたりを見くらべていたが、だしぬけに金田一耕助にうながされて、

「ああ、そう、それで、……と」

と、いくらかあわて気味に、

「奥さんのご用件というのはどうでした」

「それはだいたいこういうことでした」

一柳氏はなんとなく不安そうな視線を、金田一耕助のほうへ送りながら、

「名前はいいませんでしたが、あれはだれか男……たしか男のようでしたが……だれか男にゆすられていたんですね。その男はまだ洋子の前身には気がついていないらしいんですが、片桐恒子というのは本名じゃない。なにか過去に暗いものをもっていて、本名をかくしているらしいというところまで、嗅《か》ぎつけてきたらしいんですね。それでいろいろ探りをいれてくる。もし、このまま放っておいてあなたのほうへ迷惑をかけてはすまない。それでその男と相談したところが、ここでまとまったものをくれさえすれば、この一件から手をひくといっている。だから、少しまとまった金がほしいのだが、このさいじぶんが残

しておいた財産を返してもらいたいというのでした」

脅喝者――それは伊丹大輔にちがいない。伊丹が金品をゆすりにかかっていたとしたら、かれがもう洋子の肉体に見限りをつけていたからだろう。そのかわりその代償を金に求めていたとしたら、それはより以上に極悪非道といわねばなるまい。しかも伊丹がそうとうの財産家だけに、その醜ろうな心事には目にあまるものがあるというべきである。

「それであなたどうしました」

「わたしはいったのです。脅喝者というものは、いちど脅喝におうじるとあと始末におえなくなるのではないかと。洋子はそれもよくしっている。しかし、とりあえず口を封じておきたい。あとのことはまたそのときになって考えると、あれにしてはめずらしく取り乱しているふうだったのです。さっきからたびたび申し上げるとおり、あれは見かけのおとなしやかなのにかかわらず、シンの強い、およそものに動じない女なのですが……」

そのものに動じない女が、めずらしく取り乱していたというのは、伊丹の性愛技巧がおよそハレンチをきわめていたのではないか。そのえげつなさから逃れるために、洋子のほうから金を提供することで妥協しようとしたのではないか。

「なるほど、それでどうしました」

「あれのいうのにとりあえず十万円要求されている。いま現金に不自由しているからそれだけ工面してほしい。あとのことは後日相談するというのです。詳しいことは聞くひまがなかったんですが、いざとなったらそうとうの損失も覚悟のうえで、また姿をかくすつもりだったんではないか、それには残していった財産が必要になってきた……と、そういう感じでした」

「それで、あなたどうしました」

「こちらも足下に火がついた感じです。そこで持ち合わせていた五万円を渡してその日は別れたのです」

「あとの五万円はどうしました」

「それからなか三日おいた十月七日の晩、渋谷の映画館で渡しました。横浜のホテルでそうきめておいたのです。わたしが洋子に会ったのはそれがさいごです」

「しかし……」

と、等々力警部がなにかいいかけるのを、金田一耕助がさえぎって、

「奥さんに根津氏のことをいいましたか」

「いいえ、いいませんでした。そのかわり根津氏に手紙を書いて、洋子がだれかにゆすられている、どういう男か調べてほしいといってやったのです」

十日の晩、根津伍市がタンポポの勝手口が細目に開いているのを見て、そのまま見のがせなかったのは、そういう依頼をうけていたからであろう。

「それで根津氏からその脅喝者についてなにかお聞きになりましたか」

「いや、そのまえにあの事件が起こったのです」

「なるほど」

と、等々力警部はあいての顔を見守りながら、

「それじゃ恐れ入りますが、あの晩、事件のあった十月十日の晩の、あなたの行動について話していただきたいんですが……覚えていらっしゃるでしょうね」

「覚えております。じつはあの晩わたしに妙なことがあって、いまから思えば、そのおかげでアリバイが立証できるという結果になってるんです」

「と、おっしゃると……？」

「十月十日の夕方五時ごろのことでした。わたしの宿舎へ電話がかかってきたんです。男でした。わざと声をかえているような早口で、じぶんは横浜の臨海荘であなたを見かけたものである。そのときあなたといっしょだった婦人をよくしっている。そのことについて膝《ひざ》をまじえて話しあいたいから、こんや八時に日比谷三光ビルにあるクラブ和合へきてほしいと、まるで立板に水みたいにベラベラしゃべったかと思うと、それきり電話を切ってしまったんです」

「クラブ和合とおっしゃいますと？」

山川警部補はハッとしたようである。

「ご存じじゃありませんか。戦後派の政治家や実業家で組織している社交団体で、その本拠が日比谷の三光ビルにあるんです。わたしは会員ではありませんが、友人の……ご存じですかどうですか、東邦石油の立花隆治って男が会員で二、三度連れてってもらったこと

があり、出入りする資格はもってるわけです」

「ああ、なるほど、それで指定どおりそこへ出向いていかれたんですね」

「いきました。八時ちょっとまえでした」

「きましたか、あいては」

「きませんでした。十一時までネバッていたんですけれど」

「十一時まで？」

　等々力警部はあいての顔を見直すと同時に、金田一耕助のほうへ目をやった。金田一耕助がそのことをしっていたらしいのに気がつくと、いまいましそうに眉《まゆ》をしかめて、

「クラブのほうでそのことを証明できるんでしょうね」

「できると思います。わたしは落ち着かぬままにバーで酒をのんだり、ビリヤード・ルームで玉を突いたりしましたが、あそこは万事伝票制になっていて、伝票には日付と時間を記入することになっています。バーへは二度いきましたが、二度目は十時半から十一時まででいて、そこを出ると同時にクラブを出たんです」

「その間クラブを離れたようなことは？」

「一度もありません」

　一柳氏はものうげな微笑をうかべて、

「伝票に記入された時間を調べていただけば、日比谷から日の出団地まで、往復するような時間はなかったとわかっていただけると思います。わたしはじりじりするような思いで

脅迫者を待っていたんですから」

「あなたは電話をかけてきた男を、奥さんを脅迫している人物と同一人物だとお思いになったんですね」

「そうとしか思えませんね。そいつはおそらくわたしが洋子と横浜のホテルで会ったとき、洋子をひそかに尾行してきたのでしょう。そしてわたしというものを突きとめて、洋子の素性をしったにちがいない。だから洋子をしぼるよりわたしをしぼるほうが有利だと、そう思ったにちがいないのです」

なるほど、ものは考えようだと、金田一耕助はまた口許《くちもと》をほころばせた。

おそらく一柳氏はそれ以来、いっそう心のやすまるひまはなかったであろうから、日疋氏もとんだ罪をつくったものである。もっともそのためにアリバイが正確に立証できるとすれば、それで埋め合わせがつくというものかもしれない。

「十一時にクラブを出てからどうしました」

「まっすぐに白金会館へかえってねました。もっともなかなか寝つかれなかったのは事実ですが」

「それじゃ奥さんの死亡されたこと、いや、殺害されたことは、新聞かなんかでお読みになるまでご存じなかったんですか」

「いや、それはそうじゃありません」

「そうじゃないとおっしゃると？」

「わたしは夜が明けたら根津氏を訪ねてみようと思っていたんです。そしたらぎゃくに根津氏から電話がかかってきたんです。十一日の午前八時ごろでした」

「根津氏はなんといってきたんですか」

「事件を報告してきたんです」

「ただそれだけですか。ただたんに奥さんが殺されたとそれだけをいってきたんですか」

「いいえ、もちろんそれだけじゃありません」

一柳氏は沈痛の色を眉間《みけん》にみなぎらせて、

「あのひとに家内のことを打ち明けたとき、こういうことをいったんです。人間いつどんな災難で死なないとも限らないが、そんな場合かつては一柳忠彦の家内であった女であるとは、けっしてわからない死にかたをしてみせると、洋子がいっていたことを、根津氏に話したのです。ところがじっさいに殺害されたときの洋子には、その用意が欠けていた。だから、奥さんにかわってじぶんがこれこれこういうふうに、死体のしまつをしておいたと、根津氏が報告してきたんです」

「つまり死体の顔が灼熱《しゃくねつ》したタールで、メチャメチャになるように仕掛けておいたということを……」

「はあ」

「その報告をあなたはどんな気持ちで聞いたんですか」

一同が思わず顔を見なおさずにはいられなかったほど警部の声は鋭かった。

「それは……」

と、一柳氏もさすがに口ごもって、

「ひとくちにはいえません。しかし、とうとうやってきたかという気が強かったのはいなめないでしょう」

「とうとうやってきたかとおっしゃるのは？」

「洋子がじんじょうの死にかたをしないのではないかということは、三十二年の擬装遭難当時から、すでに予感めいたものをもっていたんです。それですから……」

「なぜ奥さんがじんじょうの死にかたをしないだろうと考えられたんです」

「それは……それは……」

と、一柳氏はあえぐようにいったのち、

「やはりあれの性格からくるもの、シンネリ強いあれの性格からくるものが、なにかそういう不吉な予感を抱かせたと思ってください」

がっくりと肩を落とした一柳氏の額には、ビッショリ汗が吹き出している。

「それはそれとして、電話を聞いたあとあなたはどうなすったのです」

「根津氏がいうのに、細工がうまくいくかどうか正午までにはわかるだろう。その結果をしりたかったら帝映スタジオ前の原っぱへきたらどうか。そこから双眼鏡で見れば日の出団地が見えるだろう。うまくいったらじぶんの飼ってるカラスの脚に白いホータイをまいて放つであろう。日の出団地のうえに白いホータイをまいたカラスがとんでいたら、うまくいったと思ってほしいと」

「チキショウ！……いや、どうも失礼」

志村刑事は一柳氏をにらんでいる。

タンポポのマダムの死体が発見されたとき、みんなそのカラスを見ているのである。あのカラスはたしかに脚に白いホータイをまいていた。

そうだったのか、あのホータイにはそういう意味があったのか。

金田一耕助は思わず唇《くちびる》がほころびそうになるのをおぼえた。人間というものはどうかすると、子供みたいなことをやるものである。

「それであなたはどうしました。指定の場所へ出向いていったんですか」

「はあ、やはり気になったものですから……」

一柳氏は額ににじむ汗をぬぐいながら、

「正午過ぎでした。指定された場所へいってみると、まんじゅうを伏せたような丘があったので、そこから双眼鏡で日の出団地を偵察したんです」

「どうです。見えましたか、白いホータイをまいたカラスが」

金田一耕助のからかい顔に一柳氏は赤面して、

「それらしい鳥は見えました。しかしホータイまでは見えなかったんです」

一柳氏は児戯《じぎ》に類する行動にふかく恥じ入っているようだ。しかし当時の一柳氏の心境は、児戯に類するどころではなかったであろう。

しばらくの沈黙ののち、

「それにしても……」

と、等々力警部の質問は、またしても振り出しに戻るのである。

「あなた方ご夫婦はなんだって、そんなデスペレートな行動をとったんですか。じんじょうな死にかたをしないであろう、という予感までもっていながら、なんだって奥さんに、そんな無謀な行動を許したんです」

一柳氏は答えなかった。その質問に関する限り一柳氏はこんりんざい答えたくないらしい。

「一柳さん」

そばから言葉をはさんだのは金田一耕助である。

「まちがってたらあやまります。ひょっとすると洋子さんというかたは、同性愛嗜好者《しこうしゃ》じゃなかったんですか。そのため正常な夫婦間のいとなみまで、嫌悪なすったんじゃないんですか」

一瞬にして一柳氏は化石した。顎《あご》が落ち、金田一耕助を見すえる瞳《ひとみ》からみるみる生気がうしなわれた。体がイスからずり落ちそうだ。

そうだったのか！……と志村刑事はじぶんでじぶんに、はげしい怒りをおぼえずにはいられなかった。

白と黒……あれにはそういう意味があったのか。ある世界では女性同士の性愛技巧をシロと呼び、男同士の同性愛をクロと呼ぶということを、志村刑事もしっていたはずではないか。

しかも、あの卑しむべき怪文書のぬしはつねに、犠牲者の性愛に関する弱点をついてくるのだ。「処女膜を調べさせたまえ」といい、「黄金より男性のほうがよかった」と指摘し、ごていねいにも男性という二字に傍点が打ってあるのだ。また「たがいに抱き合い火ともえて艶情《えんじょう》の限りをつくした」と、それらはことごとく、性愛のギリギリのところをそのものズバリといっている。

水島浩三は欲求不満型なのだ。かれは欲求不満型の中年男の執念をもって、マダムの秘密の生態を監視していたのだ。マダムに同性の愛人のあることをしっていたのだ。そういうマダムが男といっしょにホテルへしけこんだので、おまえはシロがよいのか、それともクロのほうが好きなのかと、揶揄《やゆ》してきたのではないか。

金田一耕助はそれに気がついていたにちがいない。だから水島画伯のゆくえをあんなに気にしていたのだ。水島画伯の口から、マダムの同性の愛人を聞き出そうとしていたのではないか。

「わたしの妄想《もうそう》を許していただけるなら……」

と、金田一耕助が低いボソボソとした声でしゃべりはじめた。まるで念仏でもとなえるように。

「洋子さんというひとは同性愛にとりつかれていたのではないか。同性以外には、あのひとのセックスを満足させることはできなかったのではないか。しかも、洋子さんはお嬢さんにそれをしられることを好まなかった。ふつうの離婚では、離婚の理由をお嬢さんに納得させることができなかった。そこで死亡したことになり、無籍者になることによって、じぶんのほしいままな欲望を満足させようとしたのではないか。いや、いや、お気の毒なあのひとは、それ以外に女性としての生きがいを見出せなかったのではないですか」

「洋子は……洋子は……」

と、一柳氏は放心したようにつぶやいた。

「日の出団地でも、そういういまわしい愛人をもっていたんでしょうな」

チキショウ！……と、志村刑事はふたたび心中で叫ぶのである。

同性愛でも処女膜は失われるのではないか。

第十七章　最後の一撃

タマキの死体が発見された雑木林の、切り株と切り株のあいだのすがれた草のなかに、小さな石がおいてある。タマキの死体がよこたわっていた場所である。石のまえにおいたガラスのコップに野菊の花が二、三輪挿《さ》してあるのは、タマキの母が供えたものだろうか。石のうえにも野菊の花にも、木の間をもれてしぶいてくる、小ぬかのような雨が散っている。

久しくつづいた天気もタマキの死体が発見された金曜日以来くずれはじめて、この二、三日は梅雨《つゆ》を思わせるような空模様だ。

その墓標のまえの切り株に腰をおろして、両手で頭をかかえたまま、さっきから身動きしない男がいる。

姫野三太だ。

三太がにわかに抜擢《ばってき》された『波濤の決闘』におけるかれの役は、きのうの日曜日をもってあがった。三太は成功したのである。監督もほめ、プロデューサーもそれを認めた。バイ・プレーヤーとしての前途はひらけた。

それにもかかわらず、三太の心は楽しまなかった。いや、それゆえにこそ、楽しまなかったといったほうが正しいかもしれぬ。

木の間をもれて降りしぶく、小ぬか雨にジャンパーをぬらしながら、頭をかかえこんだ両腕のなかから、鼻をすする音がきこえる。まるで、

「タマキ、タマキ、おまえはなぜ死んだんだ。いったいだれがおまえを殺したんだ!」

と、絶叫しているかのように。

いや、じっさい三太は繰り返し繰り返し、心のなかで絶叫しているのだ。胸のなかを吹き抜けていく、木枯しの音をかみしめながら。

とつぜん三太は顔をあげた。落ち葉を踏む音がさくさくと、雑木林のなかへ入ってきたからである。

た。三太はあわてて涙をふき、追いつめられた獣のような目で、足音のするほうを振り返った。顔がベソをかくときのようにゆがんだ。

榎本謙作が傘もささずに雑木林へ入ってきた。レーン・コートを裾長《すそなが》にきて、ボサボサとした髪の毛のさきに小さな滴が光っていた。

謙作はまっすぐに三太のそばまでくると、立ったまま小さな墓標にむかって黙禱《もくとう》した。

それから三太の顔を真っ正面から見おろして、

「三ちゃん」

と、ノドの奥にひっかかったような声で、

「おまえ、タマキとなにかあったのかい」

とつぜん三太の顔がクシャクシャにくずれた。まるで堰《せき》を切ったような調子で、

「エノ、オレはあの晩はじめて女の子を抱いたんだ。あの晩はじめてオレはタマキと抱き合ったんだ」

「あの晩ていつだい？」

「あいつが殺された晩なんだ。タマキはオレと抱き合ってから半時間のちに殺されたんだ」

三太はおいおい泣き出した。

「三ちゃん！」

謙作はきびしい目をして、泣きじゃくる三太のボサボサ頭を見下ろしていたが、やがて

向かいあった切り株のうえに腰をおろした。

「そのことをもっとくわしく話さないか。すると三ちゃんは木曜日の晩、タマキに会ってるんだね」

「うん、うん」

三太は右の腕で目をこすりながら、小突かれたようにうなずいた。

「いったいどこで会ったんだ」

「タマキの部屋へたずねていったんだ。オレ泣いたりして恥ずかしいや。その晩のこと話すから、エノ、聞いてくれよ」

三太はやっと涙を拭《ぬぐ》うとハナをかんで、まぶしそうに謙作の顔から目をそらしながら、とつとつとして話しはじめた。

「あの日、三日だったな、オレの役五時ごろあがったろ。それに、オレ、監督さんにほめられたりしたもんだから、すごく興奮してたんだ。そいで団地へかえってくるとさっそくタマキの部屋へいったんだ。七時ごろだっけ。タマキひとりでつまらなそうに寝ていたんだ。オレ興奮してタマキの枕下に坐《すわ》ってベラベラしゃべってると、タマキのやつますますつまらなそうな顔をするんだ。どうしたんだと聞いてやったら、タマキのやつ、死んじまいたいなんていうんだ」

「死んじまいたいって？　タマキが？」

「うん。それ、なんでもねえんだ。ちかごろパパとママが仲がよすぎるというんだ。ほら、あの怪文書の一件があってから、タマキのパパとママさん、雨降って地固まるというのかな、どちらもサービス過剰で見ちゃいられない、いや、聞いちゃいられないというんだな。あのパパさんとママさん、ああいうひとだろ、見境がなさすぎるらしいんだ。だから、タマキみたいな年ごろの娘にゃたまらないらしいんだな。そいでタマキのやつ世をはかなんだというわけだ。オレ、なんだかタマキがかわいそうになってきたもんだから、つい結婚を申し込んでやったんだ。そしたら……」

「そしたら……？」

「タマキのやつ急に元気になりやがって、いっしょに風呂《ふろ》へ入ろうといいだしたんだ。大丈夫か、ママかえってきやしねえかって聞いたら、大丈夫、ママは極楽キネマへパパの手伝いにいっている。手伝いにいくといつもいっしょにどこかへ寄ってくるらしい。早くっても九時までは大丈夫というんだ。そいで、ふたりでいっしょに風呂へ入ったんだ。ここの風呂せまいだろう。そいでついふたりとも興奮しちまって、とうとう抱き合っちまったんだ」

「風呂のなかでか」

　謙作の質問はひやかしでも、卑しい好奇心でもなさそうである。殺害された直前にタマキに会ったという三太の口から、殺害の動機となったであろうなにものかを、探り出せないかというきびしい目の色である。

「だって仕方がねえよ。風呂ンなかで興奮しちまったんだもん、ふたりとも」

「それからどうしたんだ」

「どうもこうもねえよ。そのあとふたりで裸のまンま、タマキの寝床へもぐりこんだんだ。オレたち美しい夢を見てたんだな、楽しい、美しい未来図を築きあげてたんだ。オレ、エノみたいに主演はむりだけど、バイ・プレーヤーとして成功してみせるって威張ったんだ。タマキも成功するにちがいないって保証してくれたんだ。オレ……オレ……」

と、三太はちょっと口ごもって、

「そんなことはじめてだろう。女の子抱いたなんてその晩はじめてだったんだ。タマキもはじめてだといってた。だから、そのうちにまた興奮しちゃって……エノ、おめえ女の子を抱いたことあるかい」

とつぜんの質問だったが謙作は鼻白みもせず、依然としてきびしい口調で、

「そんなことどうでもいい。興奮しちゃって……？　それからどうした」

「エノ、かくすことねえじゃねえか。おめえ京美となにかあったんじゃねえのか」

「いいや。オレ、ああいうタイプの女の子好かない。少しアタマが切れすぎるよ」

「フーン」

と、三太は小鼻をふくらませて、まじまじと謙作の顔を見ていたが、

「そうか、やっぱりそうだったのか。じゃ京美のやつおめえに失恋しやがったんだな」

「そんなことどうでもいいが、それからどうしたんだ」

「ううん、けっきょくオレたち、抱き合っちゃ風呂へ入り、風呂からあがっちゃ抱き合い、

ふたりともメチャメチャに幸福だったんだ。そいでふと気がついたらソロソロ九時だろ。そいであわててもういちど、ふたりで風呂へ入ってそれから別れてかえったんだ」

「なあ、三ちゃん」

またベソをかきそうになる三太の顔を謙作はキッと見すえて、

「オレ、卑しい好奇心でこんなこと聞いてるんじゃねえんだぜ。三ちゃんとタマキちゃんと抱き合って話をしてるとき、なんかこんどの事件について話が出やあしなかったかい」

「おっ、それそれ」

と、三太は思い出したように、

「タマキが妙なことを聞くんだ。なんでも金田一耕助に聞かれたんだそうだが、〝白と黒〟という言葉について、なにか思い当たることはねえかってタマキが聞くんだ。なんだかこんどの事件に、重大な関係があるらしいというんだな。そいでオレ、デタラメを並べてやったら、タマキが急にゲラゲラ笑い出したんだ」

「どんなことといったらタマキが笑い出したんだ」

「なによ、ほら、女の同性愛をシロといい、男のやつをクロというじゃねえか」

三太を見つめる謙作の目が、とつぜんこわいほどけわしくつりあがってきた。

時刻はまだ四時半だというのに、あたりはもう幽然《ゆうぜん》と暗くなっている。十一月七日といえば、目に見えて日のみじかくなる季節だが、きょうの暗さは季節のせいばかりではない。

梅雨《つゆ》を思わせる暗い空が、日の出団地のうえに低く垂れこめて、目に見えぬほどのこまかな雨が、このアパートの大聚落《だいしゅうらく》のうえに降りしきっているせいなのだ。その雨は梅雨の雨とちがって肌につめたい。

　赤いビニールのレーン・コートに、フードをかぶった由起子は、ひとめを避けて謙作の部屋を出た。謙作の母の民子は買い物に出かけて留守である。第十七号館の外へ出ると、日の出団地は靄《もや》をかぶったようにけむっていて、むこうのはしが見えないくらいだ。気のはやい家庭ではもう電気がついている。通勤者がかえってくるにはまだはやいのか、人影ひとつ見当たらない。

　由起子は肩をすぼめて第十八号館に向かった。

　由起子はちかごろふしぎでならない。いや、ふしぎというより不平なのだ。民子や謙作がじぶんをいたわる気持ちはわかるが、少し自由を束縛しすぎやしないか。ひとりで外出してはいけないだの、ひとりで留守番をしているときには、顔見知りのひとでも部屋にいれてはいけないとは、いったいどういうことなのか。

　由起子にはもうひとつ意外なことがある。

　木曜日の晩由起子は電話ボックスのなかにいるタマキを見た。しかし、それ以外にはなにも見ていないのだ。なにも記憶に残っていないのである。それにもかかわらず金田一耕助は、まるで由起子がなにかをしっているかのごとく、そして、しりすぎている人間を、危険から守ろうとするかのごとき態度をとっている。

かぞえどしで十四とはいえ、苦労をしている由起子はませている。頭も鋭いのである。あの晩なにかを見たとしたら、じぶんに危険がおよぶかもしれないくらいのことはわきまえている。田舎《いなか》にいるときそんな外国映画を見たのをおぼえている。

「目撃者を殺せ」

《しかし、じぶんはなにも見ていないのだもの、危険なんてありっこないわ》

第十八号館の一八〇一号室のまえに立って、ドアに鍵《かぎ》をさしこむと、なかからジョーのけたたましい羽ばたきと鳴き声が聞こえてきた。

「待ってよ、ジョー、せわしない子ねえ」

ドアを開くと玄関のなかは真っ暗といってよいくらいである。由起子はリビング・キチンへ入って電気のスイッチをひねった。

「ごめんなさい、ジョー、こんな暗いところへ閉じ込められちゃ、だれだって腹が立つわね」

由起子にはジョーのご機嫌がななめなのがわかるのである。檻《おり》のドアを上へ開いてポケットから煮干をつかみ出そうとしたとき、背後にあたってひとの気配がした。

振り返ってみると京美がそこに立っていた。京美はにこにこ笑っている。

「ジョーのお世話なの。ご苦労さまねえ」

由起子は煮干をつかんだまま呆然《ぼうぜん》として、京美の顔を見つめている。京美の顔は笑っているが、その笑いがほんとうのものでないことを、由起子は自己防衛の本能からしっている。その笑顔の底には、なにやらつきささるようなものがある。

ジョーがじれったがって、檻のなかでガアガア鳴いた。

由起子はそれでも京美の顔を見すえたきり、身動きもしないで立っている。右手のなかで、数匹の煮干がしっとりと汗ばんできた。

タマキとちがって京美はおたかくとまっているほうだ。道で出会っても由起子に目をくれたこともない。管理人の娘など眼中にないという顔色だ。むろんこの部屋へ足踏みしたことなど一度もない。

「どうしたの、由起子ちゃん、なぜそんなにあたしの顔を見るのよう」

うしろ手にリビング・キチンのドアの把手《とって》を握った京美が、猫撫《ねこな》で声で笑いながら把手をはなしてちかづいてきた。由起子はおもわず二、三歩うしろへたじろいだ。

「あら、ま、どうしたの、あたしがこわいの」

急に京美の声がしゃがれてきて、

「それとも、由起子ちゃんはあたしをこわがらなければならない理由があるの」

由起子はだまったきりで京美の目のおくをのぞきこんでいる。四つの目と目がぶつかりあって、つめたい火花が散るようだ。

ジョーがうしろにまわした由起子の右手を突つきながらガアガアあばれた。

「あら、あんなにカラスが催促してるわ。とにかく餌《えさ》をやっておしまいなさいよ。それからちょっとお話があるのよ」

由起子はなんだか体がけだるくなってきた。

「ええ」

ぼんやりふりかえって檻のうえに身をかがめると、京美がうしろからちかづいてきて、

「カラスって猛禽《もうきん》でしょ？　それにしてはよく慣れたもんだわね」

京美の右手が由起子の肩にかかった。由起子は思わず身ぶるいをした。細い紐《ひも》がうしろから由起子のノドにまきついた。声を立てるひまもないほどの素速さと、抵抗する余裕もないほどの強力さだった。

由起子は全身から力が抜けていくのを感じながら、しかも、一瞬、意識がハッキリもえあがった。もえあがった意識のなかで由起子はあることを思い出していた。

木曜日の九時過ぎ薬を買って謙作の部屋へかえると、テラスのガラス戸がまだ開いていた。それを締めようとして外をのぞくと、第十七号館と第十八号館のあいだのメーン・ストリートを、だらだら坂のほうへ下っていくふたつの影がちらと見えた。

そのときは気にもとめず、いままで忘れていたのだけれど、このしゅんかん京美とタマキであったことが、由起子の意識の底から浮かび上がった。

京美にとってひとを殺すのは四度目である。二人は絞殺し、ひとりは千枚通しで刺殺した。彼女はいつか殺人という行為に自信をもってきていた。彼女はいままで三人の生命をうばってきたが、殺人のあと技巧めいたことは少しもやらなかった。彼女は三人の人間を殺し、殺したあとはそのままに放置してきたに過ぎない。技巧をこらしたのは他の人間で

ある。そのために京美はいままで、一種のかくれミノのなかにかくれていることができた。そして、そのことが京美に妙な自信をもたせる結果になっていた。

引きしぼった細紐のなかで由起子の体がずっしりと、磐石《ばんじゃく》のごとき重みとなっていく感触を、京美は熟練者の冷静さで楽しんでいるかのようだ。抵抗する力を失うと人間の体はかえって重みをますものだということを、京美はいままでの経験でよくしっている。

由起子の体はひとかたまりのボロのように、カラスの檻の外にくずおれた。たいした時間もかからなかったし、心配したほどの物音も立てなかった。すべては京美の計算したとおりであった。

由起子が倒れたひょうしにその重みで、しずかに床にひざまずいた京美は、落ち着きはらって由起子の首から細紐《ほそひも》を解きはなった。その細紐を輪にまきながら京美はリビング・キチンのなかを見まわした。

京美の目にうつったのは細身の刺身庖丁《ぼうちょう》である。これもはじめから京美の計算のなかに入っていたところで、台所に庖丁があるのは当然のことである。

タンポポのマダムを絞殺したあと、ひょっとするとあとで息を吹き返したのではないかと、京美はひと晩夢魔に悩まされつづけた。そのことが京美をひとつ利巧《りこう》にしていたのである。

京美はまずふきん掛けからふきんをとって、刺身庖丁にまきつけた。指紋をのこさぬ用心だろう。右手に刺身庖丁を握り、左手で由起子の体をひっくりかえすと、彼女はまだビニールのレーン・コートを着たままである。ボタンを外してレーン・コートのまえをくつろげると、下には厚手の毛糸のセーターを着ている。

京美はいまいましそうに舌打ちをした。セーターを下からたくしあげると、まだ女になりきらぬ乳房が下着のしたからかわいい隆起をふくらませている。

京美はその隆起をさわってみて、このままでは蘇生《そせい》するかもしれぬ危険性がたぶんにあることに気がついた。

京美は刺身庖丁をとりなおした。かわいい下着の隆起をめがけて、刺身庖丁をふりおろそうとした瞬間、

「キーッ！」

京美の唇《くちびる》からつきささるような悲鳴がほとばしった。

左の目をおさえて、のけぞった京美の手の下からドスぐろい血が吹き出してきた。

カラスのジョーが身を挺《てい》して、おのれを愛してくれたかれんなこの女主人を救おうとしたのだといったら、あまり物語めいてきこえるだろう。

ジョーはただ空腹と長時間にわたる幽閉で、不機嫌になり立腹していたのだ。ジョーの目にこの鋭利な刃物をもった人間が、危険な存在としてうつったのは当然だったかもしれない。

かれの鋭いクチバシはひと突きで、京美の左眼を失明させることに成功した。しかし、かれはそれだけでは満足しなかった。怒りに羽毛を逆立てて、猛烈ないきおいで京美のも

うひとつの目をめがけて襲いかかった。

「キーッ!」

京美は両手で顔をおおって床のうえに突っ伏した。彼女はなにもかもこまかく計算してきたつもりだった。由起子の口をだまらせるのも、この時期、この場所がいちばんよいと計算してきたのだ。しかも、それは十中八、九成功していた。ただ、このカラスの存在を軽視していた以外は。

突っ伏した京美の頭を、耳を、首筋を、猛禽《もうきん》の鋭いクチバシと爪《つめ》が引き裂いた。狭いリビング・キチンのなかに黒い羽毛が散乱し、京美の悲鳴が断続した。

だが、京美はいったん取り落とした刺身庖丁を探りあてた。京美はその柄を握りなおすと、全身に怒りをみなぎらせながら、床のうえから起きなおった。彼女はこのふらちな鳥とたたかうつもりなのだ。ジョーはまた京美の右眼をめがけておそいかかってきた。

「キーッ!」

辛うじて右眼の襲撃からはのがれたものの、京美は意気地なくも刺身庖丁を取り落とした。京美はまた両手で顔をおおうて立ちすくんだ。

「ジョー、ジョー、おとなしくせんか」

六畳からとびだしてきた男を志村刑事だとしったとき、京美にはまだ逃げようとする本能がのこっていた。片手で左眼をおさえたまま玄関へ走った。だが、外からとびこんできたふたりづれの姿を見たとき、京美は屈辱と羞恥《しゅうち》のために、すべての力を失ってしまった。骨をぬかれたようにクタクタとその場にへたばってしまった。霧にぬれた榎本謙作が鉛色の外光を背にして、巨人のように京美のまえに突立っていた。

志村刑事が京美の両手に手錠をはめた。むざんに突き破られた京美の左眼を見たとき、謙作と三太は身ぶるいをした。ジョーはふしぎにおとなしくなっていた。

「こんなこともあろうかと思って、張り込んでたんだが、つい押し入れのなかで眠っちまって」

志村刑事のつぶやきを京美は夢のように聞いていた。

それが事実だとすると、京美は最後の一撃において、一羽のカラスに敗れたのである。

エピローグ

秋はもう深くなっている。

この物語のはじめに、S・Y先生が蜃気楼《しんきろう》を発見した草っ原には、いよいよなにかできるらしく、ブルドーザーだの開サク機だのが、縦横に活躍している。

都会の一隅で、仙人のような生活をしているS・Y先生は、ここになにが出来るのかまだしらない。じぶんの自由に散歩できる一区画をうしなうことに、寂りょうをかんじていることはたしかなようだ。

だが、仙人にも好奇心はある。いまむこうに見えている建物の聚落が、ちかごろ世間を騒がせた日の出団地だと、金田一耕助に教えられて目をまるくした。

「わたしも……」

と、S・Y先生はおぼつかなげにいった。

「あの事件ならかなり熱心に読んでました。しかし、あそこに見えるのが日の出団地とは……ましてや、あなたがあの事件に関係してたとは、ゆめにも気がつきませんでした」

いつものことなので、金田一耕助はS・Y先生のうかつさを笑う気にはなれなかった。

「事件が発見された晩、わたしはS署からお電話したんですよ。そしたらその日かっ血されたとかで……」

「そう、あの日は日本シリーズの第一戦でしたね。テレビで観戦中またやっちゃって」

「また興奮なすって、テレビの前でおどりあがったりしたんじゃないんですか」

この老詩人が年がいもなく、子供のように興奮しやすい性質であることを金田一耕助はしっている。

「まさか……」

と、S・Y先生は苦笑して、

「それはそうと、水島浩三画伯が見つかったそうですね。なんだか重体だとか……？」

水島浩三画伯が見つかったのは、京美が逮捕された十一月七日の夕方のことである。水島画伯は、国電赤羽《あかばね》駅のホームへとびおりたひょうしに転倒して、鉄柱でしたたか後頭部を打ち人事不省におちいった。病院へかつぎこまれてから、水島画伯であることが判明した。

「あのひとも気の毒なひとですね」

金田一耕助はげんしゅくな表情をして、

「この事件を担当していた刑事の言によると、あのひと欲求不満型だというんですね。それで、つい、他人の情事に興味をもった。いや、持ちすぎたんですね。それで怪文書やなんか製作しているうちに、こんなことになっちまった。そこであわてて身をかくしたが、赤羽駅でああいう災難にあったのも、疑心暗鬼というやつで、同乗の客を刑事と誤認して、あわててとびおりたひょうしに転倒したというわけです。よくなっても片輪はまぬかれないということですよ」

さいわいいつかの丘はまだすっかり切り崩されてはいなかった。S・Y先生が登っていくうしろから金田一耕助もついてのぼった。金田一耕助のはかまのすそに草の実がハラハラ散った。

「新聞ではよくわからないんですが……」

S・Y先生は丘へ登ると息切れしたのか、すがれた草のうえに腰をおろした。きょうは愛犬カピをつれてはいない。カピをつれて歩くことは厳禁されているのである。

「あの怪文書のさいしょの製作者は京美という娘だったそうですね」

「ええ、そうです、そうです」

金田一耕助もS・Y先生にならんで腰をおろした。日の出団地が正面に見えている。

「京美は義理の伯父が若い婦人と結婚することを好まなかった。団地のせまい部屋で新婚夫婦とともいっしょに暮らせるものではない。もし、そうなったらじぶんは追い出されるのではないかという不安、――自衛上からもあの縁談を破壊しようとかかったんですね。それには一種のしっとめいた感情も手伝っていたのでしょう。肉親の伯母は伯父より年上だった。それに反してこんどの候補者は伯父よりひとまわりも年が若い。伯母の梅子が生きていれば感じたであろうしっとを、めいの京美が受け継いだというわけでしょうな」

「それにしても、じぶんを傷つけるようなことをネツ造するというのは……？」

「そこが、それ、肉を斬らして骨を斬るというやつじゃありませんかねえ。縁談を破壊するにはもっとも効果的な戦術ですし、それにじぶんを槍玉《やりだま》にあげておけば、じぶんに疑いがかかる気づかいはあるまいという考えかたなんでしょうね」

「恐ろしい娘ですね」

金田一耕助がブゼンと答えたきり、ふたりのあいだでちょっと言葉がとぎれた。S・Y先生はボンヤリと手にしたステッキですがれた雑草をなぎ倒していたが、また思い出して、

「ところが、その怪文書がこんどはわが身にふりかかってきたというわけですか」

「そういうことになりますね。ことわざにもいわずや、天にツバするものは……と、いうわけです」

金田一耕助はS・Y先生に断わってタバコに火をつけると、

「その怪文書のことが、団地の奥さんの口から水島画伯の耳にはいった。欲求不満型の水島画伯にとっては、これはかっこうの遊戯の材料になりました。すっかり色あせたドン・ファンの水島画伯にとっては、他人の情事はすべてねたましかった。のろわしかった。しかも、多分に女性的な水島画伯は、他人を中傷するということに異常な興味をもっていた。そこでまず榎本謙作に京美を中傷する手紙を送った。しかし、榎本君はさすがにタシナミがあったので、その怪文書を握りつぶした。つまり水島先生の第一弾は空鉄砲におわったわけです。そこで第二弾を姫野三太にめがけてぶっ放したんですが、これがこんどの事件の原因になったわけですね」

「と、いうのは……?」

「京美はそれを榎本との仲を裂くために、同性の愛人、タンポポのマダムがやったことだと誤解したんです」

「結局、これは同性愛の破たんからきた犯罪だったんだそうですね」

「そうなんです。先生」

金田一耕助はむこうに見える日の出団地に、悩ましげな目を投げやりながら、

「一見複雑怪奇をきわめた事件でしたが、ひと皮ずつむいていってさいごに残った核心は、同性愛という異常な習癖に誘惑されたひとりの娘が、ノーマルに転向したくなっていた。それをあいてが妨害していると誤解して、そこから起こった至極単純な事件だったんです」

「それにしてもわずか十八やそこらの娘にしては、凶暴なことをやったもんですね」

「ある心理学者の説によると……」

と、金田一耕助はいよいよ暗い目をして、

「ちかごろの若い連中は、おなじ世代のひとたちとの結合というか連帯というか、そういうものに対して、宿命的な従属意識をもっているというんです。つまりそれだけ戦後の世界では、おとなと若いひとたちのあいだの溝が深過ぎる。おとなには頼れないという不信の念を若いひとたちは持っていて、それをおなじ世代の仲間に求めるというんです。だから若いひとたちは、じぶんの属するグループからはみ出すことを極端に恐れるんですね。

ところでこんどの場合、若い世代のグループといえば、榎本謙作と姫野三太、戸田京美と宮本タマキの四人です。ところがとつぜん謙作が、京美にたいしてよそよそしくなってきた。しかもその原因が、あの怪文書にあるらしいとわかったとき、京美はグループからはみ出していく絶望感におそわれたんですね」

「なるほど」

金田一耕助のこの小むずかしい説明が、わかったのかわからないのかしらないが、S・Y先生はすなおにうなずいて、

「しかも、その内容というのが虚構とはいえ、かつてじぶんがネツ造した事実だっただけに、ショックも大きかったんでしょうな」

「そう、それに……」

と、金田一耕助はいくらか口ごもって、

「怪文書の末尾にあった処女膜を調べろ……この一句が痛かった。京美は謙作を愛していたかもしれない。するとこの一句は致命的だったといえるでしょう。そこで、京美は絶望のあまり自殺をはかった。……」

「しかし、京美は死ねなかったんですね」

「ええ、そう。しかし、こういう怪文書に対して、弁解できない体にしてしまった、マダムにたいする、怒りと憎しみは、大きかったにちがいありませんね」

「しかも、そのマダムを怪文書のぬしだと、誤解してしまったんですか」

「事件の晩、マダムもこっそり外国雑誌を調べていた。その雑誌のなかに、レディース・エンド・ジェントルメンという文字を、発見した京美は怒り心頭に発したわけです。そこでマダムをいまわしいたわむれに誘いこんで……マダムはそれにヨワかったんですね」

「ところで……」

ちょっと言葉がとぎれたあとで、

「須藤達雄という男は、この事件でどういう役割を果たしているんですか」

「ああ、あの男……」

と、金田一耕助は沈んだ声で、

「あの男はこの事件で、ただ殺されるためにのみ登場したみたいなもんです。京美の告白によると、マダムを殺害したあとで、外国雑誌にはさんであったマダムあての怪文書を発見したそうです。内容は、おまえは男が好きなのか、女のほうがよいのか、白なら白、黒なら黒ときめてしまえというような意味だったそうです。京美はそれではじめて、マダムも怪文書の犠牲者だったのではないかと、気がついたがあとの祭り。その怪文書をズタズタに引き裂いたが、思いなおしてかき集めているところへ、伊丹の声がきこえたそうです」

「なるほど」

「そこであわてて灯を消して、ようすをうかがっていると、さいわい伊丹は立ち去った。そこで急いで裏の掛け金を外して外へ出ようとするところへ、こんどは須藤がやってきた。

しかも伊丹とちがってこのほうは、酔ったまぎれに踏みこんでくる。京美はいったん仕事場へ退避すると、そこにあった千枚通しを取りあげて、二階の寝室へ身をかくした。まさかそこまで追ってくるとは思わなかったんですね。ところが酔っぱらいの無法さというか、それともなにかをかぎつけたのか、須藤は二階まであがってきた。ふすまに手をかけてそれを開いたのがこの世の別れ、まともから千枚通しでぐさっとひと突き、まえのめりに倒れたひょうしに、千枚通しがふかぶかと根元まで突っ立った……と、ただそれだけの単純な事件だったんですがね」

その単純な事件を複雑怪奇な色に染めあげたのは、人間の織りなす不可思議な人生パタンと、その底によこたわる、洋子という女の異常趣味である。

彼女のその趣味は、東京の学校の寄宿舎にいるころつちかわれたものらしいという。しかし、一柳氏とのあいだに勝子という娘をもうけているところをみると、いちじそういういまわしい性癖も矯正《きょうせい》されていたのではないか。それが再燃したのは、やはり戦争のせいらしいという。良人《おっと》の応召《おうしょう》という事実が、ふたたび彼女をして異常趣味に走らせ、のちには趣味というよりも、抜きがたい宿命となったようだと、新聞という新聞が取りあげたものである。

「ときにねえ、金田一先生」

しばらく言葉のつぎほをうしなっていたのちに、S・Y先生が思い出したようにいった。

「あれはたしか、十月十一日の正午ごろでしたよ。わたしこの丘の上に立って、双眼鏡であの団地のほうをのぞいている男を、見かけたことがありましたよ。あの男、この事件に関係があったんじゃないのかな」

金田一耕助は唖然《あぜん》として、この愛すべき老詩人の顔を見直した。

本書中には、今日の人権擁護の見地に照らして、不当・不適切と思われる語句や表現がありますが、作品発表時の時代的背景と文学性を考え合わせ、著作権継承者の了解を得た上で、一部を編集部の責任において改めるにとどめました。（平成八年九月）

金田一耕助ファイル18
白《しろ》と黒《くろ》
横《よこ》溝《みぞ》正《せい》史《し》

昭和49年 5月30日　初版発行
平成7年 7月20日　48版発行
令和7年 10月20日　改版45版発行

発行者●山下直久

発行●株式会社KADOKAWA
〒102-8177　東京都千代田区富士見2-13-3
電話　0570-002-301（ナビダイヤル）

角川文庫 3239

印刷所●株式会社KADOKAWA
製本所●株式会社KADOKAWA

表紙画●和田三造

●お問い合わせ
https://www.kadokawa.co.jp/（「お問い合わせ」へお進みください）
※内容によっては、お答えできない場合があります。
※サポートは日本国内のみとさせていただきます。
※Japanese text only

ISBN978-4-04-130413-6　C0193

◆◇◇

角川文庫発刊に際して

角川源義

第二次世界大戦の敗北は、軍事力の敗北であった以上に、私たちの若い文化力の敗退であった。私たちの文化が戦争に対して如何に無力であり、単なるあだ花に過ぎなかったかを、私たちは身を以て体験し痛感した。西洋近代文化の摂取にとって、明治以後八十年の歳月は決して短かすぎたとは言えない。にもかかわらず、近代文化の伝統を確立し、自由な批判と柔軟な良識に富む文化層として自らを形成することに私たちは失敗して来た。そしてこれは、各層への文化の普及滲透を任務とする出版人の責任でもあった。

一九四五年以来、私たちは再び振出しに戻り、第一歩から踏み出すことを余儀なくされた。これは大きな不幸ではあるが、反面、これまでの混沌・未熟・歪曲の中にあった我が国の文化に秩序と確たる基礎を齎らすためには絶好の機会でもある。角川書店は、このような祖国の文化的危機にあたり、微力をも顧みず再建の礎石たるべき抱負と決意とをもって出発したが、ここに創立以来の念願を果すべく角川文庫を発刊する。これまで刊行されたあらゆる全集叢書文庫類の長所と短所とを検討し、古今東西の不朽の典籍を、良心的編集のもとに、廉価に、そして書架にふさわしい美本として、多くのひとびとに提供しようとする。しかし私たちは徒らに百科全書的な知識のジレッタントを作ることを目的とせず、あくまで祖国の文化に秩序と再建への道を示し、この文庫を角川書店の栄ある事業として、今後永久に継続発展せしめ、学芸と教養との殿堂として大成せんことを期したい。多くの読書子の愛情ある忠言と支持とによって、この希望と抱負とを完遂せしめられんことを願う。

一九四九年五月三日

角川文庫ベストセラー

金田一耕助ファイル1
八つ墓村
横溝正史

鳥取と岡山の県境の村、かつて戦国の頃、三千両を携えた八人の武士がこの村に落ちのびた。欲に目が眩んだ村人たちは八人を惨殺。以来この村は八つ墓村と呼ばれ、怪異があいついだ……。

金田一耕助ファイル2
本陣殺人事件
横溝正史

一柳家の当主賢蔵の婚礼を終えた深夜、人々は悲鳴と琴の音を聞いた。新床に血まみれの新郎新婦。枕元には、家宝の名琴〝おしどり〟が……。密室トリックに挑み、第一回探偵作家クラブ賞を受賞した名作。

金田一耕助ファイル3
獄門島
横溝正史

瀬戸内海に浮かぶ獄門島。南北朝の時代、海賊が基地としていたこの島に、悪夢のような連続殺人事件が起こった。金田一耕助に託された遺言が及ぼす波紋とは？　芭蕉の俳句が殺人を暗示する⁉

金田一耕助ファイル4
悪魔が来りて笛を吹く
横溝正史

毒殺事件の容疑者椿元子爵が失踪して以来、椿家に次々と惨劇が起こる。自殺他殺を交え七人の命が奪われた。悪魔の吹く嫋々たるフルートの音色を背景に、妖異な雰囲気とサスペンス！

金田一耕助ファイル5
犬神家の一族
横溝正史

信州財界一の巨頭、犬神財閥の創始者犬神佐兵衛は、血で血を洗う葛藤を予期したかのような条件を課した遺言状を残して他界した。血の系譜をめぐるスリルとサスペンスにみちた長編推理。